De vlakte

Linda Davies

De vlakte

Uitgeverij Luitingh ~ Sijthoff

Voor meer informatie: kijk op **www.boekenwereld.com**

© 2001 Linda Davies
All rights reserved
© 2001 Nederlandse vertaling
Uitgeverij Luitingh ~ Sijthoff B.V., Amsterdam
Alle rechten voorbehouden
Oorspronkelijke titel: *Something Wild*
Vertaling: Tom van Son
Omslagontwerp: Nico Richter
Omslagfotografie: C&L digital, John Foxx Images, PhotoAlto
Foto auteur: Kelly Campbell

CIP/ISBN 90 245 4004 6
NUGI 331

Voor mijn zoons Hughie en Tommy, en voor hun vader Rupert, de liefdes van mijn leven.

DANKBETUIGING

Enkele buitengewoon vriendelijke, edelmoedige en ter zake kundige mensen hebben mij van informatie voorzien terwijl ik voor dit boek onderzoek deed. Duizendmaal dank aan hen allen.
De rocksterren.
David Pullman, uitvinder van de 'Bowie Aandelen' en goeroe van rockster beursnoteringen. Jennifer Speck, producente, intieme vriendin, reisgenote en Tommy Helsby. James Harman, onderhoudende showbizz jurist en zijn medewerker, Paddy Grafton Green. Andrew Wilkinson, Paul Charles en Andrea Bartlett.
Bovenal wil ik hen danken die mij geïnspireerd hebben, mijn baby's, Hughie en Tommy, en mijn echtgenoot, Rupert. Op het onderzoek!

Buffalo River Valley, Wyoming

De wind dreef de geur van verschrikking in de wijd opengesperde neusgaten van het paard, dat wild begon te dansen en springen. Zijn berijdster trok de teugels aan, net genoeg om hem te laten merken dat ze er was, niet om hem nog meer te prikkelen. Hier in de wildernis was zijn instinct oneindig beter afgestemd dan het hare. Hij liet zich niet afschrikken door de schaduwen op het oneffen pad of door het bulderen van de wind tussen de zilverberken. Voor de gezwollen rivier had hij slechts af en toe een controlerende blik over. Ze kon de flanken van het dier voelen trillen en ze deelde zijn angst. Ze probeerde ertegen te vechten, probeerde kalm te blijven en hem te helpen. Dat mislukte. Ze keek om zich heen om de oorzaak van zijn onrust te vinden, maar het dal zag er nog hetzelfde uit. Plotseling hoorde ze iets achter zich, een heftig dreunend geluid als tromgeroffel, en ze herkende het als het geluid van vluchtende hoeven. 'Rustig, rustig maar, jongen, het is al goed.' Maar dat was niet zo. Een ander paard kwam in zicht, wild galopperend alsof het door de duivel op de hielen werd gezeten. De ruiter klampte zich vast aan de nek van het dier; zijn voeten waren uit de stijgbeugels geschoten en de teugels zwaaiden los heen en weer. Het paard stormde in de richting van het geboomte, nog geen kilometer verderop. Daar zou de berijder geen schijn van kans hebben, hij zou uit het zadel worden gegooid en zijn rug of zijn nek breken. Jezus. Sarah reageerde automatisch. Ze gaf haar paard de sporen.

'Vooruit!' Het dier had geen aansporing nodig en sprong van het ruwe pad op het gras dat de bodem van de vallei bedekte. Sarah stuurde het in de richting van de bomen om het andere paard te onderscheppen, als ze tenminste op tijd kon komen, als ze snel genoeg was om het in te halen. Ze spoorde haar rijdier opnieuw aan. 'Kom op, jongen, sneller!'

Het dier reageerde nu opgetogen.

Sarah voelde zowel zijn verrukking als zijn angst. Als hij struikelde zouden ze allebei in een wirwar van gebroken botten op de grond eindigen. Ze had nog steeds een voorsprong op het andere paard, maar ze moest het van opzij naderen. De twee dieren begonnen dichter bij elkaar te komen. Nu kon ze het gezicht van de andere ruiter zien, bleek van schrik. De paarden hielden elkaar angstig in de gaten. Ze voelde haar eigen rijdier nog versnellen en zag het andere paard reageren. Jezus, wat gingen ze hard! Als ze niet tijdig wist in te grijpen zouden zij en de andere ruiter tegen de bomen te pletter slaan.

De paarden naderden elkaar, steeds sneller, steeds dichterbij. Sarah gaf een ruk aan de linkerteugel om haar paard af te remmen en in te tomen. Tien meter, acht, zeven, zes. Met ingehouden adem stuurde ze haar paard nog meer opzij, tot ze de doodsangst in de ogen van de man kon zien.

'Hou je goed vast!' schreeuwde ze. Vijf meter, vier, drie, twee. Ze waren nu bijna op gelijke hoogte. Met de hand waarmee ze de teugels vasthield klemde ze zich aan de zadelknop vast, waarna ze haar vrije hand uitstak om de slingerende leidsels van het op hol geslagen paard te grijpen. Na een blik op het aanstormende bos leunde ze nog verder opzij terwijl ze haar knieën stijf tegen de flanken van haar paard drukte. Nog even en ze zou uit het zadel glijden als ze de teugels niet te pakken kreeg. Het bos kwam steeds dichterbij. Met een laatste inspanning wist ze de teugels te grijpen.

Ze ging rechtop zitten en zette zich schrap in de stijgbeugels, uit alle macht aan de teugels trekkend. Ze voelde haar paard inhouden en abrupt in een kortere pas overgaan. Het tweede paard draafde verder en ze werd bijna uit het zadel gesleurd. Ze liet de teugels iets vieren voordat ze die zo hard mogelijk aantrok. Het andere paard steigerde en probeerde met zijn hoofd te schudden. Sarah schoof haar hand naar voren en rukte weer aan de teugels. Beide dieren verzetten zich, maar ze vocht terug. 'Rustig, rustig maar, ho. Kalm aan.'

Langzaam kreeg ze de dieren in bedwang. Het bos was heel dichtbij. Sarah stuurde de paarden naar rechts. Ze liet ze een flauwe bocht maken, langzaam en voorzichtig om ze niet te laten struikelen. De bomen waren nog maar dertig meter bij haar vandaan. 'Rustig aan, jongens.' En ten slotte vertraagden ze hun gang vrijwillig terwijl het stof opvloog onder hun schuivende hoeven. Eindelijk stonden ze stil.

2

Sarah reed weg van de ranch waar ze haar paard had gehuurd. Het stof dwarrelde achter de auto aan ten afscheid. Ze had de zwijgzame ruiter teruggebracht naar de ranch waar hij verbleef en hem aan de zorgen van een geschrokken helper toevertrouwd. De wegloper zoals ze hem in stilte noemde – de ruiter, niet het paard – had tijdens heel de terugtocht geen woord gezegd en alleen maar met glazige ogen voor zich uit gestaard. Hij verkeerde duidelijk in een shock, wat niet zo vreemd was. Hij had er bijna het leven bij ingeschoten. Sarah had op de ranch verteld wat er was gebeurd en gevraagd een arts te waarschuwen. Een shock kon al dodelijk zijn en de ruiter zag eruit alsof hij meer nodig had dan de plaatselijke remedie, en wel een dubbele whisky en hete koffie.

Onder het rijden voelde ze zich slecht op haar gemak, bevangen door het trauma van de belevenis. Opnieuw was de schaduw van een gewelddadige dood over haar heen gegleden. Ditmaal was ze nog net vlug genoeg geweest, had ze iemand anders het leven gered zonder het hare erbij te verliezen. Zoals gewoonlijk had ze er niet bij nagedacht maar was ze er bovenop gesprongen, gedreven door instinct, genen of ervaring waarvan ze de diep begraven wortels zelf niet kende.

Hoe vaak zou de dood haar belagen voordat hij haar opeiste? Tot nu toe had ze het gered in een leven dat met doden bezaaid was: haar ouders, omgekomen bij een auto-ongeluk; de dronken bestuurder die hun auto had geramd toen Sarah zeven jaar oud was; en veertien jaar later haar beste vriendin Mosami en haar minnaar Dante Scarpirato, van dichtbij neergeschoten. De dood had kort geleden zijn best gedaan om ook haar broer te halen die nu helemaal in het gips in het ziekenhuis lag en op haar bezoek wachtte. Bij het beklimmen van de Grand Teton in Wyoming was Alex Jensen van een rotswand gestort. Een klamp die zijn val had moeten breken had niet gefunctioneerd. Hij was dertig meter naar beneden gevallen en geland op een rotsblok dat zijn lichaam verbrijzelde. Sarah voelde tranen over haar wangen lopen nu ze eraan dacht hoe Alex eraan toe was geweest toen ze stoffig, uitgeput en doodsbang na de vlucht uit Londen bij hem was gekomen.

Het verband om zijn hoofd was rood van het bloed en hij knipperde met zijn ogen zonder ze te openen.

Hij was 43 uur buiten kennis geweest.

Sarah staarde naar haar vingers op het stuur van haar terreinwagen. Ze waren wit en ze trilden. Met gierende banden stopte ze langs de kant van de weg, zette de motor af en bleef een tijdje met haar hoofd tegen het stuur zitten. Pas toen ze weer een beetje tot bedaren was gekomen zette ze de reis langzaam en voorzichtig voort.

Alex was een boek aan het lezen: natuurlijk weer een of ander avonturenverhaal, dacht Sarah in een aanval van zusterlijke wanhoop. Hij was er zo in verdiept dat hij haar niet meteen in de deuropening zag staan. Zijn haar zat in de war, zijn gezicht had de gebruikelijke belangstellende uitdrukking. Ook nu zijn lichaam nog voor de helft in het gips zat, straalde hij een tastbare energie uit. Zelfs de artsen hadden hun wetenschappelijke rationalisme kortstondig opgeschort en moesten bekennen dat de jonge man over een uitzonderlijke levensdrang beschikte. Sarah wist dat ze het nooit had gered als hij het niet had overleefd. Op jonge leeftijd wees geworden hadden ze een band die sterker was dan normaal tussen broer en zus. Ook al was Alex een groot deel van het jaar op trektocht, toch voelde Sarah zich altijd met hem verbonden. Hoe zou een van hen kunnen doorgaan als die band werd verbroken? Ze dacht weer aan het op hol geslagen paard en rilde. Op dat moment keek Alex op.

'Hallo.'

'Hallo, Al.' Sarah ging snel naar het bed en drukte een stevige zoen op de wang van haar broer.

'Gaat het wel met je?' vroeg Alex met een scheve blik op haar gezicht. Ze kon nooit iets voor hem verbergen.

Sarah ging op de rand van het bed zitten en vertelde wat er was gebeurd.

Alex luisterde met een geschrokken gezicht.

'Jezus. En ik dacht nog wel dat ik een waaghals was. Hoe is het afgelopen?'

Sarah keek met een blik vol liefde naar het gips om zijn been en beide armen, naar het vaalwitte litteken dat op zijn linkerwang begon te ontstaan. 'Hij kon geen woord uitbrengen. Hij schudde alleen maar heftig zijn hoofd toen ik vroeg of hij weer kon rijden en daarom reed ik stapvoets terug terwijl hij en zijn paard achter me aan liepen, drie uur over het pad naar de ranch aan de rivier. Daar heb ik hem afgeleverd.' Sarah haalde haar schouders op. 'Dat was het. Ik heb mijn eigen paard teruggebracht en ben hierheen gereden.'

Alex zweeg een ogenblik. 'Je had wel dood kunnen zijn, Sare.'

'Moet je hem horen.'

Alex keek haar schaapachtig aan. 'Iemand in onze familie of wat daarvan over is moet toch enig gevoel voor verantwoordelijkheid tonen.'

'Nou ja...' Sarah wendde haar blik af en probeerde niet aan het fatale verleden te denken. Plotseling keek ze Alex weer aan. 'Hoe gaat het trouwens met jou? Hebben de artsen nog iets gezegd?'

Alex zette ineens een vrolijk gezicht. 'Ze hebben me vandaag weer onderzocht. Over een paar dagen mag het gips van mijn armen, zeiden ze, en over een week van mijn been.'

Sarah pulkte aan het gips om zijn arm. 'Dat is geweldig. En verder?'

'Ik denk dat ze me daarna binnenstebuiten zullen keren. Ik zal hoe dan ook langdurig fysiotherapie moeten ondergaan.' Zijn gezicht betrok.

'Wat is er?'

'Maak je niet druk, het is niet zo erg.'

'Wat niet?'

'Financieel gezien. Er is een kliniek in Engeland, ergens op het platteland. Ze zeggen dat het 't beste revalidatiecentrum van heel Europa is.'

'Dan moet je daarheen.'

'Het kost een vermogen, Sarah.'

'Je moet helemaal herstellen, de rest is onbelangrijk.'

'Ze geven me een tamelijk goede kans.' Hij zweeg even, terwijl de hoop in zijn ogen opflikkerde. 'Twee maanden in de kliniek, daarna mag ik naar huis als ik regelmatig fysiotherapie en oefeningen doe. Over negen maanden zou ik weer gewoon kunnen lopen.'

Sarah drukte haar voorhoofd tegen de borst van haar broer om haar tranen te verbergen. Ze veegde snel haar ogen droog voordat ze rechtop ging zitten.

'Dat is fantastisch, Alex. Ik heb nog nooit zulk goed nieuws gehoord.'

Hij glimlachte en pakte haar hand. 'Het is te veel, Sare. Tien weken hier, twee maanden in de kliniek. Dat is niet eerlijk tegenover jou.'

Ze trok haar hand terug. 'Waar dient geld anders voor?'

'Je hebt er hard genoeg voor moeten werken. Ik wil niet dat jij ervoor moet bloeden.'

'Dat kan me niet schelen, zolang het alleen maar geld is. Jij bent mijn vlees en bloed, verder is er van de familie niemand meer over. Dacht je dat geld mij dan nog iets kon schelen?' Ze deed geen moeite meer om haar tranen te verbergen.

'Hoeveel heb je nog over? Door mij moet je zowat blut zijn. Met die kliniek erbij heb je aan een miljoen nog niet genoeg.'

'Zoveel geld heb ik wel.'

'En als het op is?'

'Ik werk toch zeker nog? Ik verdien het wel terug.'

'Sinds mijn ongeluk heb je niet meer gewerkt.'

'Als we thuis zijn ga ik weer aan de slag.'

'Ik weet wat geld voor je betekent, je wilt je toekomst veiligstellen. Een miljoen heb je niet zomaar verdiend.'

'Misschien ga ik de beurs weer op. Ik zal trouwens niet van honger omkomen, Al, en ik wil dat je thuis naar die kliniek gaat, dus hou er nu maar over op.'

Sarah reed terug naar Spring Creek. Ze woonde er nu tweeënhalve maand, vanaf de dag nadat ze door het ziekenhuis was gebeld, en het uitzicht was nog steeds adembenemend. Het huis lag in een vakantiepark op ruim tweeduizend meter hoogte in Jackson Hole, Wyoming. Het dal beneden vormde een reusachtige kom, begroeid met weelderig vruchtbaar groen, en daarachter strekte zich het gekartelde en besneeuwde gebergte uit tot aan de horizon. Het was hier zo vredig. Er was geen spoor van het gekmakende lawaai waar ze zich thuis in Londen zo aan ergerde. Als ze in Londen over straat liep was het soms net alsof ze in een schilderij van Edvard Munch was beland, lopend langs lange rijen huizen vol met schreeuwende bewoners. Ze wist dat ze te ge-

voelig was, maar ze kon zichzelf niet veranderen: als ze niet op-
paste zou het ruwe leven haar te veel worden. Wyoming begon
echt een rustoord te worden nu het verbrijzelde lichaam van haar
broer begon te herstellen.

Ze deed de deur op slot, schonk een glas whisky in en bedacht wat
ze wilde eten. Eerst had ze een douche nodig. Ze stonk naar paarden en zweet, iets waar Alex geen bezwaar tegen had, maar zelf
kon ze niet langer wachten om het stof van haar lichaam te spoelen.
Ze kwam net uit de douche, gewikkeld in een badhanddoek, toen
er op de deur werd geklopt. Zeker iemand van de wasserette die
haar schone was kwam brengen. Had ze het bordje *Niet storen*
niet aan de deur gehangen? Ze trok de handdoek strakker om
haar heen en deed open.

Een onbekende stond voor haar, zijn gezicht deels verborgen onder de rand van een cowboyhoed. Hij zei niets en keek haar alleen maar aan. Sarah schrok even, maar toen werd ze boos. Ze
zette haar handen op haar heupen en keek de vreemdeling agressief aan.

'Ja?' vroeg ze, op een toon die eigenlijk zei: *Zeg maar gauw wat
je wilt en hoepel anders op.*

De man glimlachte, iets wat Sarah om de een of andere reden nog
bozer maakte. Ze wilde net de deur in zijn gezicht dichtgooien
toen hij begon te praten. 'Ik wilde u bedanken.' Hij had een zware, ruwe stem, volmaakt beheerst.

'Waarvoor?'

'Dat u het leven van mijn vriend hebt gered,' antwoordde de onbekende.

'O, dat,' zei Sarah, alsof het dagwerk voor haar was. 'Ja, wat
moest ik anders?' Ze voelde een koude windvlaag en rilde. Ze
trok de handdoek om zich heen en wreef over haar armen. Het
was een hint om de deur te kunnen sluiten en terug te gaan naar
de warme kamer, maar de man ging niet weg. Hij bleef waar hij
was en keek haar aan. Ze keek terug en even stonden ze roerloos
tegenover elkaar terwijl de kille wind naar binnen blies. Ten slotte draaide Sarah zich om en ging de kamer in, natuurlijk gevolgd
door de man.

Ze bleef in het midden van de kamer staan terwijl de deur dichtviel.

'Ik zal me even aankleden,' zei ze.

Hij knikte alleen maar.

Haar vingers trilden toen ze haar vestje probeerde dicht te knopen. Ze trok een spijkerbroek en een paar cowboylaarzen aan en kamde haar haren voordat ze weer naar de kamer ging. Hij stond bij het grote raam in de voorkamer naar de stormachtige avond te kijken.

'Wilt u iets drinken?'

Hij draaide zich langzaam om. 'Ik doe met u mee.' Het timbre van zijn lage stem bracht haar bloed aan het koken. Ze ging naar de keuken, schonk twee flinke glazen whisky en ging terug naar de kamer. Hij nam zijn glas aan en dronk het voor de helft leeg.

'Zo,' zei Sarah, weer met haar handen op haar heupen, 'en wie bent u?'

De vraag ontlokte hem een vrolijke lach.

'Heb ik iets grappigs gezegd?' vroeg Sarah koel.

'Doet het er iets toe wie ik ben?'

Sarah haalde haar schouders op. 'Uw naam interesseert me niet.' Ze nam een flinke slok whisky. 'Maar u zou tenminste die stomme hoed kunnen afzetten.'

Zonder zijn ogen van haar af te houden deed hij zijn hoed af. Nu zag ze zijn gezicht met de harde, strakke trekken, de fonkelende ogen grijs als steen, de koele mond.

'O,' zei ze, 'nu zie ik het.'

3

Ze lag in bed, even rusteloos als de storm. Waarschijnlijk had ze iets verkeerds gegeten, of anders was het een vertraagde shock, want haar maag was van streek en ze moest de halve nacht naar het toilet rennen. Tijdens de kortstondige rustpauzes moest ze telkens aan het gezicht van de man denken. Ze kende hem, zoals iedereen met een radio, krant of televisie hem kende. John Redford was een van de heersende goden van de moderne rock, geliefd bij mannen en vrouwen, geliefd bij iedereen. Hij was Thor en Pan tegelijk, met daarbij iets van de gouden naglans van een gevallen engel. Hij verwoordde het protest van de gewone man tegen de spooksteden van staal, hij zong warmbloedige ballades die een nonnenklooster konden doen leegstromen en hartverscheurende blues vol verdriet en eenzaamheid.

In twintig jaar tijd had hij meer dan honderd miljoen albums verkocht en toch was hij pas veertig. In de pers *the hard man of rock* genaamd, vermeed hij doorgaans de snelle wereld die hij domineerde en gaf de voorkeur aan zijn paardenranch in Wyoming. Ze had gezien hoe eeltig zijn handen waren, eerder van het harde werken dan van het spelen op zijn gitaar, hoewel hij dat laatste als geen ander beheerste. Zijn songs waren een deel van haar leven. Ze had erbij gelachen, gehuild en de liefde bedreven. Het was alsof hij al haar gevoelens doorgrondde. Behalve gitaar speelde hij ook piano en hij schreef al zijn teksten, recht uit het hart. Hoewel hij zijn emoties in zijn songs tot uiting bracht werd hij in de pers vooral als een raadsel bestempeld, als iemand die tegelijk openhartig en afstandelijk was. Hij gaf geen interviews, behalve als hij zich wilde uitspreken tegen een of andere onrechtvaardigheid die hij niet kon verdragen. Maar vreemd genoeg kon je geen etiket op zijn opvattingen en zijn hartstochten plakken. John Redford was een voorvechter van de natuur en streed tegen de vestiging van nieuwe fabrieken die het milieu dreigden te verontreinigen, maar hij had ook oog voor de werkgelegenheid die bestaande fabrieken boden. Hij was niet roomser dan de paus. Er deden verhalen de ronde over uitspattingen met zijn vrienden, onder andere met een bekende acteur. Hoe de mensen over hem dachten leek hem totaal koud te laten; hij gaf onverbloemd zijn mening, ook als die politiek incorrect was; hij deed wat hij wilde en kreeg toch alle lof toegezwaaid. Niettemin bewaarde de pers altijd een zekere reserve, alsof men bang was dat de leeuw zich elk moment tegen zijn bewonderaars zou kunnen keren. Gevaarlijk was hij zeker. Dat had ze gevoeld zodra ze hem in de deuropening had zien staan. Die aura hoorde bij zijn indrukwekkende persoonlijkheid. Sarah kende mensen met een vrolijke, opgewekte, goede uitstraling, maar dat gold niet voor Redford. Hij was een riskante man en ze was niet van plan zich in het gevaar te storten.

Ze had meer van zulke mannen gekend, ook in bed, en een van hen had haar hart gestolen. Die was nu dood en daar was zij verantwoordelijk voor: Dante Scarpirato met zijn duistere uitstraling, met het dikke haar en zijn gladde bruine huid. Hij was haar chef geweest bij de tweede bank waar ze in de Londense City had gewerkt. Hij was de reden waarom ze die baan had aangenomen. MI6 en de directeur van de Engelse centrale bank hadden haar opdracht gegeven een onderzoek in te stellen naar Scarpirato, die ervan werd verdacht het brein te zijn achter een omvangrijke handel met voorkennis op de deviezenmarkt.

Ze was niet echt gekwalificeerd voor zo'n opdracht, afgezien van haar ervaring op de beurs, haar verschijning en haar hang naar avontuur, maar daar hadden haar opdrachtgevers juist op gerekend. En ze had hem niet teleurgesteld. Als spionne in de geldwereld was ze verliefd geworden op het object van haar professionele interesse. Ze werd zijn vriendin en ontdekte dat hij onschuldig was. Het noodlot zorgde ervoor dat hij op het verkeerde moment op de verkeerde plaats was en werd vermoord door een vrouw die het op Sarah had gemunt. MI6 en de centrale bank hadden verzuimd haar te vertellen dat de maffia bij de zaak betrokken was, zodat Sarah ongewild in een wespennest was terechtgekomen. Ze had de clandestiene handelaars bij haar geheime opdrachtgevers aangegeven, maar Dante en haar beste vriendin Mosami Masimoto waren vermoord omdat de maffia dacht dat ze te veel wisten. Sarah had het alleen overleefd door een deal te sluiten met de maffia en met de vrouw die haar moest vermoorden: hun vrijheid in ruil voor haar leven.

Ze had meer dan genoeg gevaar geproefd en de blik in Redfords ogen riep een onaangename herinnering op. Maar wat deed het ertoe? Ze zou hem toch nooit meer zien.

4

De volgende middag reed ze naar het ziekenhuis. Met rode ogen en een maag vol sterke koffie ging ze op de rand van het bed zitten en vertelde haar broer wat er was gebeurd.

'En toen?' vroeg Alex achterdochtig.

'Maak je maar geen zorgen, broertje. We hebben gewoon wat gepraat en daarna heb ik hem weggestuurd.'

'Hmm. Aan je gezicht te zien was het wel wat meer dan gewoon praten.'

'Ik ben heel netjes geweest en dat blijft ook zo. Ik ben niet van plan groupie van een rockster te worden.'

'Heb ik dat gezegd dan? Als ik niet beter wist...'

'Hou op.' Sarah gaf hem een speels klapje op zijn hoofd.

Een uur later stond ze op. Ze boog zich naar Alex toe en gaf hem een zoen.

'Vind je het niet fijn dat je weer naar huis mag?'

Alex keek haar verrast aan. 'Je hebt toch geen haast om weer naar Engeland terug te gaan? Ik dacht dat je het hier zo naar je zin had.'

'Dat wel, maar je weet wat Dorothy zei in *The Wizard of Oz*: oost west, thuis best.'

Naderhand vroeg ze zich wel eens af wat ze gedaan zou hebben als ze net als Dorothy om haar as had kunnen draaien en drie keer met haar hakken tegen elkaar had kunnen klikken om naar huis getransporteerd te worden...

Sarah reed terug naar huis, alweer stoffig na een nieuwe dag in het zadel. In de blokhut nam ze een douche, waarna ze twijfelde over wat ze zou aantrekken. Toen ze tien weken geleden door het ziekenhuis was gewaarschuwd had ze gewoon maar wat kleren in een koffer gestopt en was ze in vijf minuten klaar geweest. Nu wenste ze dat ze heel haar garderobe en een half warenhuis tot haar beschikking had. De meeste kleren die ze had moesten nodig in de was. Frisse kleding leek niet echt belangrijk als je het grootste deel van de dag op een paard zat, 's avonds bij je broer op bezoek ging en daarna in een blokhut at met als enige gezelschap een paar brutale eekhoorns die op het zonneterras zaten te bedelen. Wat doet het er eigenlijk toe, dacht ze afkeurend bij zichzelf. Doe toch niet zo moeilijk. Ze koos een niet al te vuile spijkerbroek en het enige vestje dat tamelijk schoon en niet doorgezweet was. De bandjes van haar beha waren er doorheen te zien. Ze deed de beha af. Nu waren haar tepels te zien. Jammer dan. Ze grinnikte en ging op blote voeten naar de zitkamer. De eekhoorns zouden er vast geen aanstoot aan nemen.

Ze schonk zichzelf een glas whisky in en nestelde zich op de bank met de nieuwste detective van Elizabeth George. Het verhaal sleepte haar mee, want ze ging geschrokken rechtop zitten toen er op de deur werd geklopt. Ze legde het boek neer, zwaaide haar benen van de bank en ging naar de deur. Met bonzend hart deed ze open. Ze wist wie het was. Hij stond voor haar, gekleed in spijkerbroek, een jack van schapenwol en een cowboyhoed. Ruim een meter tachtig lang, een verweerd gezicht, gespierde dijen, het ene been licht gebogen, een vaag lachje om zijn lippen. Ze bleef in dezelfde houding staan zonder iets te zeggen. De stilte begon ongemakkelijk lang te duren. De tijd verstreek langzaam terwijl Sarah naar de vreemdeling op de drempel staarde. Ze hoorde de wind ruisen in de espen, ze voelde het koude briesje op haar wang, ze was zich onnatuurlijk scherp bewust van alles wat in haar leefde. Ze kon bijna het bloed door haar aderen voelen stromen. Ze glimlachte. 'Kom dan maar binnen.'

Hij knikte bijna onmerkbaar en volgde haar naar binnen. Ze ging naar de keuken, bracht water aan de kook en schonk twee koppen kamillethee in. Al die tijd sprak geen van beiden een woord. Sarah ging terug naar de kamer, gaf Redford zijn thee en ging in de leunstoel zitten. Redford nam de bank. Ze keken elkaar van een afstandje aan en glimlachten. Woorden leken ineens ontoereikend. Gedachten en gevoelens waren al veel verdergegaan. Speel het spelletje mee, zei Sarah bij zichzelf, die zich aan een strohalm vastklampte. Verstop je achter woorden.

'Heeft je vriend je weer gestuurd?' vroeg ze terwijl ze Redford over de rand van haar kop aankeek.

'Dat heeft hij gisteren ook niet gedaan.'

'Waarom ben je dan gekomen?'

'Ik was nieuwsgierig.'

'Zo?'

'Je hebt iets heel moedigs gedaan.'

'Is dat zo bijzonder?'

'Je had een lelijk ongeluk kunnen krijgen.'

Sarah trok haar schouders op.

'Was je niet bang?'

'Nou en of.'

'Waarom deed je het dan?'

'Ik heb er niet bij stilgestaan. Je vriend was tegen de bomen te pletter geslagen.'

'Als jij er niet was geweest.'

'Wie is hij?'

'Strone Cawdor, mijn manager.' Redford nam een slok thee. 'En wie ben jij? Wat doe je in je eentje in een blokhut zesduizend kilometer van huis?'

'Hoe weet je waar ik woon?'

'Dacht je dat ik dat chique Londense accent niet herkende?' Sarah lachte. 'Alsjeblieft, zeg. Straks ga ik me nog bekakt voelen.'

'Nee, dat is een ander slag. Zo ben jij niet.'

'Hoe ben ik dan wel?'

'Dat vraag ik me juist af.'

'Vraag maar een eind weg.'

'Je hebt nog niet gezegd wat je hier doet.'

Sarah aarzelde voordat ze antwoord gaf. Ze keek door het raam naar de bergen, waarvan de besneeuwde toppen door de ondergaande zon rood werden gekleurd.

'Mijn broer heeft een ongeluk gehad toen hij aan het bergbeklimmen was.' Ze durfde niet verder te gaan.

'Wat is er gebeurd?' Redfords stem had ineens een meelevende klank gekregen en in zijn ogen lag een blik vol mededogen.

Sarah ging naar de keuken om twee glazen whisky in te schenken. Ze dronk haar glas half leeg voordat ze verderging. 'Ruim twee maanden geleden wilde hij naar de top van de Grand Teton klimmen toen hij ten val kwam.' Haar stem sloeg over, maar ze ging door. 'Hij werd per helikopter naar het ziekenhuis gebracht met een gebroken been, zes gebroken ribben, allebei zijn armen, zijn gezicht helemaal open. O god.' Ze sloeg haar handen voor haar gezicht toen haar masker weggleed. Redford keek naar haar en wachtte tot ze zich had hersteld.

'Hij is 43 uur buiten westen geweest. Het heeft maar een haartje gescheeld of hij had het niet gehaald.' Ze keek op. 'Maar hij is een taaie. Hij heeft het overleefd en met een goede behandeling moet hij volledig kunnen herstellen.' Ze liet een dapper, vermoeid lachje zien. 'Het enige wat hij wil is dat hij weer kan klimmen. Dat is de grote liefde in zijn leven.'

'En hij is jouw grote liefde,' merkte Redford op.

'Hij is mijn kleine broertje, ik heb altijd naar hem omgekeken. Ja, hij is mijn grote liefde.'

'En je ouders?' vroeg Redford.

Nee, daar wilde ze niet op ingaan, ze had voor vanavond al genoeg van deze onbekende te lijden gehad.

'Wat doe jij hier?' vroeg ze terwijl ze ging staan.

'Ik ben hier geboren. Niet in Jackson, maar in de bergen. Ik kom hier zo vaak ik maar kan.'

'Om te vluchten?' vroeg Sarah peinzend.

'Precies. Altijd op reis is een vermoeiend bestaan.'

'Ja, al die fans, de opwinding, grote optredens, juichende massa's, en dan nog al het geld wat je ermee verdient. Wat een zwaar leven.'

'Ja, het is een makkie,' antwoordde Redford sarcastisch.

'Wat bevalt je er dan niet aan?' drong Sarah aan, al wist ze zelf niet waarom.

'Dat is een lang verhaal. Een waar ik nu niet voor in de stemming ben en jij ook niet, als ik me niet vergis.'

Sarah glimlachte beleefd.

'En wat doe je thuis?' vroeg Redford, die kennelijk blij was dat hij op een ander onderwerp kon overgaan. 'Tien weken is een lange tijd om weg te zijn. Zit er geen man of vriend op je te wachten, of een baas?'

'Geen man en geen vriend.'

'Waarom niet?'

'Dat is mijn lange verhaal.'

'Ik heb geen haast.'

Sarah zuchtte. Aan de ene kant was ze blij met Redfords vragen, met de onuitgesproken verstandhouding die tussen hen leek te ontstaan, maar aan de andere kant besefte ze dat ze hem ondanks zijn vertrouwde gezicht helemaal niet kende.

'Je hebt mannen om van te houden, mannen voor de seks, mannen voor spelletjes en maatjes. Van die laatste drie heb ik er meer dan genoeg, daar zit ik nu niet om verlegen, maar met de liefde wil het niet zo vlotten.' Ze glimlachte. 'Daar heb je er trouwens maar eentje van nodig, de ware Jacob.'

'En die heb je nog niet leren kennen?'

'Nee. Misschien als ik negentig ben, maar voor die tijd geef ik me niet gewonnen.'

'Dus geen vriendjes tot die tijd?'

'O jawel, maar niemand die me zal beletten alles te laten vallen en hier tien weken te komen zitten als het nodig is.' Sarah streek een lok uit haar ogen en keek Redford aan.

'En jij?'

'Wat? Of ik aan iemand vastzit?'

'Hoe je het wilt noemen.'

'Ik ben alleen. Ik heb wel vriendinnen gehad, maar de grote liefde was er niet bij. Ik wou dat ik kon geloven dat ze bestond.'

'Je zingt over haar.'

'Dat is fantasie, een droom. Daarna word ik wakker.'

'Zo cynisch ben je niet, John Redford.'

Hij dronk zijn glas leeg. 'Niet?'

Sarah ging naar hem toe om zijn glas te pakken. Hij hield het vast. Van dichtbij keek ze in zijn ogen die tegelijk hard en sprankelend waren, zich al te zeer bewust van zijn eigen macht, maar er lag ook een spoortje onzekerheid in. Sarah had het gevoel dat het bij deze man alles of niets was.

'Nee,' zei ze terwijl ze hem strak bleef aankijken. 'Dat ben je niet.'

Hij liet het glas los. Ze schonk voor hen allebei nog een keer in, waarna ze zich omdraaide en haar eigen glas op de tafel achter haar zette.

'Waar woon je dan?' vroeg ze, want ze had ineens behoefte om over iets veiligers te beginnen.

'Ik heb een kleine ranch iets verderop.'

Sarah glimlachte droog. 'Klein? Dat zal wel.'

'In elk geval niet zo groot als ik zou willen.'

'Wat wil je dan?'

'Ruimte, vrijheid. Genoeg land om een stel grizzly's te laten rondstruinen.'

'Dan koop je er land bij.'

'Zo simpel is dat niet.'

'Waarom niet? Is er niets te koop?'

'Dat wel, maar de prijzen zijn krankzinnig.'

'Het klinkt misschien niet erg tactvol, maar dat lijkt me voor jou geen probleem.'

Redford lachte wrang. 'Natuurlijk, elke rockster heeft zakken vol geld. Het zou je verbazen als je wist hoe weinig er overblijft als de platenmaatschappij, agenten, managers, boekhouders en juristen hun aandeel hebben gehad.'

'Goed, maar dan nog.'

'Heb je enig idee wat een behoorlijke ranch met uitzicht op de Tetons doet?'

'Zeg het maar.'

'Een paar maanden geleden is er nog een verkocht, iets verderop in het dal, met tachtig hectare grond erbij, voor vijfentwintig miljoen dollar.'

'Jezus! Dat is niet normaal.'

'Op de veiling waren er meer dan twintig potentiële kopers. Ik moest afhaken. De ranch is gekocht door een computerfreak uit Silicon Valley.'

'Dat verbaast me niks. Waarom is de grond hier zo duur?'

'Voor mensen met geld is het hier 's zomers en 's winters ideaal. Het is een prachtige omgeving en nog geen drie procent van de grond is in particuliere handen, de rest valt onder natuurbescherming.'

'Je zou aandelen moeten uitgeven,' zei Sarah. 'Je kunt je tophits verkopen aan een verveelde institutionele belegger die wel eens iets anders in zijn portefeuille wil. Daar haal je veel meer dan vijfentwintig miljoen mee binnen, kijk maar naar Bowie.'

'Daar heb ik over gehoord, ja.'

'Jij bent veel groter dan Bowie. Als hij vijfenvijftig miljoen kon binnenhalen, kom jij waarschijnlijk aan de honderd miljoen.'

Redford leek niet onder de indruk te zijn. 'Denk je?' vroeg hij.

'In Londen zit Goldsteins International, de beste bank die je kunt hebben. Ze werken hard voor je, ze zijn betrouwbaar en agressief en ze hebben een grote reputatie. Ze doen een moord voor hun cliënten,' voegde ze eraan toe voordat ze er erg in had. Ze ging snel verder. 'Als je ooit in Londen bent moet je eens naar de directeur vragen, James Savage.'

'Misschien doe ik dat wel.'

Sarah stond op. Het onderwerp had haar teruggebracht in de werkelijkheid, een einde gemaakt aan de fantasie van de avond. Hij was een rockster, zij een bankier en privédetective. In beide hoedanigheden werkte ze freelance voor Goldsteins, waarbij de een de ideale dekmantel voor de ander vormde. Na de dood van Dante en Mosami was Sarah bij ICB weggegaan en naar Alex gevlucht die op trektocht in de Himalaya was. Daar was ze een jaar gebleven, waarna ze samen met Alex naar Peru was gegaan, eveneens voor een jaar. Daarna was ze teruggegaan naar Engeland. Zonder een duidelijk doel voor ogen en zonder Alex, die zijn zwerftocht had voortgezet, had ze een baan aangenomen bij Kroll Associates, het beste detectivebureau ter wereld. Ze had er haar nieuwe vak geleerd en een paar heel goede vrienden gemaakt. Na een jaar bij de firma was ze voor zichzelf begonnen. Goldsteins was haar beste opdrachtgever en inmiddels bijna de enige. Ze werd goed betaald, goed genoeg om maar de helft van het jaar te hoeven werken, en ze kon haar eigen opdrachten uitkiezen. Dat zou binnenkort allemaal afgelopen zijn, besefte ze toen ze aan de kosten van Alex' behandeling dacht. Terug in Engeland zou ze een hele tijd hard moeten werken om haar reserves weer aan te vullen en financieel onafhankelijk te worden. Moet je hem dan zien, dacht ze met een blik naar de man tegenover haar. *Hij is een maatje te groot voor je*, zei het stemmetje in haar hoofd.

'Het spijt me,' zei ze, 'maar ik moet iets eten en daarna gaan slapen. Het is morgen vroeg dag.'

Redford keek haar verbaasd aan. 'Je gaat toch niet terug naar Engeland?'

'Nee, pas als mijn broer naar huis mag. Ik ga een trektocht van vier dagen door de wildernis maken.'

'In je eentje?'

'Samen met drie paarden, drie muilezels, een gids en een drijver.'

5

'Een gitaar meenemen? Je bent toch niet achterlijk?'

Sarah staarde naar de man met de leren beenstukken en de cowboyhoed, haar bedoelde gids voor de komende vier dagen, hoewel het er steeds meer naar begon uit te zien dat ze nooit op weg zouden gaan.

'Wat is die muzikant van plan, een grizzly op zijn kop slaan of

een beetje op zijn gitaar jengelen tot het beest op de vlucht slaat?'
Sarah slaagde erin haar mond te houden en te wachten tot de
cowboy genoeg kreeg van zijn eigen twijfelachtige humor.
'Ik hoor pas op het laatste moment van je dat er nog iemand mee-
gaat en dan heeft hij nog een gitaar bij zich ook. Denkt hij soms
dat wij voor de begeleiding zorgen?'
Sarah had er nu genoeg van. 'Wil je nu onze gids zijn of niet?'
De cowboy begon ineens te grinniken. 'Dat wel. We zijn er nu
toch, althans wij tweeën. Waar blijft die tokkelaar van je?'
Sarah keek om naar haar jeep. Ze zag Redford met een cowboyhoed op in zijn mobiele telefoon praten.
'Hij komt er zo aan,' antwoordde ze, terwijl ze voor de gids ging
staan en Redford wenkte.
Redford voegde zich even later bij hen, net toen de gids weer een
sarcastische opmerking wilde maken.
'Hallo,' zei Redford, die zijn hand uitstak. 'Sorry dat ik jullie liet
wachten.'
'Hmm,' antwoordde de cowboy, van zijn stuk gebracht. Hij hield
zijn hoofd schuin en keek Redford aan. 'Ben je hier al eens eer-
der geweest? Je gezicht komt me zo bekend voor.'
'Ik ben hier geboren.'
'Waar dan?'
'Aan de oever van de Snake River, net ten zuiden van Moran.'
'Wat, aan het water?'
'Letterlijk op het gras. Mijn moeder vond het water kalmerend.'
'Dat meen je niet. Hoe heet je moeder? Woont ze hier nog?'
'We zijn verhuisd,' antwoordde Redford vlak. 'Kunnen we nu
gaan?'
De gids keek hem onzeker aan, verrast door de abrupte omslag
van Redfords humeur.
'Ja,' zei hij. 'Alleen je gitaar nog.' Toen haalde de cowboy venij-
nig zijn neus op en liep naar de pakezels.
Redford keek hem met opgetrokken wenkbrauwen na.
Sarah grinnikte. 'Hij heeft wel iets van een paard, vind je niet?
Schichtig en snel van streek, maar ook gemakkelijk in te tomen.'
'Kun je met een paard omgaan, tokkelaar?' riep de cowboy uit
de kraal. 'Er zitten grizzly's waar wij naartoe gaan en we willen
geen onnodige ongelukken.'

'Een prettig vooruitzicht,' zei Redford zacht tegen Sarah. 'Als je me maar een fatsoenlijk paard geeft,' riep hij.

'Dit is Tony, een prima paard voor jou. En jij krijgt zijn tweelingbroer, Wes,' riep de gids Sarah toe. 'Het zijn de zachtaardigste dieren die je je maar kunt voorstellen.'

'Klinkt goed,' zei Sarah.

'Heb je ook een naam?' vroeg de cowboy toen hij met een bijna anderhalve meter hoge schimmel kwam aanzetten.

'John. En jij?'

'Ik ben Dave.' Hij gebaarde naar een magere knaap van in de twintig die bezig was hun bagage op de muilezels te laden. 'En dat is Ash.'

Ash draaide zich om en toonde een verlegen glimlach. Hij schuifelde naar voren om Sarah en Redford een hand te geven.

'Dit zijn Sarah en John. John komt hier uit de buurt, zegt hij.'

Ash trok wit weg toen hij Redford herkende. 'Aangenaam,' mompelde hij voordat hij weer naar de muilezels ging.

Ze gingen op weg langs de oever van de Buffalo River, waarvan het bruine water gezwollen was door de smeltende sneeuw van de berghellingen. De paarden liepen voorzichtig over het ruw uitgehouwen pad en keken af en toe om zich heen alsof ze zelf van het spectaculaire uitzicht wilden genieten. Tijdens de klim passeerden ze groepjes zilverberken en dennenbomen vol met oogvormige knoesten, alsof de geesten van de bomen hen aankeken. Overal waren libellen en vlinders te zien en de lucht was gevuld met de geur van dennennaalden, harsachtig en even sterk als wierook. De wind floot door de glanzende groene bladeren van de zilverberken. Ze waren nooit ver van het water af, van sijpelende, ruisende of brullende rivieren, van watervallen en poelen waar de paarden hun zachte neuzen in konden steken om hun dorst te lessen.

Toen ze een door een gletsjer uitgeslepen kom naderden, verbaasde Sarah zich over de uitgestrektheid van de hemel, schitterend blauw en zó enorm dat ze er de kromming van de aarde in meende te kunnen zien. Het gras aan weerskanten van het rotspad was bezaaid met blauwe en gele bloemen. Overal begonnen kale takken uit te botten: de lente begon hier in de hoge wildernis half juni. Sarah keek naar de hoge bergtoppen in de verte en vroeg zich af of de sneeuw daar ooit zou smelten. Her en der lagen omgevallen bomen, hun ontschorste takken net kaalgevreten botten. Een meer glinsterde, hemelsblauw, tot de rand gevuld met smeltwater. Waar ze ook keek, overal zag Sarah schoonheid, leven, dood en vernieuwing.

Redford kwam naast haar rijden.

'Is het niet prachtig?' zei ze.

'Het mooiste plekje op aarde,' beaamde hij.

'Je mag van geluk spreken dat je hier geboren bent.'

'Hmm.' Hij hield zijn paard in en liet zich terugzakken. Ze verlieten de kom over een kronkelig pad dat langs de rand van het dal voerde. Plotseling hield de stoet stil. Dave wees zwijgend naar een eland die op ongeveer zes meter naast het pad stond. Het dier keek met heldere bruine ogen naar hen, waakzaam maar zonder angst. Zijn kop was enorm groot en lelijk, maar zijn lange flaporen waren fluweelzacht en toen hij in beweging kwam liep hij met zijn lange benen even sierlijk als een danser weg over de ruwe bodem.

'Wat een wonderlijk schepsel,' zei Sarah tegen Redford. 'Mooi en lelijk tegelijk.'

'Net als wij,' zei Redford. 'Behalve jij, natuurlijk. Jij bent alleen maar mooi.'

'Alsjeblieft, zeg,' antwoordde Sarah verrast. 'Dat moet je wel duizend keer hebben gezegd.'

'Misschien wel, maar ik meende het niet altijd.'

Even bleven ze elkaar aankijken, onwillig om het contact te verbreken. Sarah was de eerste die haar blik afwendde. Ze kon nog steeds niet geloven dat Redford hier was. Toen ze hem de vorige avond over haar plannen had verteld had hij gevraagd, op een toon alsof het de gewoonste zaak ter wereld was, *kan ik mee?* En zij had al even gewoon geantwoord: *ja.*

Ze kwamen steeds hoger en bereikten de sneeuwgrens. De paardenhoeven knarsten in een halve meter sneeuw terwijl ze zich behoedzaam een weg zochten tussen de slanke dennen die wel vijftig meter de lucht instaken.

De dag verliep als een ritmische droom van hoefslagen en schoonheid, van kwetterende vogels en warmte. Ze vonden een perfecte kampeerplaats tussen een groepje sparren, hoog boven een dal.

Dave en Ash bonden de paarden vast en gaven ze eten en drinken voordat ze de tenten begonnen op te zetten. Er waren maar twee tenten. Sarah ging naar de mannen toe.

'Kan ik helpen met de derde tent?'

'Er is geen derde tent,' antwoordde Dave. 'Jij deelt er toch een met je tokkelaar?' Hij zag Sarah twijfelachtig kijken en grinnikte. 'Laat ik het anders zeggen, het wordt de tokkelaar, ik of Ash. Je mag zelf kiezen.'

'Wat valt er te kiezen?' vroeg Redford toen hij dichterbij kwam.

'Ik zeg net dat ze met een van ons drieën een tent moet delen,' antwoordde Dave. 'Dus zeg het maar.'

Redford keek oplettend naar Sarahs gezicht. Ze draaide zich om en liep weg zonder iets te zeggen.

'Wacht nog even!' riep Dave. 'Ik moet alles hebben wat eetbaar is of een sterke geur heeft.'

'Zoals?'

'Van alles. Tandpasta, gezichtscrème, pepermunt, mondwater, alles wat maar een beetje zoet ruikt. Daar zijn beren gek op. We hangen alles aan een touw vijf meter boven de grond en dat kunnen we beter meteen doen.'

'En als we gaan koken dan?' vroeg Sarah. 'Dat ruiken de beren toch ook?'

'Zeker wel, maar ze weten toch al dat we er zijn, dus dat maakt geen verschil. We kunnen alleen niet hebben dat ze hier komen als wij liggen te slapen, en al helemaal niet dat ze in een tent iets ruiken.'

Sarah trok een benauwd gezicht. 'Juist.' Ze stopte alles wat een grizzly aantrekkelijk kon vinden in een plastic tas en gaf die aan Dave.

'En als er toch een beer in het kamp komt?' vroeg ze.

'Maak je geen zorgen, daar rekenen Ash en ik wel mee af.'

'Hoe dan?'

'Om te beginnen komt er geen beer, de meeste blijven liever op een afstand. Doorgaans heb je meer last van mensen dan van grizzly's.'

'En als het toch gebeurt? Als er een recht op me afkomt?'

'Dan moet je vooral niet wegrennen. Blijf gewoon waar je bent. En kijk hem niet aan, houd je ogen op de grond gericht. Misschien komt hij op je af, maar in negen van de tien gevallen is het maar een schijnaanval, dus als je blijft staan zal hij waarschijnlijk terugdeinzen als hij ziet dat er niets te halen valt.'

'Dat is geweldig,' zei ze zwakjes. 'En als hij niet weggaat?'

'Ash en ik hebben allebei een jachtgeweer, revolvers en pepperspray met een bereik van twintig meter. Als we hem daarmee de volle laag geven zal hij hoogstwaarschijnlijk maken dat hij wegkomt.'

Sarah dacht er een tijdje over na. 'Heb je wel eens een grizzly van dichtbij gezien?'

Dave knikte. 'Zeker, en ik kan je wel vertellen dat het de prachtigste beesten zijn die God heeft geschapen.'

6

Ze aten een cowboymaal, bereid op een kampvuur: steaks met gebakken aardappelen en, misschien als een gebaar naar de moderne tijd, salade. Ze dronken er bier bij, gekoeld in de ruisende beek die hun kamp aan de rechterkant begrensde. Na het eten pakte John Redford zijn gitaar.

'Doe je ook verzoeknummers?' vroeg Dave.

'Natuurlijk,' zei Redford glimlachend. 'Wat zal het zijn?'

'Nou,' zei Dave, verlegen nu hij zijn ziel ging blootleggen, 'er staan veel sterren aan de hemel, dus ken je "Starry, starry night"?'

Redford knikte, nam zijn gitaar en hield die dicht tegen zich aan, bijna alsof het een geliefde van hem was, vond Sarah. Ze keek naar hem terwijl hij met zijn vingers op de kast van het instrument klopte en het hout streelde alsof hij de gitaar wilde opwarmen. Daarna plukte hij aan de trillende snaren en begon te zingen.

Toen het lied uit was en de laatste akkoorden in de vallei wegstierven hield hij zijn ogen op Sarah gericht. Hij had gezien hoe betoverd ze naar hem had geluisterd, had de blik gezien die gewoonlijk alleen een minnaar zou herkennen. En hier, samen met de dieren en de cowboys op een eenzame berghelling, was de intimiteit zelfs nog groter. De stilte werd verbroken door een traag handgeklap en ze keken allebei naar Dave.

'Je kunt wel met een gitaar omgaan. Het was prachtig, als ik het mag zeggen.'

Ash ging naar zijn tent en kwam terug met een pen. Hij nam zijn hoed af en bleef voor Redford staan. 'Zou je je handtekening op mijn hoed willen zetten?'

Redford nam de hoed en pen van hem aan. 'Graag.' Hij zette zijn handtekening en gaf de hoed terug aan Ash, die stond te stralen alsof het zijn verjaardag was. 'Wacht maar tot mijn meisje dit ziet. Ze zal nooit willen geloven dat John Redford speciaal voor ons heeft gespeeld.'

'John Redford? Jezus Christus.' Dave trok wit weg. 'Ben jij John Redford? Krijg nou wat. Dat had je wel eens mogen zeggen.' Zijn gezicht werd ineens rood. 'Zet je hoed eens af.' Hij stikte bijna in zijn woorden. 'Met dat ding op lijk je helemaal niet op John Redford.'

De zanger hield zijn hoed op, maar hij glimlachte en haalde elegant zijn schouders op.

'Allemachtig. Maar nou je er toch bent, zou je nog iets anders voor ons willen spelen? Ik bedoel maar, we hebben die stomme gitaar en zo meegesleept. Jezus, als ik had geweten dat jij het was zou ik er nooit zo'n ophef over hebben gemaakt. Ik dacht dat je een van die stadsjongens was die ons en de wilde dieren met een hoop herrie de stuipen op het lijf wilde jagen.'

'Dat kon je niet weten. Wat wil je horen?'

'Nou, het moet geloof ik door een vrouw worden gezongen, maar het is een van mijn allergrootste favorieten.'

'Zeg het maar.'

'Het is je eigen nummer, "Something wild". Dat heb ik altijd zo goed gevonden.'

Redford pakte zijn gitaar. Sarah werd opnieuw getroffen door de sensualiteit van zijn aanraking. Hij zat in kleermakerszit op de grond, met zijn koffiekop naast hem, de gitaar in zijn armen, zijn haar goudblond in het licht van de ondergaande zon, begeleid door de wind in de bomen en door de ruisende beek, met als gehoor de dieren, zichtbaar of verborgen, in het dal.

'You come to me like a hurricane, with storm in your eyes.

There is earth, wind and fire in your touch,
You blow me away.
There are no rules for you.
You're something wild.

You make the world your own, you stake your claim
To skyscrapers and canyons, to the rivers and sunrise,
To all God's creatures,
To my heart,
You're something wild.

What broke you down? What furnace hardened you?
Where did you come from, my lovely one?
You've burned down all my defences,
And left me hooked
On something wild.'

Even bleef het stil, alsof ze allemaal het lied wilden vasthouden. Ten slotte rukten Ash, Dave en Sarah hun blikken los van Redford en staarden naar een onbeduidend stukje grond, van hun masker ontdaan door de schoonheid van zijn lied, door de manier waarop hij hun dromen onder woorden bracht.

'Dit was voor jou, Sarah,' zei Redford zacht, zó zacht dat Sarah zich afvroeg of ze hem wel verstaan had. Hij was een magiër, die haar in zijn ban had gebracht. Ze was gevangen en had geen kracht meer om zich te verzetten. De droom was te mooi, te volmaakt om met wilskracht te verbreken.

De stilte werd verstoord door een andere stem die in de invallende duisternis klonk, het langgerekte en hoge gehuil van een wolf. Het dier was niet ver bij hen vandaan. Terwijl het geluid wegebde klonk er een ander gejank, afkomstig van de overkant van de vallei.

'Twee eenzame mannetjes,' zei Dave met een zware en schorre stem, alsof hij blij was weer op bekend terrein terug te zijn. 'Eentje heeft hier zijn territorium en laat de ander weten dat hij uit de buurt moet blijven.'

Sarah ging naar haar tent en hoorde nog steeds het gehuil van de wolven terwijl ze in haar slaapzak kroop en die dichtritste. Ze luisterde naar hun wilde gejank, naar de wind die in de bladeren van de zilverberken ruiste en naar de muilezels en paarden die onrustig stonden te snuiven terwijl ze probeerden te slapen.

Een tijdje later hoorde ze Redford binnenkomen. Ze lag op haar zij met haar gezicht naar het tentzeil en deed of ze sliep. Ze hoorde hem zijn slaapzak openmaken en weer sluiten. Ze hoorde hem rustig ademen in zijn slaap en probeerde hetzelfde te doen terwijl ze zich afvroeg of hij het bonzen van haar hart kon horen. Ze wist niet hoe lang ze zo had gelegen, maar de slaap moest haar hebben verlost, want plotseling schrok ze wakker. Een geluid had haar gewekt, een scherp en onverwacht geluid dat even snel weer was verdwenen, een geluid dat haar angst inboezemde. Ze duwde zichzelf overeind en keek naar Redford. Zijn ogen stonden wijd open. De muilezels begonnen buiten plotseling te balken en de paarden briesten.

'Wat is er aan de hand?' fluisterde Sarah.

'Ik weet het niet,' zei Redford langzaam terwijl hij zich uit zijn slaapzak begon te bevrijden. Buiten werden de dieren nog onrustiger.

'Blijf in de tent,' kwam Dave's stem, van heel dichtbij. 'Ga naar het midden van de tent en blijf daar. Nu.' Zijn stem klonk gespannen.

'Wat gebeurt er?' vroeg Sarah.

'Er zit hier een grizzly.'

'O shit.'

'Rustig maar. Wij rekenen wel met hem af. Blijf waar je bent.'

'Wij gaan nergens heen,' zei Redford.

'Vind je dat verstandig?' vroeg Sarah met angstig opengesperde ogen.

'Die knapen weten wat ze doen. Kom naar het midden.'

Sarah schoof met haar slaapzak naar het midden van de tent. Ze voelde de warmte van Redfords lichaam toen hij naast haar kwam zitten. De muilezels balkten nog steeds. In de stiltes tussen hun gealarmeerde kreten hoorden Sarah en Redford een kalme stem naderen. Plotseling hoorden ze voetstappen, niet van een mens, zwaar en doelgericht. Het geluid hield vlak bij hun tent op. Sarah en Redford hielden hun adem in. Sarah voelde de zenuwen door haar keel gieren en ze wilde niets liever dan op de vlucht slaan. Redford scheen haar gedachten te kunnen lezen, want hij pakte haar hand en hield die stevig beet. Er klonk een luid gesnuif, waarna de tent begon te schudden en met veel geraas werd opengescheurd. Sarah en Redford keken op en zagen sterren aan de hemel staan, met daartegen in silhouet de reusachtige kop van een grizzlybeer.

Sarah kon er alleen maar naar staren, ze zag de lange snuit en de donkere ogen die op haar gevestigd waren.

Jezus Christus, waar waren Dave en Ashley?

'Rustig jongen, rustig maar,' hoorde ze Redford zeggen. 'Ga maar weer weg, we doen je geen kwaad. We hebben geen eten voor je, rustig maar, jongen, kalm aan, ga nou maar weg, er is niets aan de hand.' Redford bleef zachtjes tegen het dier praten. Sarah slaagde er niet in haar ogen van de beer af te wenden. Ze zag een glinstering in de donkere ogen, alsof het dier iets van plan was. Ze hoorde een geweer klikken terwijl Redford maar bleef doorpraten, zacht en bedaard, sussend. Intussen stootte de grote zwarte kop boven hen dampend de adem uit en de beer trok zich langzaam terug. Ze hoorden het stampen van zijn zware poten verdwijnen.

Sarah liet haar adem met een zacht gesis ontsnappen. Ze staarde naar het gapende gat in het tentdoek.

'Jezus Christus!' huiverde ze. 'We hadden wel dood kunnen zijn, gescalpeerd, platgestampt.'

'Maar dat is niet gebeurd,' antwoordde Redford, nog steeds bedaard. 'Hij was alleen maar nieuwsgierig, hij had geen kwaad in de zin.'

'Geen kwaad? Hij heeft onze tent geruïneerd!' Haar stem trilde.

'Hij wilde zien of er iets te halen viel. Hij dacht zeker...'

'Maken jullie het goed?' Het hoofd van Dave verscheen in de opening.

'Prima,' antwoordde Redford. 'Dank je.'

'We maken het helemaal niet goed,' zei Sarah.

'Dat geldt voor ons allemaal,' knikte Dave, 'maar we zijn er heelhuids van afgekomen en dat prachtige beest heeft ongedeerd zijn weg vervolgd. Ash houdt de wacht. Ik los hem later af, maar de muilezels zijn de beste alarminstallatie die je kunt wensen. Zij waarschuwen ons wel als hij terugkomt.'

'Denk je dat hij terugkomt?' vroeg Sarah.

'Nee, maar het is altijd mogelijk. Grizzly's zijn onvoorspelbare wezens. Goed gedaan trouwens,' vervolgde hij met een blik naar Redford. 'Je bent kalm gebleven en hebt hem zijn gang laten gaan.' Redford grinnikte. 'Ik zoek nooit ruzie met een grizzly, daar kun je van opaan.'

'Ik moet naar de muilezels kijken,' zei Dave. 'Gaan jullie maar slapen. Aan de tent valt in het donker niet veel te doen, maar als je wilt kun je die van ons krijgen.'

'Het zal wel gaan,' antwoordde Redford. 'Evengoed bedankt.'

Sarah ging languit in de slaapzak liggen en keek naar de uitgestrekte nachthemel, bezaaid met schitterende sterren.

'Gaat het echt een beetje?' vroeg Redford.

'Ik voel me wel door de mangel gehaald. Ik kan nauwelijks geloven dat ik oog in oog met een grizzlybeer heb gestaan, maar ik heb het overleefd en het was wel een prachtig beest, hè?'

'Fantastisch.'

'Hij viel voor jouw charmes,' grapte ze. 'Ik dacht even dat hij naar binnen zou komen.'

Redford lachte. 'Ik ook.'

'Het is moeilijk te geloven dat er ergens nog een beschaafde wereld is, alsof we altijd in de wildernis hebben geleefd.'

'Waar geef je de voorkeur aan?' vroeg Redford.

'Aan het wilde leven,' antwoordde Sarah. 'Geen twijfel mogelijk.'

'En ik?' vroeg John Redford terwijl hij Sarahs hand pakte. 'Ben ik wild genoeg voor je?'

Sarah trok haar hand niet terug. Haar huid tintelde onder zijn aanraking. Hij begon haar vingers te strelen, vederlicht en opwindend.

'Jij bent té wild,' zei ze met een lage stem. 'Je lijkt op die grizzlybeer.'

'Hoezo?'

'Je bent zonder twijfel een van de mooiste schepsels op aarde, maar ik zie je liever van een veilige afstand.'

Redford glimlachte. 'Je bedoelt dat het hier te dichtbij is, in deze tent in de wildernis, onder de blote hemel en met de wind in de bomen, alleen jij en ik.'

'Het is veel te dichtbij.'

'Voor een mooie vrouw die op een eilandje leeft.'
'Ik bén een eiland, dat vind ik prettig. Ik wil niet dat er iemand aan land komt.'
'Behalve je broer?'
'Dat is iets anders, net een natuurverschijnsel. Ik heb geen keus.'
'Je hebt altijd een keus.'
'Behalve bij jou, John Redford. Ik heb jou niet gekozen.'
'Nee, dat is waar. We waren voorbestemd elkaar te ontmoeten.'
'Bedoel je dat het ons lot is?'
'Niet dan?'
'Wie zegt dat ik me daarbij moet neerleggen?'
'Dat moeten we allemaal. Je moet naar de pijpen van het lot dansen, meid, of je wilt of niet.' Zijn vingers streelden haar hand. Nog steeds keken ze elkaar aan, hoewel het stemmetje in haar hoofd zei dat ze moest weglopen. Het was een soort mantra, een zwijgend gebed tot een hogere macht om haar te redden, maar ineens stak ze haar vrije hand naar hem uit. Haar vingers gleden over de bruine huid, over de vingers waarmee hij de snaren van zijn gitaar had bespeeld. We zijn helemaal alleen, dacht ze. Dit is zo'n afgesloten moment in de tijd, helemaal compleet. Een moment in de tijd waarop alles volmaakt is, terwijl de wind ruist in de bladeren van de zilverberken. Eén nacht dan, beloofde Sarah zichzelf. Eén volmaakte nacht, meer niet.

Ze kon de aarde onder hen ruiken, net als zijn huid die naar vers brood en honing rook. Ze zoende zijn pols, likte zijn warme huid, ze proefde hem. Ze bewogen langzaam tot ze elkaar vonden, lip aan lip, borst aan borst, zijn dij tussen haar benen. Langzaam wreven ze tegen elkaar aan, bevrijd van hun kleren, bevrijd van remmingen terwijl het licht van de sterren in hun glimlachende ogen glansde. Ze gaven zich aan elkaar over, legden de wapens neer waarmee ze hun eigen eindeloze strijd leverden, gaven hun eenzaamheid op en bedreven de liefde de hele nacht. Ze vielen pas in slaap toen de dageraad over de hoge bergen gleed. Ze werden wakker toen de zon hun tent kuste, terwijl ze in elkaars armen lagen en dezelfde zoete lucht inademden.

7

Sarah staarde strak naar de directrice van het ziekenhuis, de vrouw met wie ze tijdens de vele wakende uren bevriend was geraakt. 'Is hij in staat om te reizen of niet?' vroeg ze dringend. 'Nou, dat wel, maar het is niet aan te bevelen. Hij zou nog twee weken moeten blijven, tot hij helemaal uit het gips is. Ik dacht dat we dat hadden afgesproken. Wat is er gebeurd, meid? Je komt hier buiten bezoekuren binnenvallen om te zeggen dat je je broer met de eerste de beste vlucht mee terug naar Engeland wilt nemen. Hebben we soms iets verkeerds gedaan?'
'Helemaal niet. En er is ook niets gebeurd. Ik wil alleen maar naar huis, samen met Alex. Als hij in staat is om te reizen wil ik morgen al weg.'
'En wat vindt je broer ervan? Ik weet dat jij de rekening betaalt, maar hij heeft er toch ook iets over te zeggen.'
'Dit heeft niets met de rekening te maken. Hij wil graag weg.'
De zuster slaakte een diepe zucht. 'Vooruit dan maar, meisje. Jij je zin. Vlieg maar naar huis.'
Sarah weifelde nu niets haar vertrek meer in de weg stond. Maar hoe meer zin ze had om te blijven, des te sterker besefte ze dat ze moest weggaan. Ze wilde haar hart niet door die man laten breken en dat zou zeker gebeuren als ze bleef. Hij was niet iemand die je na een paar flessen chardonnay net zo makkelijk weer vergat. Die ene volmaakte nacht was al meer dan genoeg geweest. Ze moest nu weg, zolang het nog kon. Die gedachte werd haar niet alleen ingegeven door haar verstand, het was ook de ervaring van een vrouw die door haar geliefden in de steek was gelaten, of beter gezegd die haar geliefden door geweld was kwijtgeraakt. Redford moest duizenden van zulke nachten hebben meegemaakt. Hij was eraan gewend en zou makkelijk zonder haar kunnen. Zij was te kwetsbaar, daar kon alleen maar pijn van komen. Ze moest weg.
Ze liet de rekening opmaken en probeerde rustig te blijven terwijl ze de cheque uitschreef: 743.000 dollar en achttien cent. In dit land van onbegrensde mogelijkheden was gezondheid echt een luxe.
'Kan ik vannacht in het ziekenhuis blijven slapen?' vroeg ze aan

de directrice. 'Al mijn bagage zit al in de huurauto op de parkeerplaats, dus ik kan morgenochtend meteen op pad.'
De vrouw keek haar onderzoekend aan. 'Wil je Spring Creek soms
stiekem ontvluchten?'
Sarah lachte. Na het verblijf van maanden kende ze de verhoudingen in het stadje. 'Als ik me niet vergis zit je neef aan de receptie, ik heb hem de cheque gegeven. Bel hem maar op als je me
niet gelooft.'
De directrice lachte met haar mee. 'Goed, ik geloof je. Je kunt
blijven slapen. Op onze kosten, want je hebt al genoeg betaald.'
Ze dacht even na. 'Natuurlijk is het mijn zaak niet, kind, en zeg
het gerust als je vindt dat ik mijn mond moet houden, maar het
is wel een enorm bedrag dat je hebt moeten betalen. Kun je dat
echt opbrengen?'
Sarah veegde een lok van haar voorhoofd, een gewoontegebaar
dat ze de afgelopen maanden had aangeleerd. 'Ik ben bijna door
mijn spaargeld heen, maar er is nog iets over en ik heb een eigen
huis. Bovendien beschik ik over een paar twijfelachtige capaciteiten waar ik altijd geld mee kan verdienen. Mijn klanten zijn
op me gesteld. Ze zijn trouw.'
'Jezus! Je bent toch geen callgirl, meid?'
Sarah lachte. 'Nee. Ik doe in bankzaken.'

De volgende morgen verhief het vliegtuig zich in de wolkeloze hemel en vloog hoog boven de bergen om Alex en Sarah naar huis
te brengen. Het voerde Sarah weg van de wildernis, weg van John
Redford die thuis op zijn ranch zat te wachten op de vrouw die
niets over haar vertrek had gezegd. Sarah staarde uit het raam en
voelde haar angst verminderen met elke kilometer die ze verder
bij hem vandaan ging. Ze had zijn liefde niet gezocht. Ze was er
niet klaar voor, ze had er geen zin in, ze weigerde naar de pijpen
van het lot te dansen.

8

Carlyle Square, Londen, achttien maanden later
Sarah werd wakker van het gelach terwijl de zon door het raam

van haar vier verdiepingen tellende huis aan Carlyle Square naar binnen gleed. Ze bleef nog even liggen om van de warmte te genieten en gelukzalig te luisteren voordat ze uit bed stapte, een lang T-shirt aantrok en naar de kamer ernaast ging. Ze werd begroet door een salvo van gekraai en lachjes.

'Hoe is het, lieverd? Weet je zelf wel hoe mooi je bent?' Ze bukte en zoende zijn fluweelzachte huid, verrukt over zijn geur, over zijn stralende ogen. Dit geluk was nergens mee te vergelijken. Ze stak haar armen recht naar hem uit. 'Wil je bij mama komen?'

Haar zoon lachte weer en stak op zijn beurt zijn armen uit om haar na te bootsen. Ze pakte hem op en hij drukte zich met alle kracht van een baby tegen haar aan, een handje in haar haren, het andere tegen haar hals. Sarah brabbelde tegen de roomblanke huid van zijn nek. 'Hoe is het, liefje? Heb je goed geslapen, schoonheid van me?'

Ze gaf hem een nieuwe luier en nam hem mee naar haar slaapkamer om hem de borst te geven. Nadat ze hem had aangekleed en terug had gelegd in zijn bedje, nam ze snel een douche, waarbij ze af en toe de kraan dichtdraaide om te luisteren of alles in orde was met Georgie. Ze deed crème op haar gezicht en borsten, trok een spijkerbroek, een wollen trui en sportschoenen aan, waarna ze Georgie oppakte en meenam naar de keuken op de begane grond. Na langdurig knuffelen zette ze de baby op het kleed dat ze onlangs in de keuken had laten leggen, gaf hem wat speelgoed en begon hun ontbijt klaar te maken.

Ze hield van deze keuken. Zonlicht stroomde naar binnen door de dubbele deur op het oosten die uitkwam op haar kleine, goed onderhouden tuin. Naast de keuken lag de woonkamer, ingericht met een paar makkelijke sofa's, boekenkasten, een groot televisietoestel en een Bang & Olufsen cd-speler die vijf jaar geleden het neusje van de zalm was geweest, toen Sarah nog bijna een half miljoen pond per jaar verdiende als een van de beste valutahandelaren in Londen. Ze zette een cd op van Lauryn Hill, waar Georgie gek op was. Ze zou hem misschien beter naar Mozart of Beethoven kunnen laten luisteren, maar hij leek volmaakt tevreden te zijn met Lauryn.

Na de borstvoeding had ze altijd een geweldige eetlust, daarom roosterde ze vijf dikke sneden volkorenbrood en besmeerde die met een flinke laag boter met jam of honing. Ze maakte wat pap voor Georgie klaar, voegde er een geprakte banaan aan toe en liet het eventjes afkoelen. Ze zette er een grote pot kamillethee bij, hoewel ze een verlangende blik wierp op de espressomachine die ze sinds het begin van haar zwangerschap niet meer had gebruikt. Koffie zou ze pas weer drinken als ze Georgie niet meer de borst gaf, iets wat voorlopig nog niet aan de orde was. Ze tilde Georgie op, zette hem in zijn hoge stoel en begon hem en zichzelf te eten te geven.

Op de trap klonk een geluid alsof er een kudde gnoes op hol was geslagen. Sarah glimlachte. Dat Alex kon lopen en zelfs de trap af kon rennen was een klein wonder.

Haar broer kwam vol energie en blakend van gezondheid de keuken in. 'Dag Sare.' Hij wierp haar een kushand toe en ging meteen naar Georgie. 'Hoe maak je het, kleine deugniet van me? Heb je je moeder rustig laten slapen?'

'Ik mag niet klagen,' antwoordde Sarah. 'Ik hoefde er vannacht maar één keer uit. Het is helemaal niet nodig dat jij zo vroeg uit de veren bent.' De klok aan de muur stond op halfzeven. Alex liet zich normaal zelden voor negen uur in Londen zien.

'Dat geroosterde brood ruikt nu eenmaal onweerstaanbaar,' zei hij grinnikend. Sarah had gemengde gevoelens over zijn leugentje. Over een week zou hij weggaan voor zijn eerste expeditie sinds het ongeluk en ze wist dat hij nog zoveel mogelijk tijd met haar en Georgie wilde doorbrengen voordat hij vertrok.

Hij was een geweldige oom, een vader bijna. Als Sarah had gewild zou hij de halve nacht bij Georgie hebben gewaakt. Dat was alleen in de eerste dagen na de bevalling gebeurd, toen ze volkomen uitgeput was, maar daarna had ze erop gestaan alles zelf te doen. Ze weigerde resoluut op iemand anders te leunen. Door de omstandigheden was ze een alleenstaande moeder en daar moest ze het mee doen. Toch had Alex zoveel mogelijk geholpen. Hij had haar naar het ziekenhuis gebracht toen de weeën waren begonnen en met hun geliefde oom Jacob was hij, afgezien van de verpleging, de eerste die Georgie te zien had gekregen. De twee mannen waren meteen dol op het kind geweest. Haar baby mocht zich gelukkig prijzen, dacht Sarah. Hij had twee ooms die weg van hem waren en dat compenseerde zeker het gemis van een vader. Zoals zo vaak moest ze onwillekeurig aan Redford denken. Waar was hij? Wat zou hij doen? Zou hij ooit kunnen vermoeden dat er iemand bestond die zijn eigen vlees en bloed was? Sarah voelde weer het diepe verlangen dat haar tot haar verdriet nooit had verlaten. Het was wel iets verminderd, maar het brandde nog steeds in haar.

Na het ontbijt begaf Alex zich naar de studeerkamer, waar zijn landkaarten en aantekeningen lagen voor zijn volgende trektocht in Peru. Voor Sarah en Georgie was het tijd voor een wandeling. Sarah kleedde haar baby aan, zette hem zijn muts op en ging naar buiten, waar het heerlijk zomerweer was. Sarah genoot van de bekende en toch vreemde straten terwijl ze de kinderwagen voortduwde. Zij en Alex waren na negen maanden op het platteland nog maar net naar Londen teruggekeerd. Na de bevalling in St. Mary's was ze bijna meteen weer teruggegaan naar het buitenhuis dat ze op het platteland van Dorset had gehuurd, een cottage waar oom Jacob regelmatig te gast was geweest. Sarah vond het fijn om weer terug te zijn, maar ze was ook zenuwachtig. Ze keek om zich heen. Vroeg of laat zou ze een kennis tegen het lijf lopen en haar geheim moeten prijsgeven. Tot nu toe waren alleen Alex, Jacob en haar huishoudster mevrouw V., zelf een moeder van vijf kinderen, op de hoogte van Georgies bestaan. Ze keek naar het kind en bleef ineens staan om hem met kussen te overladen. Hij kraaide van plezier en ze lachte hardop.

'Je bent mijn kleine geheim, mijn echte liefdesbaby. Op een dag zal iedereen het weten, maar voorlopig is het een geheimpje van mij en mijn baby.' Georgie pruttelde alsof hij precies begreep wat ze bedoelde en er net zo over dacht.

Sarah duwde de kinderwagen trots over de drukke trottoirs tot ze de oase van Battersea Park bereikte. Daar liep ze een uur lang rond in de warme zon voordat ze weer op weg ging naar huis om Georgie de borst te geven. Alex was gaan joggen toen ze thuiskwam. Hij deed zes dagen per week onvermoeibaar zijn oefeningen om weer helemaal op krachten te komen. Sarah wist dat hij goed vooruitging, maar ook dat hij de pijn probeerde te verbergen. Alleen aan zijn vertrokken gezicht was soms te zien hoeveel moeite het hem kostte. Volgens de artsen was hij voor tachtig procent de oude en Alex hield vol dat hij weer in staat was om door de bergen te trekken. De artsen gaven hem met tegenzin gelijk. Hij had nog steeds pennen in zijn verbrijzelde been en, zo klonk hun waarschuwing, een nieuwe val zou het einde van zijn trektochten kunnen betekenen. Maar Alex ging altijd tot het uiterste. Hij hield niet van flauwe compromissen. Net als Sarah was hij altijd geneigd de sprong te wagen, welke hindernis hem ook in de weg stond.

Sarah raapte een van zijn trainingshemden op en legde het opgevouwen op de toilettafel. Daarna ging ze in de keuken zitten om Georgie de borst te geven. Ze had hem net naar bed gebracht voor zijn middagslaapje toen de bel ging.

'Verdorie, wie kan dat nou zijn?' mompelde ze terwijl ze op haar tenen de kamer uitging om Georgie niet wakker te maken. Ze liep vlug de trap af voordat de bel nog een keer zou gaan en deed de deur open.

'Eva Cunningham!' riep ze uit.

'Kom ik soms ongelegen?'

Sarah leek uit een droom te ontwaken. 'Wat? Ja, nee, sorry.' Ze veegde een lok van haar voorhoofd. 'Het overvalt me alleen een beetje. Ik dacht dat je ergens in de Stille Zuidzee was.'

'Sarah Jensen van haar stuk gebracht, dat maak je ook niet elke dag mee,' zei Eva met opgetrokken neus. 'Ik was inderdaad in de Stille Zuidzee. We zijn vorige week teruggekomen. Moet ik je alles hier buiten vertellen of mag ik binnenkomen?'

Sarah lachte, al bijna hersteld van de schok. 'Het kan me niet schelen waar, zolang je me echt alles vertelt.'

Eva lachte ook. 'Vergeet het maar, meid.' Ze ging op weg naar de trap, in de richting van de keuken beneden, waar ze gewoonlijk altijd zaten.

'Nee, het is daar zo'n rommel,' zei Sarah haastig, 'laten we hier maar blijven.'

Eva keek haar onderzoekend aan zonder iets te zeggen.

'Wat wil je drinken?' vroeg Sarah. 'Het is te vroeg voor champagne om je thuiskomst te vieren.'

Eva kneep haar ogen halfdicht. 'Je begint toch niet af te takelen? Ik drink geen alcohol, weet je nog wel, Sarah?'

'O ja.' Eva Cunningham was aan heroïne verslaafd geweest, dat had ze Sarah wel verteld.

'Koffie dan maar?'

'Graag, maar jij kunt gerust je gang gaan.'

'Nee, ik drink zelf ook niet.'

'Dat is nog eens een verrassing. Waarom niet? Sta je soms droog?'

'Ik hebt nooit veel gedronken, Eva,' antwoordde Sarah geprikkeld, 'dus het maakt me niet uit. Ik zal koffie voor je halen,' voegde ze er haastig aan toe om verdere vragen voor te zijn. Ze ging naar de keuken en liet haar vriendin achter in de speelgoedvrije zitkamer op de begane grond. Een paar minuten later kwam ze terug met koffie voor Sarah en kamillethee voor zichzelf. Eva keek achterdochtig naar de thee.

'Drink je tegenwoordig paardenpies?'

'Erg leuk.'

'Wat is er met je? Je ziet er zo anders uit.'

'Vertel liever over de reis,' zei Sarah terwijl ze steeds in haar zak naar de babyfoon tastte. 'Ik wil alles over de Zuidzee horen. Ik kan me niet voorstellen dat je daar niet bent gebleven.'

Eva keek haar zuur aan. 'Andrew zegde zijn baan op om met me mee te kunnen en we hebben er de laatste twee jaar bijna voortdurend gewoond. De stilte begon op zijn zenuwen te werken en het was niet meer dan eerlijk dat ik me nu naar hem schikte. We zijn teruggekomen om een onderzoeksbureau op te zetten, zowel voor bedrijven als voor particulieren, je kent het wel.'

'Wat wij voor Kroll deden.'

'Precies. Doe jij dat werk nog?'

'Nee.' Sarah schudde haar hoofd. 'Ik heb het een jaar volgehouden, maar ik hou er niet van om bij een bedrijf te werken. Ik ben voor mezelf begonnen, hoewel ik vooral opdrachten van Goldsteins kreeg, maar nu heb ik er al bijna een jaar verlof op zitten.'

'Hoe doe je dat dan? Waar haal je de spreekwoordelijke huur vandaan?' Voordat Sarah iets kon zeggen klonk er een slaperig gehuil uit de babyfoon in de zak van haar spijkerbroek. Eva zette grote ogen op.

'Sorry, maar ik geloof dat je broek huilt.'

Sarah stond met een gelaten gezicht op. Ze ging naar boven, pakte Georgie op en drukte hem tegen zich aan voordat ze weer naar beneden ging. Eva stond haar op te wachten.

'Krijg nou wat, Sarah. Je bent moeder.'

Sarah grinnikte.

'Wie is dat kleintje?' vroeg Eva zachtjes.

Sarah draaide zich half om zodat Georgie en Eva elkaar konden zien.

'Dit is Georgie. Georgie, dit is Eva.'

'Jezus, Sarah. Zoals je weet ben ik geen moederdier, maar hij is een dotje.'

Haar vriendin straalde. 'Ja, vind je niet? Ik heb nog nooit zo'n mooie baby gezien. Hij is mijn grote liefde, het kostbaarste wat ik bezit.'

'Tjonge, jij hebt het goed te pakken,' zei Eva. 'Dat had ik van jou nou nooit gedacht.'

Sarah ging zitten en nam Georgie op schoot. 'Het heeft mij ook verbaasd. Ik zou letterlijk voor hem willen sterven. Vroeger vond ik zulke uitspraken ook overdreven, maar het is echt zo. Geloof me, moederliefde is de sterkste emotie die er bestaat.'

'Dat zie ik,' zei Eva terwijl ze tegenover hen ging zitten. 'En waar is zijn vader? Ik wist niet dat je getrouwd was.'

'Dat ben ik niet.'

'Zo. We hebben veel bij te praten, merk ik.'

'Er valt niet veel te vertellen.'

'Hoezo niet? Heeft hij je in de steek gelaten toen je zwanger werd?'

'Nee. Ik heb hem in de steek gelaten en toen wist ik nog niet eens dat ik in verwachting was.'

'Heb je het hem later wel verteld?'

Sarah schudde haar hoofd.

'Wie weet er dan nog meer van?'

'Bijna niemand.'

'Dus vandaar al die geheimzinnigheid toen ik kwam. Ik dacht dat je beneden een vriendje had zitten.'

Sarah lachte. 'Dat is intussen al zolang geleden dat ik bijna niet meer weet hoe het is.'

'Niet gek, kan ik je vertellen.'

'Nou, maak je over mij geen zorgen, ik moet er voorlopig niet aan denken. Als ik mag kiezen heb ik liever slaap dan seks.'

'Kan ik je iets vragen?' zei Eva zacht.

'Wat dan?' vroeg Sarah op haar hoede.

'Nou, toen je merkte dat je in verwachting was had je een goede baan, een eigen leven, alles liep op rolletjes voor je. Zelfs in het nieuwe millennium is het nog moeilijk om in je eentje een kind groot te brengen, zeker voor vrouwen zoals wij die werken belangrijk vinden. Waarom wilde je dan toch een baby?'

Sarah gaf Georgie een zoen op zijn donzige kruin en hield hem dichter tegen zich aan. 'Ja, wat zal ik zeggen? Ik ben op mijn gevoel afgegaan, niet op mijn verstand. Ik was doodsbang toen ik ontdekte dat ik zwanger was, helemaal van slag, maar ik heb geen overhaaste beslissing genomen en mezelf de tijd gegeven om mijn angst te overwinnen. Het was net alsof dit kleine jongetje me iets wilde zeggen. Ik was me bewust van zijn bestaan, hij leefde in me en ik voelde dat ik hem een kans moest geven. En na al die ellende in mijn familie was dit een gelegenheid om zelf een gezinnetje te stichten. Daar moest ik wel gebruik van maken. En er was nog meer. Ik was meteen weg van hem, zelfs toen hij nog maar een nietige foetus was, te klein om te kunnen zien.'

Eva knikte. 'Is het zwaar geweest?'

Sarah kreeg spontaan tranen in haar ogen. 'Zwaarder dan ik me ooit had kunnen voorstellen. Geloof me, drie keer per nacht opstaan om hem de borst te geven en zes keer omdat hij huilt is veel en veel vermoeiender dan een hele nacht overwerken. Je bent volkomen uitgeput en toch kun je hem niet zomaar laten stikken. Dit kleine wezentje is volkomen afhankelijk van je.'

'Die verantwoordelijkheid, daar zou ik niet tegen kunnen.'

'Voor de volle honderd procent, zonder dat je een dag kunt overslaan. Dat benauwt me nog steeds. Ik heb altijd gedacht dat ik een kind op mijn eigen voorwaarden zou kunnen nemen, zonder de controle te verliezen, dat het moederschap maar een deel van mijn leven zou zijn. Vergeet het maar, dat is onmogelijk. Je wordt een ander mens. Misschien is het zoiets als een bekering, alleen denk ik dat het nog veel sterker is. De geboorte van een kind is je eigen wedergeboorte. Je kunt niet meer terug naar je oude leven.'

'Verlang je er wel eens naar?'

'Soms.'

'Zou je de klok willen terugdraaien? Als je het kon overdoen, zou je dan niet in verwachting zijn geraakt?'

Sarah schudde fel haar hoofd. 'Ik zou helemaal niets veranderen.

Je moet zijn gezichtje eens zien als ik zijn kamer binnenkom en hij me ziet. Ik vind het heerlijk om hem bij me te hebben en hem de borst te geven, en het was een onbeschrijflijk gevoel toen ik hem na de bevalling voor het eerst in mijn armen hield. Je kijkt je hele leven uit naar iets bijzonders, naar een echt wonder. Dit is het grootste wonder dat er bestaat. Ik zal het nooit vergeten.' Ze zoende Georgies gezichtje. 'Het is nergens mee te vergelijken.'

Eva zei niets. Ze had zelf geen kinderen, maar ze zag de kracht van het moederschap. Sarahs liefde voor haar kindje bewoog haar bijna tot tranen. Ze vroeg zich af of ze zelf ooit zoveel liefde zou kunnen opbrengen.

'Je bent een gelukkig mens,' zei Eva langzaam. Sarah keek haar stralend aan, dolblij dat ze Eva kon laten zien wat het kind voor haar betekende.

'Ja, ik ben gelukkiger dan ik ooit ben geweest.'

'Nog één vraag,' zei Eva. 'Hoe komt het eigenlijk dat je zwanger werd? Je bent altijd zo voorzichtig geweest.'

'Ik gebruikte de pil,' zei Sarah. 'Dat had afdoende moeten zijn, maar ik had nogal last van mijn maag. Ik heb er toen niet bij stil-gestaan, maar ik denk dat de pil meteen door mijn darmen is ge-gaan zonder iets uit te richten.'

'Ik snap het. En dan echt de laatste vraag.'

Sarah had een onaangenaam vermoeden over wat die vraag zou zijn.

'Mag ik weten wie de vader is?'

Sarah glimlachte en schudde haar hoofd.

'Vertel me dan alleen wat voor man hij was.'

Sarah zuchtte. 'Hij is ongelofelijk, heel erg sexy en met een ge-weldige uitstraling. De mooiste man die ik ooit heb gezien.'

'Waarom heb je hem dan laten zitten?'

'Juist daarom. Ik was niet van plan om verslaafd aan hem te ra-ken.' Sarah lachte. 'En moet je me nou zien.'

'Denk je dat je zijn vader ooit nog eens ziet?' vroeg Eva.

Sarah schudde haar hoofd. 'Dat betwijfel ik. Het was een toe-vallige ontmoeting. Ik verwacht niet dat het lot ons nog eens bij elkaar zal brengen.'

9

De telefoon ging over toen Eva net de deur uit was. Sarah holde met Georgie onder haar arm de kamer in en nam op.

'Sarah, met James Savage.'

'Hé, hallo, James. Hoe is het met je?'

Georgie kraaide.

'Wat zei je?' vroeg Savage.

'Dat was de radio,' zei Sarah. 'Wacht even, dan zet ik hem af.' Ze nam Georgie mee naar de andere kamer, zette hem op de vloer en suste zijn spontane gejammer door hem zijn gele konijn te geven, zijn favoriete knuffel.

Ze haastte zich terug naar de telefoon. 'Sorry, James.'

'Hmm, het duurt wel lang om die radio uit te zetten.'

'Ik ben er nu toch, of niet soms?'

'Ja, je bent terug, en scherper van tong dan ooit. Ben je nog in werk geïnteresseerd? Je had gezegd dat je rond deze tijd weer aan de slag zou willen. Heb je het naar je zin gehad?'

'Nou en of.'

'Jong en vrij, dat is pas leven.'

Sarah onderdrukte een geeuw. 'Vertel mij wat.'

'Heb je interesse in een opdracht of niet?'

Jezus. Sarah voelde ineens de angst toeslaan. Ze was niet klaar voor een opdracht, voor dat oude leven. Dat stond nu heel ver van haar af, alsof haar vroegere wereldje plotseling ontoegankelijk was geworden. Ze wilde Georgie niet in de steek laten. Ze wilde hem niet aan een kindermeisje toevertrouwen, maar ze wist dat het er vroeg of laat toch van zou moeten komen. Ze had het geld nodig, zo eenvoudig was het. De behandeling van Alex had haar al genoeg gekost en nu moest ze ook nog een kind onderhouden. Net als miljoenen andere vrouwen had ze geen keus: ze moest weer aan het werk. Maar zij had het voordeel dat haar baan erg lucratief was. Na een paar maanden zou ze weer een tijdje vrij kunnen nemen. Ze haalde diep adem en nam een besluit.

'Goed, ik doe het.'

'Wil je niet eens weten wat voor opdracht het is?' vroeg Savage verbaasd.

'Vertel me alleen maar waar ik moet zijn.' Wat maakte het uit? Werk is werk. Het leverde geld op en daar ging het nu maar om. Ze kon zich niet veroorloven op een boeiende of bijzondere opdracht te wachten, ze kon zich niet veroorloven iets af te wijzen. 'Dan zie ik je morgen om elf uur in mijn kantoor.'

Het is verontrustend hoe snel de omstandigheden zich kunnen wijzigen, bedacht Sarah. Werken was altijd een passie van haar geweest, iets waarmee ze een haat-liefdeverhouding had, een noodzakelijke therapie en tegelijk een afleiding. Nu was het een middel om de rekeningen te betalen en niets meer dan dat. Ze had Alex altijd geholpen. Hij probeerde wel geld te verdienen door het schrijven van artikelen over bergbeklimmen, maar met de opbrengst daarvan kon hij zich nauwelijks een nieuw paar schoenen aanschaffen. Hij was een dromer, een geboren klimmer en ontdekkingsreiziger. Sarah had zijn hobby altijd graag gefinancierd, maar nu had ze ook Georgie nog. Haar toekomstige financiële verantwoordelijkheden torenden als een berg boven haar uit. Ze had geen behoefte meer aan werk als afleiding, ze wilde thuis bij Georgie blijven. Haar bestaan had nu een doel, ze hoefde zichzelf niet meer zo nodig op de arbeidsmarkt te bewijzen. Ze was een van de beste valutahandelaren in de City geweest en ze had dienovereenkomstig verdiend, maar hoewel ze nog altijd trots was op haar status had ze de instelling die bij het werk hoorde definitief achter zich gelaten.

Ze vroeg zich af welke opdracht Savage voor haar in gedachten had, een transactie of detectivewerk. Zou ze het met haar andere mentaliteit en gebrek aan geestdrift nog wel kunnen opbrengen? Bij Kroll had ze de kneepjes van het vak geleerd, met Eva Cunningham als mentor. Eva had zeven jaar in het geheim voor MI-6 gewerkt en was zelfs heroïne gaan gebruiken om haar dekmantel in stand te houden. Ze was snel verslaafd geraakt. Die verslaving had ze allang overwonnen en voor MI-6 werkte ze niet meer, maar ze had genoeg ervaring opgedaan om Sarah allerlei trucjes te leren die in geen enkel handboek voor aankomende privédetectives stonden. Sarah kon er zich op dit moment helemaal niets van herinneren en vroeg zich af hoe ze Savage ooit voor de gek zou kunnen houden.

Ze schrok op uit haar overpeinzingen toen de deur zachtjes dichtviel. Georgie keek nieuwsgierig naar haar vanuit zijn nestje vol kussens op de vloer. Alex kwam binnen, zijn haar vastgekleefd aan zijn bezwete voorhoofd.

'Hallo.' Hij pakte Georgie op en knuffelde zijn neefje onstuimig. 'Ik ben kapot. Ik neem een douche en dan ga ik even liggen.' Hij keek Sarah aan en zijn opgewekte glimlach verdween.

'Wat is er?'

Sarah veegde een haarlok van haar voorhoofd en hield hem tussen haar vingers. 'James Savage heeft net gebeld. Hij wil dat ik morgen naar Goldsteins ga. Hij heeft werk voor me.'

'O.' Het drong snel tot Alex door.

'Ik ben er nog niet klaar voor,' zei Sarah terwijl ze haar schouders optrok. 'Georgie krijgt nog de borst en ik ben nooit langer dan twee uur bij hem weggeweest. Wat moet ik nou met die stomme afspraak? Hoe zal Georgie erop reageren? En wat moet ik zeggen? De laatste acht maanden heb ik me alleen beziggehouden met de prijs van een pak luiers.'

Alex glimlachte. 'Je doet jezelf te kort.'

'Het is toch zo? En wie moet er op Georgie passen? Jij gaat naar de sportschool.'

'Alsjeblieft zeg, die kan ik wel een dag overslaan.'

Sarah schudde driftig haar hoofd. 'Misschien moet ik Jacob bellen,' zei ze.

'Je weet dat hij altijd bereid is om te helpen,' zei Alex.

Sarah glimlachte. Georgie en Jacob waren verzot op elkaar. 'Ja, laat ik dat maar doen. Het is toch maar voor deze ene keer. Als Savage ziet hoe ik eraan toe ben sta ik weer op straat voor ik er erg in heb.'

10

Sarah werd de volgende ochtend wakker en voelde zich meteen doodsbenauwd. Wat moest ze aantrekken? Ze was nog steeds twintig pond boven haar normale gewicht. Wat moest ze zeggen? Ze was er echt helemaal uit, ze leek alles te zijn vergeten dat niet met Georgie te maken had, haar kind was het enige waar ze nog belangstelling voor had. Ze had geen idee wat er in de grote wereld gebeurde, laat staan hoe het op de beurzen was. Ze keek niet naar het nieuws, ze las geen kranten, ze las helemaal niet. Vroeger had ze zich uit de narigheid kunnen bluffen, maar haar zelfvertrouwen was verdwenen: ze wist niet waarheen, hoe of waarom, alleen dat het gebeurd was. Ze begon heen en weer te lopen en probeerde zichzelf moed in te praten. *Je bent intelligent en geslaagd, je hebt in Cambridge gestudeerd, je hebt in je leven miljoenen verdiend, je bent zelfs een paar heel duistere figuren te slim af geweest, je kunt alles bereiken wat je maar wilt.* Het hielp niet. Zelfs voor haar eigen oren klonk het niet overtuigend.

Jacob kwam om negen uur. Sarah had haar nachthemd nog aan, haar haren zaten in de war en ze had een paniekerige blik in haar ogen. Georgie voelde dat er iets met zijn moeder aan de hand was en zette het op een huilen.

Sarah gaf Jacob dankbaar een zoen toen hij zich om het kind bekommerde. 'Hallo, Georgie, hallo, jochie. Halloooo Georgie.' Zijn lachende gezicht kreeg snel een gunstige ontvangst en Georgie stak zijn armen uit naar zijn geweldige oudoom.

'Kom maar bij oom Jacob, ja, kom maar.'

Jacob nam het kind van Sarah aan en hield hem tegen zijn schouder. 'Ga jij je nu maar aankleden, meisje.'

Zijn nicht danste van de ene voet op de andere. 'Ik geloof niet dat ik het kan opbrengen. Ik kan niet weer aan het werk, nog niet. Ik ben er niet klaar voor. Ik wil niet, Jacob. Waarom moet dat nou, het is niet eerlijk, het is niet...'

'Rustig nou, meisje, kalm aan. Je krijgt het best voor elkaar. Je hebt in je leven wel voor grotere uitdagingen gestaan.'

'O ja? Ik zou niet weten welke. En dat is trouwens verleden tijd. Ik ben nu een ander mens.'

'Welnee, Sarah, je bent nog steeds de oude, alleen moet je jezelf de kans geven. Ga naar de bank en geef hem van katoen. Ik zal je een oud trucje leren. Als ik zenuwachtig was en onder druk stond, dan stelde ik me mijn gesprekspartner altijd in zijn blootje voor, op de wc.'

Sarah lachte.

'Het werkt,' zei Jacob. 'Probeer het zelf maar.'

De drie mannen zwaaiden haar uit: Jacob met een gerust gevoel, Alex nog slaperig in zijn pyjama, en Georgie met een verbaasd gezicht. Als verstijfd zat ze op de achterbank van de zwarte taxi en keek naar het wisselende beeld van de straten tijdens de eindeloze rit naar de City. Het was alsof ze iets van de zakelijke instelling van de haastig voortstappende voetgangers wilde overnemen, zó strak staarde ze naar hen.

Ze zaten allemaal al op haar te wachten en keken naar haar toen ze binnenkwam. Aan het hoofd van de tafel zat James Savage, voorzitter van de raad van bestuur van Goldsteins en tevens de man die haar in dienst had genomen. Hij leunde naar achteren, zijn handen gevouwen tegen het grijze haar op zijn achterhoofd, smetteloos gekleed in een marineblauw streepjespak dat voortreffelijk in de plooi zat. Zijn ogen waren samengeknepen. Hij glimlachte tevreden, maar zonder affectie. Hij mocht Sarah omdat ze goed werk leverde, maar hij genoot nog meer van haar riskante onvoorspelbaarheid. Hij kende haar reputatie. De president van de Engelse centrale bank had haar aanbevolen met de kanttekening dat ze een onberekenbare factor was. Savage beschouwde zichzelf ondanks zijn conventionele uiterlijk als een buitenbeentje en voelde zich meteen met haar verwant. Eerlijk gezegd voelde hij nog iets meer dan dat.

Hij nam haar snel op. Ze was aangekomen en ze droeg een ruimvallende broek met een groot colbert en tamelijk plompe platte schoenen. Haar huid gloeide en ze had een blos op haar wangen. Ze zag er ongelofelijk sensueel uit, haar borsten goed zichtbaar onder de dunne stof van haar blouse. Sarah Jensen was een wandelende verleidster. Vandaag zag ze er een beetje moe en afwezig uit, al probeerde ze dapper te glimlachen. Savage begreep niet hoe ze onder alle omstandigheden haar luchtige, elegante uitstraling wist te handhaven. Haar verleden was hem slechts gedeeltelijk bekend, maar zo'n achtergrond leek hem genoeg om het vrolijkste karakter te versomberen. Hij wist dat ze al jong wees was geworden, dat ze tijdens haar opdracht bij de InterContinental Bank twee vrienden had verloren en zelf in levensgevaar had verkeerd, maar op de een of andere manier had ze zich weten te redden, en daarna was ze naar de Himalaya gevlucht. Ondanks die schaduw van het verleden was ze nu weer terug, ogenschijnlijk even stralend als vroeger en zonder zorgen. Ze moest over een flinke dosis moed en geloof in het leven beschikken. Alleen de rimpels rond haar ooghoeken, te duidelijk zichtbaar voor iemand van haar leeftijd, wezen op de drama's die ze had meegemaakt, op de strijd die ze had moeten leveren. Ze kon nog geen dertig jaar zijn. Af en toe had hij een glimp van haar verdriet opgevangen, maar alleen op de zeldzame momenten dat ze haar masker liet vallen.

Dick Breden, een privédetective die door Savage voor algemene opdrachten werd ingezet, begroette haar met een tamelijk dubieuze glimlach. Hij was geneigd Sarah als een rivale te beschouwen, hoewel hij er nooit helemaal in slaagde een nietsontziende concurrentiestrijd met haar aan te gaan. Goldsteins was een belangrijke bron van inkomsten die hij niet op het spel wilde zetten, maar aan de andere kant vulden hij en Sarah elkaar eerder aan dan dat ze elkaar tegenwerkten. Bovendien was hij onder de indruk van haar montere, kordate optreden. Hij wist dat ze een dikke huid had, dat ze de meeste dingen als een spelletje beschouwde. Daarom zag hij haar als een lichtgewicht, ook al meende Savage duidelijk dat ze tot heel wat meer in staát was.

Breden stond hoffelijk op toen ze binnenkwam en ging bijna in de houding staan. Hij was al tien jaar geleden afgezwaaid, maar hij had nog steeds het slanke en gespierde lichaam van een soldaat.

Zaha Zamaroh was hoofd van de afdeling valutahandel, summa cum laude afgestudeerd aan Harvard, met de hersens van een supercomputer en een lichaam dat in een schilderij van Rubens niet zou misstaan. Ze bleef op haar stoél zitten, met haar benen over elkaar, haar glanzende zwarte kousen goed zichtbaar. Ze nam Sarah onbeschaamd van top tot teen op, zowel haar uiterlijk als haar kleding, zoals haar gewoonte was. Aan haar triomfantelijke blik te oordelen had ze nu een tekortkoming ontdekt. Zamaroh zelf zag er zoals altijd piekfijn uit, de voluptueuze rondingen van haar lichaam gehuld in een mandarijnkleurig pak van Chanel, haar gitzwarte haar golvend en glimmend als olie. Zamaroh was een roofdier, een grote, glanzende zwarte panter, slinks, briljant en sterk. Zij beschouwde Sarah als een prooi, een aantrekkelijke prooi omdat ze goed van zich af wist te bijten.

Stelletje roofdieren dat jullie zijn, dacht Sarah.

Stuk voor stuk hadden ze iets te verbergen, dat zag ze aan de blik in hun ogen. Savage was te veel op zijn gemak, te glad. Je kon zijn positie nooit bereiken zonder geheimen en misstappen te verbergen. Hij hield zich schuil achter zijn perfect op maat gesneden pak, achter zijn afgebeten en bijna onbeschofte woorden waarmee hij zijn macht en superieure status wilde bewijzen, achter zijn bekakte Engelse accent af en toe doorspekt met Amerikaans jargon om te laten zien dat hij helemaal van deze tijd was, een werkezel die voor elke cent knokte maar wel een met beperkte werktijden.

Savage had een bloedhekel aan de pers, meer dan je redelijkerwijze van iemand in zijn positie kon verwachten. Daarom hield de pers Goldsteins met meer dan gebruikelijke hardnekkigheid in de gaten. Een jaar eerder had *The Word* een artikel gepubliceerd van Roddy Clark, een fervente antikapitalist die had gezinspeeld op financiële wantoestanden bij Goldsteins. Vier weken later had het tijdschrift een rectificatie moeten plaatsen en een aanzienlijke schadevergoeding betaald, maar vreemd genoeg werkte geen van de beschuldigde handelaren toen nog bij Goldsteins. Ze waren zelfs helemaal uit de City verdwenen. Alleen Savage had het overleefd, net als Zaha Zamaroh, de directe chef van de handelaren. Sarah vond wel dat Zaha er een beetje ontdaan uitzag, alsof ze het er maar net heelhuids had afgebracht. Ze maakte een opstandige indruk, alsof haar een groot onrecht was aangedaan en ze een enorme afkeer van de City en van de wereld had gekregen. Sarah vond haar bijzonder boeiend, een vrouw die op weg naar de top het glazen plafond doorbroken had. Maar de scherven staken nog uit haar en daarom hield Sarah zich zorgvuldig op een afstand.

Wat Breden betreft, hij was iemand die op de geheimen van andere mensen teerde en Joost mocht weten wat hij in ruil voor die geheimen had geboden. Hoe meer je weet, des te meer je kunt verkopen. Goldsteins was zijn belangrijkste opdrachtgever, maar hij had ook iets van een huurling die zich aan de meestbiedende verkoopt. Hij hield zich altijd op een afstand, maar hij pronkte graag met zijn dure gouden horloge en met zijn Aston Martin. Geld betekende meer voor hem dan goed voor hem was, dacht Sarah.

Maar wie was zij om over anderen te oordelen?

11

Ze zaten rond een glimmend gewreven vergadertafel en een secretaresse schonk koffie uit een zilveren pot. Savage dronk zijn espresso en zette het kopje rammelend neer. Het telefoontoestel naast hem begon te zoemen. Hij nam op en luisterde onbewogen. 'Stuur hem naar binnen.'

Sarah nam een slok mineraalwater. Evangeline, de secretaresse van Savage, kwam met stralende ogen de kamer in. Sarah had het glas nog aan haar lippen toen de vader van haar kind binnenkwam.

Ze dacht dat ze stikte. Met moeite wist ze het water binnen te houden en te slikken. *Rustig, rustig, dit is niet het einde van de wereld, meid. Haal gewoon adem, heel kalm, en verpest het niet. Je mag het niet verpesten.* Ze voelde hoe de melk uit haar borsten in de watten liep waarmee ze voor de zekerheid haar beha had opgevuld, maar als het zo doorging zouden de plekken weldra in haar blouse te zien zijn. O god, ze had zelfs haar lichaam niet meer in de hand. Ze probeerde uit alle macht haar zelfbeheersing terug te vinden, enige vorm van controle, tevergeefs. Ze dacht aan Jacobs trucje en stelde zich de aanwezigen in hun blootje op de wc voor, met als enige resultaat dat ze bijna hysterisch begon te lachen. Ze wist zich in te houden en de inspanning ontnuchterde haar, bracht haar net genoeg weer bij zinnen om haar gezicht in de plooi te houden en te doen alsof ze deze man nooit had gezien, alsof ze nooit een hartstochtelijke liefdesnacht met hem had doorgebracht, nooit een nieuw leven met hem had gemaakt. O nee, daar had ze beter niet aan kunnen denken. Ze zag Georgie voor zich in zijn volmaakte volwassen gedaante. Haar zoon was een evenbeeld van John Redford. Het idee was bijna niet te verdragen.

Ze hoorde hoe Savage de introducties voor zijn rekening nam. 'Dit is Zaha Zamaroh, zij houdt toezicht op de beursvloer, en dit is haar assistent Dick Breden.'

Redford ging zitten. Zijn gezicht stond strak, alsof ook hij in een shock verkeerde. Hij gaf niemand een hand, keek alleen maar even naar de mensen die aan hem werden voorgesteld.

'En dit is Sarah Jensen, ook zij is betrokken bij de handel,' zei

Savage. Redford keek haar aan. Het leek Sarah alsof hij zijn gevoelens tot elke prijs wilde verbergen, en ze kon er niets uit opmaken. Ze knikte heel kort terug. Redford kreeg weer een harde blik in zijn ogen, alsof hij wilde zeggen: *dus zo wil je het spelen*. Hij deed voor het eerst zijn mond open.

'Hallo, Sarah. Leuk je te zien.'

Ze knikte, niet in staat om een woord uit te brengen. Ze hield haar glas vlak voor haar mond om haar gloeiende wangen te verbergen.

Evangeline ging met tegenzin de kamer uit. Sarah keek naar de anderen. Savage leek vreemd genoeg van zijn stuk te zijn gebracht. Zamaroh deed haar best om onaangedaan en blasé te kijken, terwijl Breden ondanks zijn Engelse flegma een zekere interesse toonde.

'U bent op tijd en bent alleen,' zei Savage met een geamuseerde glimlach.

'En waarom zou ik dat niet zijn? Kunnen we alsjeblieft ophouden met dat gezeik?' zei Redford geïrriteerd. 'Ik ben een gewone zakenman, net als al jullie andere cliënten. Er hangt misschien een hoop bagage aan mijn product, maar alleen in de ogen van mijn publiek. Als we die ballast weglaten wordt het een stuk eenvoudiger.'

'Is uw muziek dan alleen maar een product voor u?' vroeg Zamaroh verbaasd.

'Nee, natuurlijk niet,' antwoordde Redford snel en kritisch. 'Muziek is het grootste deel van mijn leven, maar dat wil nog niet zeggen dat ik een leeghoofdige artiest ben die geen oog voor de zakelijke kant heeft. Dat spelletje kan ik ook spelen.'

'Maar niet als u bezig bent een nummer te schrijven?' ging Zamaroh verder.

'Nee, dan niet,' gaf hij toe. 'Dan kan het me geen donder schelen hoeveel platen er verkocht worden. Het interesseert me alleen maar hoe ik mijn gevoelens onder woorden kan brengen, hoe ik de luisteraar kan raken.'

Net een slangenbezweerder, dacht Sarah, of de rattenvanger van Hamelen. Het was een naargeestige vergelijking die ineens bij haar opkwam en ze kreeg meteen spijt toen ze naar de gelaatstrekken van Georgies vader keek. De overtuiging waarmee hij sprak verried iets van het kwetsbare karakter onder het harde masker.

'Wilt u koffie?' vroeg Sarah, opgelucht en dolblij dat ze gewoon kon praten, al was ze ook doodsbang. Ze had het gevoel alsof ze iemand anders was, alsof ze de toestand niet meester was en er geen sociale grenzen of conventies bestonden. Het hielp niet dat het hele gesprek een bizarre wending nam nu Zamaroh ineens van geld op filosofie overging.

Redford leek zich over Sarahs stem en over haar vraag te verwonderen en ze vroeg zich een angstig ogenblik af of ze niet iets heel anders gevraagd had.

'Ja, natuurlijk, ik vergeet mijn manieren,' zei Savage tot grote opluchting van Sarah. 'Koffie, thee, mineraalwater?' Hij glimlachte vlot. 'Whisky, gin, wodka, zeg het maar.'

'Mineraalwater graag. Zonder koolzuur, kamertemperatuur, geen ijs, schijfje citroen.'

Savage knipperde met zijn ogen voordat hij een knop op een sierbeeldje in de vorm van een haan drukte. Even later verscheen Fred, de butler, prachtig in uniform gekleed. Hij nam de bestellingen op, waarbij die van Redford nogal wat tijd in beslag nam, en verdween als een schim, geruisloos met zijn dikke schoenzolen over het hoogpolige tapijt lopend.

Alles in deze kamer rook naar *geld, aanzien en comfort*, dacht Sarah, alleen de man die tegenover haar zat liet ook de rauwe kanten ervan zien. Net als Savage, Zamaroh en Breden zag ook zij er verfijnd en beschaafd uit. Het kantoor met zijn airconditioning en zijn hermetisch gesloten dubbele beglazing scheen oneindig ver af te staan van het ordinaire geld verdienen zelf, van de dromen, opofferingen, de overwinningen en nederlagen die achter elk vermogen verborgen bleven. Misschien dachten de mensen daarom dat de geldmakers van de City eigenlijk geen recht hadden op hun riante inkomens. De elegante aankleding en de aanwezigheid van butlers waren een vermomming, een overblijfsel uit de tijd waarin geld verdienen bijna als overspel werd beschouwd, iets wat achter gesloten deuren moest gebeuren en waar niet over werd gesproken. Maar een paar verdiepingen lager was de beursvloer met zijn drukte en gewoel, en daar stroomde het geld binnen.

'Kunnen we u een rondleiding geven?' vroeg Sarah aan Redford. 'Dan kunt u zien waar het hier allemaal om gaat.'

Redford keek haar vragend aan.

'De beursvloer,' zei Sarah. 'Het hart van deze stad. U kunt met eigen ogen zien hoe de transacties tot stand komen, hoe er geld wordt verdiend en verloren, hoe hoog de emoties oplopen...'

'Ja, dat wil ik wel,' zei Redford zonder zijn ogen van haar af te houden.

Savage had een zorgelijke uitdrukking en Zamarohs gezicht betrok. Sarah had net een ongeschreven regel overtreden: laat je cliënten nooit het abattoir zien, waar ze zelf het karkas zijn waaraan de handelaren zich te goed doen. Zamaroh kon aan Redford niet zien wat Sarah wel zag: de pure ambitie die hem nog altijd dreef, ook al was hij zogenaamd op het hoogtepunt van zijn carrière. Ze merkte dat hij afknapte op het dikke tapijt en op de butler, dat ze hem zakelijk alleen kon winnen door te bewijzen dat ook zij ambitieus en gedreven waren, ondanks hun welstand en hun zelfvoldaanheid.

Ze verlieten de vergaderkamer met zijn stilte van een graftombe en gingen naar de lift. Redford liet Sarah en Zamaroh voorgaan, waarna hij zelf naast Savage ging staan met zijn rug naar Sarah toe. De lift begon te dalen. Redford droeg een zwarte wollen broek en een strakke trui van fijne wol. Sarah zag de knobbels van zijn ruggengraat en de sterke spieren aan weerskanten. Ze herinnerde zich hoe ze zijn rug met haar vingers en daarna met haar tong had beroerd. Ze herinnerde zich zijn geur, de smaak van zijn huid. De liftdeuren gleden open en Savage stapte uit. Redford wachtte opnieuw tot Zamaroh en Sarah waren voorgegaan. Sarah keek strak voor zich uit toen ze hem passeerde, zo dichtbij dat ze hem bijna aanraakte. Ze voelde zijn ogen toen ze naar de ingang van de beursvloer liep.

Zamaroh gebruikte haar elektronische kaart en de deur van de zaal ging open. De eerste indruk was die van een overweldigend lawaai, de opgewonden stemmen van vierhonderd handelaren, het piepen van computers, het elektronische gezoem van telefoons, uitroepen van woede of triomf. Zamaroh ging hen voor naar het midden van de zaal. Onderweg vingen ze flarden van gesprekken op:

'Ik neem een ton voor veertig-negenentwintig.' *'Vergeet het maar, smeerlap, jij hebt me met Entox genaaid.'* *'Yes! Dat is binnen! Ben ik goed of niet?'* *'Verdomme, die zakt zo snel dat ik alles kwijt ben.'* *'Laat maar zien wat je hebt, baby, ik wil het allemaal!'*
Redford keek Sarah aan. 'Heb jij hier gewerkt?'

'Zeven tropenjaren,' antwoordde ze. Ze zag hem kijken. 'Met af en toe een adempauze.'

'En ben je goed?'

'Wat dacht u?'

Ze zag een vrolijk lichtje in zijn ogen, maar hij beheerste zich snel en zette weer een pokergezicht.

Teruggekeerd in de vergaderkamer, nam Redford het initiatief. 'Zo,' zei Redford. 'Ik wil zelf de beurs op, hoe pak ik dat aan?'

'Vertel me eerst eens wat u precies wilt,' zei Zamaroh. 'Van wie heeft u over Goldsteins gehoord?'

Sarah en Redford keken elkaar aan. Ze was even bang dat de anderen alles duidelijk zou worden aan de hand van de blik die ze elkaar toewierpen.

'Laat de rest maar aan mij over,' raspte een stem die in de deuropening klonk en onmiddellijk ieders aandacht opeiste. Een man van begin vijftig stond tegen de deurpost geleund, zijn ene heup iets naar voren gestoken, in een nonchalante en tegelijk agressieve houding. De man was slank, met een Levi's aan en een leren jack over zijn schouder. Hij had kort, dik grijs haar dat alleen de zijkanten van zijn hoofd bedekte; zijn kruin was een glimmende biljartbal. Hij had een lange, stevige neus en volle lippen. Zijn zware oogleden gaven zijn gezicht een slaperige uitdrukking. Het was de man van het op hol geslagen paard, alleen had hij nu zijn kennelijk gewone arrogantie weer terug. Hij kwam precies op tijd, maar Sarah had hem toch liever niet gezien. Dit was het einde van haar toneelstukje.

'Kan ik iets voor u doen?' Savage stond op.

'Ik ben Strone Cawdor, de manager van John Redford,' verklaarde de man met een zelfvoldane grijns. Sarah vroeg zich onwillekeurig af of ze hem bij het bos niet beter aan zijn lot had kunnen overlaten. Evangeline stond zwijgend naast hem.

'U bent laat,' zei Savage.

Cawdor keek hem verbaasd aan. 'Laat?' vroeg hij, alsof hij het

hele begrip niet kende of onbelangrijk vond. 'Ik ben er nu, dus laten we maar beginnen. Zoals ik al zei, laat het maar aan mij over.'
Sarah wierp een blik op Redford om te zien hoe hij het opvatte. De rockster keek naar Cawdor met een mengeling van geduld en een vleugje vermaak.
Savage nam de introducties met ijzeren zelfbeheersing voor zijn rekening. Cawdor knikte alleen maar. Sarah had een reactie van hem verwacht, een blik van herkenning of waardering, maar het was alsof Cawdor haar nu pas voor het eerst zag. Natuurlijk was het al anderhalf jaar geleden, en toen had hij in een shock verkeerd, haar vuile, gebruinde gezicht was verborgen geweest onder een cowboyhoed en ze was tien kilo lichter geweest. Bovendien was het incident iets dat hij zich waarschijnlijk liever niet wilde herinneren: hij was duidelijk iemand die altijd liever de baas speelde en dit was niet een van zijn beste ogenblikken geweest. Voor hem was ze niet meer dan iemand van de bank en dat kwam haar wel zo goed uit. Ze slaakte een zucht van verlichting.
'We hebben jullie nagetrokken,' zei Cawdor terwijl hij naast zijn grote ster ging zitten, 'en zo te horen hebben jullie een goede reputatie.'
Zamaroh snoof. Cawdor staarde haar aan. Zamaroh staarde terug. 'Natuurlijk is dit een schoonheidswedstrijd,' ging Cawdor opgewekt verder, 'dus we zijn ook met andere banken in gesprek.' Hij nam zijn gouden horloge van zijn pols en legde het op de tafel. 'Vertel me maar waarom Goldsteins de beste is.'
Redford nam het woord voordat iemand van het team op deze tijdbom kon reageren.
'We zijn klaar,' zei hij, strak naar Sarah kijkend.
'Wat zeg je?' vroeg Cawdor.
'Ik ga met Goldsteins in zee,' zei Redford vlak.
'Je bent verdomme net binnen.'
Het gezicht van Savage betrok.
Redford haalde zijn schouders op zonder nog iets te zeggen. Het was een indrukwekkende manier om te laten zien wie er de baas was.
Zamaroh grinnikte. Sarah probeerde niet te lachen. Breden trok een verveeld gezicht, maar Sarah wist dat hij erg veel belangstelling had.

Cawdor haalde diep adem en deed alsof Redford niet bestond. 'Goed. Is er misschien koffie?'

'Hoe wilt u het hebben?' vroeg Savage ad rem.

'Puur natuur. Zo zwart als het maar kan.'

Savage drukte op de sierlijk verborgen knop. Enkele ogenblikken later kwam Fred de kamer in, steelse blikken naar Redford werpend. Sarah wist dat er in de keuken heel wat af geroddeld zou worden.

Cawdor dronk zijn kopje leeg en leek zijn zelfvertrouwen te hervinden. 'Goed, we gaan het net zo doen als Bowie en Iron Maiden.'

Sarah verbaasde zich over zijn accent. Hij was een Amerikaan, maar hij klonk net als een Engelsman die een Amerikaan imiteerde. Hij deed haar aan Mick Jagger denken, ook al had ze die nooit in levenden lijve ontmoet, ze kende hem alleen van interviews.

'De basis is duidelijk genoeg. We hebben twintig platina platen, dat wil zeggen dat er van elk minstens een miljoen exemplaren zijn verkocht,' voegde hij er met een neerbuigende glimlach aan toe. 'In feite is de verkoop nog veel hoger. In totaal zijn er meer dan honderd miljoen albums verkocht. John heeft in de States zeven keer achter elkaar nummer een gestaan en vier keer in Engeland. Hij neemt drie procent voor zijn rekening van alle singles, albums en diskettes die per jaar wereldwijd worden verkocht. Hij is de absolute top. Hij staat op het hoogtepunt van zijn loopbaan en hij zal nog jaren aan de top blijven. Daar willen we nu de vruchten van plukken. We zoeken een bank die zich voor ons inzet en ons op de beurs brengt.'

Hij leunde naar achteren nu hij al zijn beurstermen had uitgeput. Vreemd, dacht Sarah, hij heeft niet één keer het woord *geld* gezegd, hoewel heel deze bijeenkomst daarom draait. Zijn agressie was alleen maar camouflage. Sarah veronderstelde dat hij bij de besprekingen met de platenmaatschappij, met juristen en boekhouders doorgaans het hoogste woord voerde, maar nu moest hij zich schikken naar de voorwaarden die Goldsteins stelde.

Savage wachtte totdat de stilte onaangenaam lang had geduurd. 'We zullen u iets over de hele gang van zaken vertellen, wat we voor u kunnen doen en wat wij op onze beurt nodig hebben.

Daarna kunnen we zien of we het eens kunnen worden.' Hij wierp Cawdor een koel lachje toe.

Cawdor lachte ongelovig. 'Of we het eens kunnen worden?' zei hij verachtelijk. 'Jullie zijn toch geen escortservice? We hoeven niet met elkaar naar bed.'

Redford keek naar Sarah. Ze hielden elkaars blik vast terwijl Savage antwoord gaf.

'Integendeel,' antwoordde de directeur. 'In financieel opzicht is dat precies wat we gaan doen. Als we tot zaken kunnen komen, worden we partners, zeer intieme partners. Het werkt naar twee kanten. We moeten zoveel mogelijk over elkaar te weten komen, dan kunnen we pas beoordelen of het zal werken. Dat is in ons beider interesse,' zei Savage met nadruk toen Cawdor iets wilde tegenwerpen. 'U wilt toch zeker geen bank die zonder een grondig onderzoek met iedereen in zee gaat? Dat zou helemaal niet in het belang van je cliënt zijn.'

Redford wendde zijn blik af van Sarah. 'Kunnen we een beetje opschieten?' vroeg hij zachtjes aan Savage. 'Doe ons een voorstel, zeg wat je wilt. Wij kunnen helpen.' Hij keek even naar Cawdor.

'Mag ik?' vroeg Zamaroh. Savage knikte heel licht.

'We kunnen het volgende doen. We verzamelen gegevens over de verkopen van alle albums die tot nu toe zijn verschenen en stellen een overzicht op van de te verwachten verkoopcijfers voor de komende zeven tot tien jaar. We moeten weten welk percentage naar de platenmaatschappij gaat, naar de tussenhandel en naar u. Uw eigen aandeel is voor ons van belang, dat is het uitgangspunt. Aan de hand van uw inkomen bepalen we de rentelast die u zou kunnen opbrengen, uitgaande van verschillende percentages, en vervolgens het kapitaal dat u kunt bijeenbrengen. Daarbij is ook van belang hoe u het geleende bedrag terugbetaalt, in jaarlijkse termijnen of bijvoorbeeld over tien jaar in één keer. Om de beste aanpak te vinden moeten we de kwaliteit van uw inkomen in aanmerking nemen, hoe zeker het tot nu toe is geweest en welke risico's eraan verbonden zijn.' Zamaroh zweeg een tijdje. 'Dat is een gevoelig punt. We moeten erop kunnen vertrouwen dat u tijdens de looptijd geen dingen doet die uw reputatie en uw inkomsten nadelig kunnen beïnvloeden.'

'Wat voor dingen?' vroeg Redford.

'Ach, wat zal ik zeggen,' zei Zamaroh ontwijkend.

'Alles wat de muziekliefhebbers tegen de borst kan stuiten,' vulde Sarah aan. 'Om precies te zijn de liefhebbers van *uw* muziek. Ik wil geen moreel oordeel vellen,' ging ze verder, 'en als u dit ooit laat uitlekken zal ik ontkennen dat ik het heb gezegd, maar drugs zijn niet zo'n probleem zolang ze voor eigen gebruik zijn en geen invloed hebben op uw muziek en uw optredens. Hetzelfde geldt voor alcohol. Het gaat veel meer om uw karakter. U kunt zelf wel iets bedenken. Kijk maar naar wat er met Michael Jackson is gebeurd nadat hij van kindermisbruik was beschuldigd.'

'Je insinueert toch niet...' begon Cawford woedend.

'O, hou toch je mond,' snauwde Sarah. 'Natuurlijk insinueer ik helemaal niets. Ik probeer alleen iets heel goed duidelijk te maken. Niemand hier wil je cliënt met modder gooien, dus je hoeft je niet als een blaffende rottweiler te gedragen. Ik weet dat je je werk doet, maar je maakt het alleen maar moeilijker.' Redford keek naar haar en probeerde zijn glimlach te verbergen. Cawdor staarde haar lang en strak aan en zijn verontwaardigde gezicht kreeg langzaam een mildere uitdrukking.

'Je bent een harde tante,' zei hij tegen Sarah. Hij leek een ogenblik na te denken voordat hij zich weer tot Zamaroh richtte. 'Goed dan,' zei hij iets kalmer. 'Toevallig heeft mijn cliënt helemaal geen afwijkingen, maar zelfs als hij die had... Wat is dat voor gezeik?'

'Stel je voor dat er iets gebeurt waardoor het publiek zijn platen niet meer koopt,' antwoordde Zamaroh. 'Dan heeft hij niet genoeg inkomsten meer om de rente te betalen en is er ook geen basis voor een nieuwe uitgifte van obligaties of aandelen. U zou met een schuld blijven zitten en als u persoonlijk garant zou staan voor de terugbetaling, iets wat ik overigens niet zou aanbevelen, zou u persoonlijk failliet kunnen gaan.'

'Van zijn leven niet,' zei Cawdor.

'Misschien niet,' antwoordde Zamaroh, 'maar het punt is dat het *kan* gebeuren. Wij moeten rekening houden met de mogelijkheid, met het risico dat er iets gebeurt, en aan de hand daarvan stellen we de waarde en de vorm van de uitgifte vast. Een groter risico betekent een hogere rentelast en een geringere opbrengst. Als het risico te groot is komt er helemaal geen uitgifte. Een klein risico betekent een lagere rentelast en een grotere opbrengst voor jullie. De potentiële kopers zijn gerenommeerde institutionele beleggers. Die maken een gedetailleerde analyse van risico's en winstverwachtingen, maar de reputatie van Goldsteins is een groot pluspunt. Ze vertrouwen erop dat onze cliënten hun geld waard zijn en dat we geen kapitale blunders maken.'

'Dat is onze inbreng,' zei Savage, 'maar voordat we een akkoord sluiten moeten we zeker weten dat ook uw reputatie goed is. Zoals miss Zamaroh al heeft aangegeven is onze naam een groot pluspunt. Als u met ons in zee wilt gaan, moeten we eerst een zorgvuldig onderzoek instellen, dat zijn we wettelijk verplicht. Dat geldt voor al onze cliënten. Als we tot zaken willen komen moet u daar niet voor terugschrikken.' Savage liet zijn woorden in de lucht hangen.

'Wij hebben niets te verbergen,' zei Cawdor. Hij keek de tafel rond en stond op.

'Jij bent de baas, John,' zei hij. 'Heb jij nog iets te vragen?'

Sarah wierp een blik naar Redford, die haar recht aankeek. Hij glimlachte tegen haar, knikte naar Savage, Zamaroh en Breden en ging de kamer uit. Cawdor liep achter hem aan. Bij de deur bleef hij nog even staan.

'Over een week zijn we terug.'

12

'Waarom heb je hem in vredesnaam de vloer laten zien?' riep Zamaroh uit.

'Wat?' vroeg Sarah. Nu Redford weg was begon ze langzaam haar zelfbeheersing te verliezen.

'Hou toch op, Zaha,' zei Savage. 'Het was precies wat Redford nodig had, dat was zo duidelijk als wat.'

'Iedereen heeft hem gezien, dan kunnen ze ook wel raden wat hij hier kwam doen,' wierp Zamaroh tegen.

'Als Redford een man van zijn woord is gaat hij met ons in zee,' zei Savage.

'Ha! Geloof jij een popster op zijn woord?'

'Ik hoef hem niet te vertrouwen, maar ik denk dat hij goede redenen heeft om met ons een overeenkomst te sluiten.'

'Zoals?' vroeg Zamaroh met een boze blik naar Sarah.

'Dat weet ik niet precies,' antwoordde Savage, en Sarah had het idee dat hij haar blik probeerde te vermijden, 'maar eigenlijk is dat ook niet van belang. Het is een feit dat hij ons de opdracht wil gunnen.'

'Maar kunnen we die ook echt binnenhalen?' vroeg Zamaroh boos. 'Dankzij Sarah hier weet iedereen er nu van.'

'O, hou toch op met dat gezeur,' snauwde Sarah, die plotseling uit haar verdoving ontwaakte. 'Ik heb hem de vloer laten zien omdat hij zich hier dood verveelde. Wat moet zo'n man in een vergaderkamer? Ik dacht dat hij de vloer veel interessanter zou vinden en dat was ook zo. Hij houdt van opwinding.'

'Ja, het was een prima idee,' zei Breden met onverwachte waardering.

'Inderdaad,' beaamde Savage.

'Dank je,' antwoordde Sarah.

'We hebben precies een week om alles over popmuziek aan de weet te komen,' zei Savage zakelijk. 'Dat is een nieuw product voor ons en we kunnen ons niet veroorloven bij de concurrentie achter te blijven. Met Bowie en Iron Maiden hebben we achter het net gevist. Wij hebben de naam een vooraanstaande investeringsbank te zijn, een marktleider en geen meeloper. Dit kan een heel belangrijk contract worden. Het heeft uitstraling, het is iets nieuws. We kunnen er heel veel publiciteit mee krijgen. Onze naam zal op ieders lippen zijn. We zullen niet alleen Redfords woord, maar ook zijn handtekening onder het contract krijgen.'

'Ik dacht dat dat hetzelfde was,' zei Sarah, die zich over de uitval van Savage verbaasde.

'Dat dacht ik ook,' zei Savage fel. 'Maar ik kan je iets nieuws vertellen, en dit blijft absoluut onder ons. De afgelopen zes weken hebben we op het laatste moment vier contracten met een waarde van vijftien miljoen verspeeld. Alleen wij hier zijn daarvan op de hoogte, maar er moet een vuile onderkruiper zijn die onze contracten aan de concurrentie verkoopt. Er is een lek en als we niet oppassen wordt het een complete aderlating. Als ook deze cliënt op het laatste ogenblik aan onze neus voorbijgaat zal onze naam ernstig beschadigd worden. We zullen de reputatie krijgen van een bank die zijn cliënten niet kan vasthouden. Dat mag in geen geval gebeuren.' Savage zweeg en zijn woorden hingen dreigend in de stilte.

'Tot het contract goed en wel getekend is zijn wij hier de enigen die van de contacten met Redford op de hoogte zijn. Met andere woorden, als het uitlekt weet ik meteen dat het een van jullie is. Sarah, ik wil dat jij de details thuis verder uitwerkt. Je hebt een week om een expert te worden op het gebied van popmuziek. Ik wil weten of Redfords albums voldoende onderpand zijn voor een emissie. Als dat het geval is verwacht ik ook een voorstel van je over de vorm waarin de uitgifte moet worden gegoten.'

Sarah had het gevoel alsof ze een stomp in haar buik had gekregen.

Zamaroh vulde de stilte. 'Waarom moet Sarah dat doen?' vroeg ze verontwaardigd. 'Ik heb tien assistenten die dat met hun ogen dicht kunnen doen. Zij weten alles van de markt en ze zijn veel beter op de hoogte dan een freelancer.' Zamaroh wierp een boze blik naar Sarah voordat ze weer naar Savage keek.

'Het gaat tussen jullie tweeën,' antwoordde Savage. 'Ik heb geen vertrouwen in iemand van de vloer zolang we niet weten waar het lek zit. Ik wil dit contract tot elke prijs binnenhalen, is dat duidelijk? Als ik daarvoor een freelancer moet inschakelen zal ik dat met alle plezier doen. Het is jouw probleem, Zamaroh. Een van jouw mensen is een verrader en ik bied je een voorlopige oplossing aan.'

'Ervan uitgaande dat ik het wil doen,' zei Sarah, die eindelijk haar stem terugvond.

'Waarom niet?'

O, Jezus, je hebt geen flauw idee. 'Zoals Zamaroh al zei, ik ben een freelancer. Er zijn genoeg mensen die dag en nacht op de markt zitten.'

'Jij levert veel beter werk, als je maar wilt.'

Zamaroh hield haar adem in.

'Waarom zou ik het willen?' vroeg Sarah.

Savage stond op. Hij keek naar Breden en Zamaroh.

'Excuseer ons even.'

Hij nam Sarah mee naar zijn privétoiletruimte. Ze leunde tegen de rand van de marmeren wastafel en drukte haar handen tegen de koude steen. Savage duwde de deur dicht en leunde tegen het houtwerk.

'Duizend pond per dag, plus onkosten.'

'Dat is niet genoeg, James. Dat is omgerekend tweehonderd veertigduizend per jaar en je weet dat dat een schijntje is. Je beste mensen verdienen tien keer zoveel, dus stel mijn geduld niet op de proef. Ook een freelancer krijgt meer betaald.'

'Welk belachelijk astronomisch bedrag zou je dan wel acceptabel vinden?'

'Drieënhalfduizend, plus onkosten.'

'Dat is absurd. Je prijst jezelf uit de markt. Wil je soms geen werk?'

Nee, had ze bijna uitgegild. *Nee, ik wil dat rotwerk niet. Mijn borsten lekken, ik wil naar huis om mijn kindje te voeden. Ik wil je nooit meer zien, ik wil geen voet meer in dit vervloekte gebouw zetten.* Ze zei niets, staarde alleen maar met een boos gezicht naar de vloer.

'Ik zit in een lastig parket, Sarah. Ik zal het je niet vergeven.'

'Het is een zakelijke overeenkomst, James. Graag of niet.'

'Jezus Christus, wat ben je hard geworden. Wat is er toch met je gebeurd, Sarah? Ik ken je niet meer terug.'

Ze glimlachte.

'Akkoord. Drieënhalfduizend plus onkosten.'

Verdomme, verdomme, verdomme. Ze had nooit gedacht dat hij erop in zou gaan.

'Kijk maar niet zo bedrukt,' zei Savage ongelovig. 'Je zou denken dat ik je een slavencontract heb aangeboden.'

'Nee, maar het is net of ik tot een gevangenisstraf ben veroordeeld.'

Savage keek haar zonder begrip aan voordat hij terugging naar de vergaderkamer. Zamaroh voerde een zakelijk gesprek aan de telefoon en nam er de tijd voor om zichzelf te bewijzen. Breden zat er geamuseerd bij te kijken. Zaha hing op nadat ze haar onzichtbare gesprekspartner op het hart had gedrukt dat er haast bij was en keek verontwaardigd naar Savage toen die ging zitten.

'De handel rust nooit, James.'

'Een slapeloze beursvloer, wat een afschrikwekkend idee. Goed, dit is mijn voorstel. Sarah, jij helpt ons met het contract. Jij stelt een plan op en doet het eerste onderzoek. Maak er een presentatie van. Redford en zijn manager komen de volgende week terug. Ik wil dat ze zo snel mogelijk op ons voorlopige voorstel ingaan en hun handtekening zetten. Zodra dat gebeurd is,' zei hij met een blik naar Zamaroh, 'of zodra we het lek gevonden hebben, kunnen ook jouw mensen aan de slag.'

Sarah werd overspoeld door paniek. Een week was heel kort voor zo'n geweldige klus, zonder enige hulp en met het risico dat Savage haar op staande voet zou ontslaan als ze fouten maakte. Ze zou bijna dag en nacht moeten doorwerken, overgaan op flesvoeding voor Georgie en zorgen dat er iemand naar hem omkeek, de laatste restjes energie uit haar uitgeputte lichaam moeten halen. Ze voelde tranen in haar ogen prikken en veegde ze met een snel gebaar weg.

'Zaha, jij hebt de supervisie,' ging Savage verder, 'maar denk erom: geen telefoongesprekken. Spreek hier op kantoor af of ergens anders, dat laat ik aan jou over. Zorg ervoor dat er hier niets op papier wordt gesteld en dat niemand kan meeluisteren.'

'Ik zwijg als het graf,' zei Zamaroh.

'En als het bezoek van Redford bekend wordt?' vroeg Breden.

'Dat is waarschijnlijk al gebeurd,' antwoordde Savage ernstig.

'Precies,' zei Zamaroh. 'Het was achterlijk om hem de vloer te laten zien.'

'O, hou toch je kop,' riep Sarah uit. 'Je dacht toch niet dat zijn bezoek ongemerkt aan iedereen zou voorbijgaan? Wie heeft hem allemaal niet gezien? De portiers, de mensen in de lobby en in de lift, iedereen die hier toevallig op de verdieping was. Fred. Zeker dertig mensen hebben hem hier al gezien. Dacht je dat die allemaal hun mond zullen houden?' Sarah boog zich over de tafel heen in de richting van Zamaroh. Ze werd steeds kwader. 'Weet je wat het met jou is? Jij denkt dat je iedereen kunt commanderen omdat ze financieel van jou afhankelijk zijn. Dat geldt niet voor mij. Ik geef de hele opdracht net zo makkelijk terug, dus als je me wilt helpen kun je je maar beter gaan gedragen. Ben ik duidelijk?'

Savage en Breden keken ademloos toe.

'Doe me een lol en verdwijn dan maar,' snauwde Zamaroh.

'Zo is het welletjes,' merkte Savage op. 'Hou allebei je mond.

Kunnen we niet iets constructievers bedenken? We hadden het over het lek. Kunnen we ons daarop richten?'

Sarah en Zamaroh keken elkaar woedend aan zonder iets te zeggen.

'We moeten het gepraat in ons voordeel laten werken,' stelde Breden voor.

'Hoe dan?' vroeg Savage geïnteresseerd.

'Stel een val voor de dader op. Dit contract is een goudmijn, de grootste deal die er ooit met een popster is gesloten. Elke investeringsbank in de City zou er een moord voor doen. Als het lek ervoor wordt betaald kan hij er elke prijs voor vragen.'

'Hij?' vroeg Zamaroh achterdochtig, alsof ze al iemand anders in gedachten had. 'Weet je dan wie het is?'

'Nog niet, maar we kunnen dit contract gebruiken om hem door de mand te laten vallen.' Hij richtte zich tot Savage. 'Hoe denk jij erover?'

'Als we dit contract op het laatste moment verspelen kan het jullie allemaal de kop kosten.'

Angst en hebzucht, dacht Sarah neerslachtig. Er is niets veranderd.

'Laten we hem dan aan de schandpaal nagelen,' drong Breden aan.

'Hoe?'

'Geef Sarah hier een eigen kantoor, gebruik haar als lokaas. Breng een verborgen camera aan, laat de telefoons aftappen, zorg dat er overal microfoons zijn. En zorg ervoor dat potentiële verraders ook thuis worden afgeluisterd.'

Savage glimlachte. 'Dat is een uitstekend idee.'

'Dat had je gedacht,' zei Sarah. 'Ik heb het toch zeker al druk genoeg?'

'Je kunt hier ook aan het contract werken, zolang je alle documenten maar in de kluis bergt voordat je naar huis gaat. Ik vind het een geweldig idee,' zei Savage.

Sarah wist niet wat ze moest zeggen. Het liep allemaal geweldig uit de hand.

'Het bevalt me niet,' hield Sarah vol.

'Allemachtig, wat moet ik dan nog doen om je te overtuigen?' vroeg Savage.

'Ik zou het niet weten. Je verwacht dat ik vierentwintig uur per dag werk, maar die tijd ligt lang achter me. Daar voel ik niet meer voor. Ik heb nu een eigen leven.'

'Dan vergeet je dat even.' Savage gaf Sarah een briefje. *Vijfduizend pond per dag, laatste aanbod.*

Sarah schreef iets terug. *Plus een bonus van vijftigduizend als ik het lek vind.*

Savage las het en probeerde zijn gezicht in de plooi te houden.

'Dat is niet te geloven. Ik heb nooit iets voor zo'n sabbatsjaar gevoeld.' Hij verfrommelde het briefje en stopte het in zijn zak voordat hij naar Breden keek.

'Dick, jij werkt met Sarah samen.'

Sarah dacht even met genoegen aan al het geld dat binnenkort op haar rekening gestort zou worden, maar al snel besefte ze weer hoe hard ze ervoor zou moeten werken.

Breden knikte dankbaar met zijn hoofd.

'Zaha, jij laat het weten zodra je iemand verdenkt,' ging Savage verder.

'Ik verdenk iedereen,' antwoordde ze. 'Ook al is het een weerzinwekkend idee dat een van mijn eigen mensen de verrader zou kunnen zijn.'

Zamaroh moest het altijd persoonlijk opvatten, dacht Sarah. Het hele leven was een oorlog voor haar.

'Geef Sarah en Dick iets concreets om mee aan de slag te gaan,' stelde Savage voor. 'Houd je mensen scherp in de gaten nu iedereen weet dat Redford op bezoek is geweest.'

Zaha glimlachte. 'Laat dat gerust aan mij over.'

Het was alsof er een reusachtig net over de beursvloer en zijn vijfhonderd handelaren was gegooid, dacht Sarah. Ook zij was gevangen. Ze was niet alleen een jager, maar ook een prooi.

'Ik weet hier niets van, dus zorg dat al het mogelijke gedaan wordt,' zei Savage opgewekt.

Sarah keek op haar horloge en onderdrukte een zucht. Ze wilde zo snel mogelijk naar huis. Georgie had een halfuur geleden al de borst moeten krijgen. Ze had geen idee gehad dat de bespreking zolang zou duren, nu al bijna twee uur. Ze had een snel resultaat verwacht, in overeenstemming met de gebruikelijke aanpak van Savage, hooguit een halfuur. Het was uitgelopen door die vervloekte mol, die haar veel meer werk had bezorgd dan ze ooit had kunnen denken.

Ze had er genoeg van en stond op. 'Ik moet weg.' Ze ging snel de kamer uit en trok de deur met een klap achter haar dicht.

Savage, Zamaroh en Breden keken haar verbaasd na. Zamaroh liet haar adem sissend ontsnappen.

'Wat bezielt dat mens? Ze rent verdomme weg alsof ze een afspraak met God zelf heeft. Wie denkt ze wel dat ze is? Ze is maar een achtergebleven handelaar die werk zoekt...'

'Maar wel onze beste handelaar,' zei Savage met een vreemde bedachtzaamheid.

'Dat was ze, ja,' siste Zamaroh. 'Dat is verleden tijd.'

Savage glimlachte wrang. 'Ik ken niemand die zo goed kan onderhandelen als zij en ze lijkt nu nog harder dan ooit. Als ik jou was zou ik haar te vriend houden.'

'Ik kan voor mezelf zorgen. Ik ben voor niemand bang,' zei Zamaroh verontwaardigd.

Savage glimlachte. Zamaroh was bijna ondraaglijk arrogant. Ze had het voordeel dat ze de meeste mensen intellectueel de baas was en haar zelfingenomenheid had iets aantrekkelijks. Haar optreden paste precies bij de Iraanse prinses die ze in werkelijkheid was of die ze geweest zou zijn als de sjah niet was verbannen. Savage kon, en wilde, haar veel vergeven.

'Wil je dit contract?' vroeg hij.

'Dat weet je heel goed.'

'Werk dan met Sarah samen. Ze is niet alleen een heel goede handelaar, ze kan ook als geen ander iemands karakter beoordelen.' Hij nam een slok van zijn tweede espresso en staarde uit het raam. 'Toch is het vreemd. Het is net alsof ze is veranderd.'

13

Sarah nam een taxi om zo snel mogelijk thuis te zijn. Jacob hield met een rood aangelopen gezicht de schreeuwende Georgie in zijn armen en wiegde hem heen en weer op de muziek van Lauryn Hill. 'Hoe is het, meisje?' vroeg hij met stemverheffing om zich verstaanbaar te maken. 'Hoe ging het?'

'Het was een nachtmerrie,' zei Sarah. Ze nam Georgie van hem over en trok meteen haar blouse omhoog.

Ze ging in haar schommelstoel zitten en gaf het kind de borst. Het werd weldadig stil. Sarah zweeg de eerste vijf minuten. Ze streelde Georgie zachtjes over zijn haar en gaf haar baby en zichzelf de tijd om weer bij te komen. Jacob ging naar de keuken om de vaatwasser te vullen, water op te zetten en het middageten klaar te maken. Tegen de tijd dat Georgie zijn boertje had gelaten en naar bed was gebracht stond de pasta met een verse saus van tomaten en basilicum klaar. Sarah ging vermoeid zitten en legde de babyfoon naast haar bord. Ze leefde een beetje op toen ze wat had gegeten.

'Hoe is het nou gegaan?' vroeg Jacob. 'Je leek helemaal van streek te zijn toen je terugkwam.'

Sarah nam een slokje water. 'Ze hebben niet een, maar twee opdrachten voor me.' Ze aarzelde toen ze aan Redford dacht. Hoe moest ze voor Jacob verzwijgen welke rol die man in haar leven speelde? Alleen Alex was op de hoogte, verder zou niemand het ooit hoeven te weten. Als ze tenminste in staat was haar masker op te houden tegenover Jacob, de man die haar na haar broer beter kende dan wie ook.

'En?' Jacob wachtte geduldig af. Hij hield zijn hoofd een beetje scheef en keek Sarah onderzoekend aan.

'Er is een lek bij de bank. Iemand geeft veelbelovende contacten door aan de concurrentie, die vervolgens de cliënt onder de neus van Goldsteins wegkaapt. Savage is buiten zichzelf van woede en Zamaroh wil koppen zien rollen. Ik word verondersteld de schuldige te vinden.'

'Dat is lastig, maar niet onmogelijk voor je. En verder?'

Sarah maakte haar bord leeg. Daarna stond ze op en stopte het in de vaatwasser. Ze bleef met haar rug naar Jacob staan toen ze antwoord gaf.

'Het gaat om John Redford, een bekende popster.' Zo, ze had in elk geval zijn naam genoemd. 'Hij wil zijn albums te gelde maken, maar omdat Savage niemand van de beursvloer vertrouwt moet ik al het onderzoek doen en over een week een eerste voorstel indienen.' Ze draaide zich om. 'En tussendoor moet ik dan het lek nog opsporen.'

'Dat is echt een hele hoop werk, kind,' zei Jacob. Hij keek al net zo zorgelijk als Sarah.

Ze ging terug naar de tafel en liet zich op haar stoel vallen.

'Ik weet het. Hoe moet ik het voor elkaar krijgen? Dat lukt me nooit met Georgie erbij. Ik zou met borstvoeding moeten ophouden, iemand anders zou voor hem moeten zorgen. Ik zou hem amper nog te zien krijgen.' Tranen prikten in haar ogen. 'Ze hebben me voor het blok gezet. Savage heeft me in de val gelokt. Ik vroeg zo'n hoog honorarium dat hij me had moeten uitlachen, maar toch heeft hij me aangenomen.'

'Je kunt altijd nog terug.'

Sarah keek Jacob met een treurige blik in haar ogen aan. 'Nee, dat kan ik niet. Ik heb het geld nodig. Vroeg of laat moet ik toch weer aan het werk en hiermee verdien ik misschien genoeg om het een halfjaar rustig aan te kunnen doen. Hij betaalt me vijfduizend per dag, plus onkosten, en nog eens vijftigduizend als ik het lek vind. Laten we zeggen dat ik er twee of maximaal drie weken mee bezig ben en het lek opspoor, dan verdien ik honderdvijfentwintigduizend. Dat kan ik niet laten lopen.'

Ze stond op. 'Maar nee, ik kan het niet. Ik kan Georgie niet in de steek laten. Trouwens, er is niemand die voor hem kan zorgen.'

Jacob kuchte. 'Dat is niet helemaal waar.'

'Wat is niet helemaal waar?' Alex stak zijn hoofd om de hoek. Hij gooide zijn sporttas op de grond en ging naar de pan waarin de pasta stond af te koelen.

'God, ik ben uitgehongerd.' Hij plukte met zijn vingers een paar slierten uit de pan.

Jacob glimlachte. 'Dat is niets nieuws.'

Alex draaide zich om en lachte met zijn mond vol eten. 'Die is voor jou,' bromde hij. 'Waar hadden jullie het nou over?'

'Dat Sarah niemand heeft die voor Georgie kan zorgen.'

'Hoezo niet? Wij kunnen ons toch over hem ontfermen?' vroeg Alex aan Jacob. 'Je weet dat we het dolgraag zouden doen,' zei hij tegen z'n zus. 'Jij hoeft je nergens druk óver te maken.'

Ze glimlachte. Alex slikte de pasta door.

'Ik zou het helemaal vergeten. Hoe is het met Goldsteins afgelopen? Heb je werk?' vroeg hij.

Ze trok een gezicht.

Alex keek haar bezorgd aan. 'Is het niks geworden?'

'Noem het maar niks. Het is juist te veel,' antwoordde ze slapjes. 'Savage wil dat ik aan twee opdrachten tegelijk werk.'

'Met een popster,' zei Jacob onder de indruk.

'Hoe heet hij?' vroeg Alex luchtig terwijl hij Sarah aankeek.

'Natuurlijk had ik nog nooit van hem gehoord,' zei Jacob. 'Redburn. John Redburn, zo was het toch?'

'Bijna goed,' antwoordde Sarah. Ze bukte om aan haar enkel te krabben. Toen ze weer opkeek zag ze Alex geschrokken naar haar kijken, maar ze reageerde er niet op.

'En?' vroeg Alex.

'Hij leek me niet onaardig,' antwoordde Sarah. 'Voor een popster.'

Jacob ging een kwartier later weg. Alex ging rustig naast Sarah op de bank zitten.

'Hoe zit het nou?'

'Wat bedoel je?' vroeg ze op een luchthartige toon.

'Dat weet je best.'

Sarah slaakte een diepe zucht. 'Ik zat met Savage en Co in de vergaderkamer toen hij ineens binnenkwam. Ik dacht dat ik een rolberoerte kreeg.'

'Wat een toestand. Gaat het wel met je?'

Ze keek haar broer somber aan. 'Nee. Het is net of ik in een shock verkeer.'

'Had je helemaal geen idee dat hij zou komen?'

'Absoluut niet.'

'Wat zeiden Savage en Co ervan?'

'Niets,' antwoordde Sarah. 'We hebben niets laten merken en net gedaan of we elkaar niet kenden.'

Alex trok een ongelovig gezicht.

'Wat heeft hij hier te zoeken?'

'Hij wil de beurs op met zijn albums als onderpand.'

'Waarom nu? Waarom met Goldsteins, met jou?'

'Jezus, als ik dat wist. Over toeval gesproken,' zei ze, bijna op boze toon.

'Wat je toeval noemt,' merkte Alex op. 'Geloof je dat zelf?'

Sarah veegde een lok uit haar ogen. 'Ik weet het niet. In Wyoming heb ik er wel op gezinspeeld dat hij zijn muziek te gelde zou kunnen maken en dat Goldsteins de beste bank ter wereld is. Ik heb Savage nog genoemd. God, verder heb ik er geen seconde meer bij stilgestaan. Ik gooide maar een balletje op, zonder te weten dat het zo zou terugkaatsen.'

Alex keek haar bezorgd aan.

'En verder?'

'Wat bedoel je?'

'Wil hij weer contact met je?'

'Nee, Alex, hij heeft niets gezegd.' Ze wreef over haar ogen. 'Je denkt toch niet dat hij iets van Georgie weet?' vroeg ze plotseling.

'Ik zou niet weten hoe dat mogelijk is,' antwoordde Alex rustig.

'Geen idee. Ik moet er alleen niet aan denken dat hij er op de een of andere manier achter komt en Georgie van me wil afnemen.'

'Dat is onmogelijk, Sare, en om te beginnen komt hij er niet achter.' Zijn gezicht kreeg een bezorgde uitdrukking.

'Wat is er?' vroeg Sarah.

'Nou ja, ik zit over die opdracht na te denken. Dan krijg je misschien vaker met hem te maken dan je lief is.'

Sarah schudde haar hoofd.

'Ik doe alleen wat Savage me heeft gevraagd, verder niets. Tussen Redford en mij staat de Berlijnse Muur. Ik heb niets met hem te maken. Wat er tussen ons is gebeurd is verleden tijd.'

14

Vera Vernon deed al jaren moeite om Sarahs huishouding op orde te houden. Ze maakte schoon, deed het strijkwerk en de boodschappen, zorgde voor de was en gaf intussen allerlei nuttige adviezen. Als moeder van zeven inmiddels volwassen kinderen had ze er geen moeite mee te laten zien hoe je een kind de fles gaf.

'Let goed op, dan hoef ik het geen twee keer te zeggen.' Vera, alias Mrs V., goot een zorgvuldig afgemeten hoeveelheid gekookt en afgekoeld mineraalwater in een gesteriliseerd flesje en voegde er acht netjes afgestreken eetlepels gepasteuriseerde melk aan toe. Ze deed de dop erop, schudde het flesje met een heftige beweging van haar sterke handen en legde het in de koelkast. 'Nu de volgende.' Ze gaf Jacob een leeg flesje. 'Jouw beurt.'

Sarah keek toe met Georgie in haar armen. Het kind scheen het vullen van de flessen een vermakelijke bezigheid te vinden. Hij lachte onafgebroken en probeerde zich van zijn moeder los te maken om een greep naar de ingrediënten van zijn flesjes te doen.

Mrs V. zette haar handen op haar heupen en keek naar Sarah. 'Het is niet de beste manier om een kind te spenen, meer dan één fles achter elkaar. Je zult het wel merken. Hij zal willen dat je hem de borst geeft en jij krijgt last van je hormonen, om nog maar te zwijgen van je gezwollen tepels.' Ze kreeg een peinzende blik in haar ogen. 'Ik weet het nog goed, leuk is anders.' Ze glimlachte. 'Maar het had ook iets moois.' Ze keek weer naar Sarah. 'Maak je maar geen zorgen, meisje. Ik ben hier de hele dag en jullie zullen het allebei wel overleven. Ga je nu maar aankleden en geef mij het kind.'

Sarah aarzelde.

Mrs V. stak haar armen uit. 'Kom, kom. Het wordt alleen maar erger als je het uitstelt. Ga naar boven en kijk niet om.'

'Heeft u dat zelf ook gedaan?'

De werkster lachte. 'Doe nou maar wat ik zeg, wat ik heb gedaan doet er niet toe. Vooruit, naar boven. Ik weet wat je doormaakt, maar het heeft geen zin om het uit te stellen. Het is voor jezelf en voor de kleine veel beter zo.'

Sarah wachtte toch tot het allerlaatste moment voordat ze de schreeuwende Georgie uit handen gaf en naar boven holde. Ze had geen tijd meer om te douchen. Ze trok haar nachthemd uit, bette haar gezicht met koud water en deed wat crème op. Daarna borstelde ze haar haren en trok een marineblauw mantelpak aan. Ze kreeg de rits van haar rok niet helemaal dicht. Ze draaide de opening naar achteren en zorgde dat haar colbert eroverheen hing. Daarna trok ze een paar blauwe laarsjes aan en schoof de ring met de grote robijn die ze van Jacob had gekregen aan haar vinger. De ring was haar talisman. Het kostte haar acht minuten om zich aan te kleden. Ze liep op haar tenen de trap af en bleef tegen beter weten in bij de deur van Georgies kamer staan. Jacob lag op de grond en liet het jochie aan zijn grijze snor trekken. Man en kind lachten allebei en hadden geen erg in Sarah met haar verlangende blik en haar pijn. Ze voelde zich ellendig, maar ze haastte zich verder de trap af en de deur uit.

Ze kwam een kwartier te laat in Tatsuyo, het Japanse restaurant aan Broadgate Circle, maar toch was ze er het eerst. Ze had het warm en ze voelde zich zweterig en onverzorgd. *Beheers je*, zei ze streng tegen zichzelf. Gedraag je alsof je de koningin bent en niemand zal iets in de gaten hebben. Ze werd naar een tafeltje voor twee personen op de benedenverdieping gebracht. Ze genoot van de blikken die onderweg naar haar werden geworpen. Ze mocht er nog steeds zijn.

Om kwart over twaalf was het restaurant al bijna helemaal bezet. Sarah bestelde groene thee en probeerde zich op het werk in te stellen. Die oude rol had haar nooit moeite gekost toen Georgie er nog niet was geweest, maar nu was het net alsof dat iemand anders was geweest, een vage kennis. Ze keek naar de andere gasten en probeerde te ontdekken of er nog meer bedriegers waren, nog meer mensen in vermomming.

Iedereen in het restaurant kon geclassificeerd worden als koper of verkoper. Die laatsten spraken altijd het luidst en snelst, alsof hun leven ervan afhing. Ze vielen allemaal in dezelfde kuil. Ze zouden veel meer kans maken om een grote slag te slaan als ze eens een uurtje niet zo radeloos op hun potentiële klanten zouden inpraten, als ze zichzelf en hun product niet zo gretig ten toon zouden spreiden, als ze eens langzaam en op zachte toon zouden spreken.

Speel het spel, bedacht Sarah. Het gaat om de inhoud, maar vergeet de vorm niet. Het was makkelijk te zien welke fouten de anderen maakten. Let liever op jezelf.

Zaha Zamaroh kwam drieëntwintig minuten te laat binnen, hoewel het restaurant maar drie minuten lopen van Goldsteins verwijderd was. Toen ze naar de tafel werd gebracht gaf ze meteen een bestelling op zonder op de menukaart te kijken. Pas daarna begroette ze Sarah.

'Ik heb haast. Weet je al wat je wilt eten?'

Sarah leunde met een geamuseerde glimlach naar achteren.

'Hallo, Zaha.' Ze keek naar de ober. 'Kan ik de kaart inzien?'

Twee minuten later kwam hij een menu brengen. Sarah deed er nog eens twee minuten over om een keus te maken, heel rustig en zonder zich iets van Zamarohs boze blikken aan te trekken.

'Je bent laat,' zei ze ten slotte. 'Daar hou ik niet van.'

Zamaroh leek aanvankelijk te zullen ontploffen, maar blijkbaar besefte ze hoe machteloos ze eigenlijk was en ze beheerste zich. Even staarde ze alleen maar naar Sarah alsof ze een beter wapen dan intimidatie zocht, daarna riep ze de ober om thee te bestellen.

'Ik krijg van Goldsteins per dag betaald, dus laten we maar beginnen,' zei Sarah.

'Mij best,' antwoordde Zamaroh, alsof ze een handschoen opraapte.

De ober kwam met hun bestelling: voor allebei misosoep, sashimi en een salade van zeewier.

'Ik wil een onopvallend kantoor,' zei Sarah nadat ze van de soep had geproefd, 'maar je moet het niet overdrijven. Het moet erop lijken alsof je me wilt verstoppen zonder dat ik onzichtbaar ben. Ze moeten niet te snel in de gaten krijgen dat ik het lokaas ben. Ik denk dat het lek bij iemand zit die veel van spelletjes houdt.'

'Hoezo?'

'Je zei het gisteren zelf. Wat hij of zij – het kan iedereen wel zijn – aan het doen is komt neer op verraad, en ik durf te wedden dat ze het heel spannend vinden. Het is een grove overtreding en een taboe, laten we daarvan profiteren. Ik wil ze uit hun tent lokken. Laten we zogenaamd een transactie op touw zetten en die "Gravadlax" noemen. Misschien geloven ze dat het om een overname van Volvo gaat. Een codenaam is altijd doorzichtig. Onbewust kiezen mensen een naam die verband houdt met waar het werkelijk om gaat, dus Gravadlax lijkt me goed. Dat wijst in een bepaalde richting en maakt het makkelijker om de zaak te volgen als iemand iets ongewoons met Zweedse ondernemingen probeert.' Sarah zag Zamarohs ogen gretig oplichten.

'Ik zal een vals spoor uitzetten. Ik wil mijn kantoor zo snel mogelijk betrekken. Dat betekent dat Breden en zijn mensen morgenochtend aan het werk moeten, vermomd als schoonmakers, om ervoor te zorgen dat er nergens wordt afgeluisterd, zowel in mijn kantoor als het jouwe en in de vergaderkamers. Als ze iets vinden moeten ze de microfoons laten zitten, dan kunnen we over Gravadlax praten en ze op het verkeerde spoor zetten. Verder heb ik een goede computer nodig, een met een groot vermogen, een krachtig en snel ding...'

'Heb je het over een computer of over een man?' vroeg Zamaroh.

Sarah lachte om Zamarohs onverwachte grap.

'Jammer genoeg over een computer. Een met een scherm van eenentwintig inch, een screensaver, ISDN en een goed antivirusprogramma. Ik wil niet aangesloten zijn op het netwerk van Goldsteins, dan kunnen andere computers op mijn harde schijf kijken. Verder zullen we alleen buiten het kantoor over Redford kunnen praten. Ik stel voor hem de codenaam Tatsuyo te geven.'

'Naar een restaurant?'

'Dat is prima. Wie legt er nu verband tussen een popster en een Japans restaurant?'

'Dat is zo,' beaamde Zamaroh met een flauwe lach. 'Wat moet ik over jou zeggen als iemand naar je vraagt?'

'Zeg alleen dat ik een freelancer ben. Dat maakt de verrader alleen maar nieuwsgierig. Ik zal ervoor zorgen dat Breden camera's en microfoons in onze kantoren installeert, dan kunnen we zien of iemand buiten kantooruren in onze papieren snuffelt.'

'Ook mijn telefoons?'

'Je telefoons en alle gesprekken die je in je eigen kamer voert.'

'Dat is een onaanvaardbare aantasting van mijn privacy,' verklaarde Zamaroh op hoge toon.

'Jij houdt toch zeker de beursvloer in de gaten en dat is meer dan ik ooit heb gedaan. Het is trouwens maar voor twee weken, tot we de verrader te pakken hebben.'

Zamaroh trok een gezicht.

'We hebben niet veel keus. Je kunt je niet veroorloven nog meer transacties kwijt te raken, Zaha.'

'Alsof ik dat zelf niet weet.'

'Daar gedraag je je anders niet naar.'

'Heb je nog meer?' vroeg Zamaroh met strakke mond.

'Ja. Wie zou het volgens jou kunnen zijn?'

15

Sarah was vergeten hoe primitief het er op de beursvloer aan toe ging: het winnen of verliezen, het beoordelen van mensen op basis van geld, de concurrentiestrijd, het leedvermaak. En op de eerste plaats de jaloezie.

Ze voelde zich in een glazen huis toen ze naar haar tijdelijke kantoor ging. Ze wist dat het niet alleen haar uiterlijk was dat de aandacht trok. Elke nieuweling werd openlijk bekeken alsof het een vreemde hyena was die zich bij de meute wilde voegen, maar Sarah had reeds een bepaalde reputatie. Ze gold de laatste jaren als een van de beste beurshandelaren in de City, maar ze stond ook bekend als de vrouw die als enige de ICB-affaire had overleefd en vervolgens twee jaar van de aardbodem was verdwenen. Zelfs voor wie niet op de hoogte was, had Sarah een uitstraling van exotisch gevaar.

Laat ze maar kletsen, dacht ze terwijl ze door de glazen wanden in de andere kantoren keek. Ze praten over iemand die ze helemaal niet kennen. Plotseling moest ze aan Georgie denken, zoals bijna elke anderhalve minuut. Misschien lag hij nu te slapen, of misschien deed hij wel moeilijk nu zij er niet was en weigerde hij de vreemd smakende melk te drinken die hem zo onverhoeds werd opgedrongen. Ze keek verlangend naar de telefoon. Alle gesprekken werden opgenomen, zoals die van alle handelaren. En als haar telefoon werd afgeluisterd zou het geen zin hebben haar mobiele telefoon te gebruiken. Jacob had haar nummer, hij zou haar wel bellen als er een probleem was. Alhoewel, het idee gaf haar niet echt gemoedsrust.

Karen, de secretaresse van Zamaroh, klopte op de deur.

Sarah keek op. 'Ja?'

'Die moest ik van Zaha aan je geven.'

Het waren de persoonlijke gegevens van de handelaren die Zamaroh verdacht.

Sarah nam de dikke stapel aan. 'Dank je.'

Ze begon de uitgebreide dossiers door te nemen, iets waar ze anderhalf uur zoet mee was. Daarna ging ze naar de kamer van Zamaroh, waarvan de deur openstond, en ging tegenover de Iraanse zitten.

'Bedankt voor de dossiers,' zei Sarah. 'Op grond waarvan verdenk je deze drie mensen?'

Zamaroh zuchtte theatraal. 'Wat zal ik zeggen? Ik heb geen concrete aanwijzingen, anders had ik ze wel op staande voet ontslagen. Ik heb trouwens ook geen andere aanwijzingen, afgezien van mijn intuïtie, de manier waarop ze kijken als ik met ze praat. Je begrijpt me vast wel,' voegde ze er met opvallend respect aan toe. 'Jouw intuïtie is beroemd.'

Sarah glimlachte. 'Ik wil ze zien. Misschien kun je ze aanwijzen, maar wel discreet graag.'

Zamaroh keek haar een ogenblik zwijgend aan voordat ze opstond.

'Kom maar mee.'

Zamaroh liep met grote passen naar de beursvloer, met Sarah aan haar zijde. Ruggen verstijfden, stemmen werden schriller en rekenmachientjes werden driftiger bewerkt toen ze passeerden. Zamaroh gunde haar sterren een bemoedigend woord of een vermaning, een dreigende blik of een spaarzame vriendelijke groet, afhankelijk van wie het was. Intussen maakte ze Sarah discreet op haar verdachten opmerkzaam. De eerste was Petra Johnson, verantwoordelijk voor de Europese verkoop van staatsobligaties. Het leek Sarah het allersaaiste werk op heel de beursvloer. Staatsobligaties waren zo vast als een huis, maar dan wel een rijtjeshuis ergens in Deptford. Er was nauwelijks een winstmarge en geen omvangrijke handel, zodat je erg je best moest doen om in die sector winst te boeken. P.J., zoals ze op de vloer werd genoemd, moest een volhouder zijn, een echte doorzetter.

Sarah dacht aan het dossier terwijl ze de vrouw bestudeerde. Ze was vierendertig jaar, had op een bescheiden kostschool gezeten en in Bristol geschiedenis gestudeerd. Haar laatste jaarsalaris bedroeg vijfenzeventigduizend pond, haar totale bonus honderdduizend. Als naaste bloedverwant werd haar vader Julian opgegeven. Het vorige jaar had ze zich twaalf dagen ziek gemeld, wat in de beurshandel exorbitant veel was. P.J. was blond, althans geblondeerd, stevig opgemaakt en behoorlijk opzichtig gekleed. Haar prachtige haar vloekte met de rode tinten in haar gezicht die goed pasten bij haar opvliegende karakter. Ze was een snelle vrouw. Ze praatte snel, liep met snelle passen naar een collega om iets te vragen en verloor snel haar geduld toen het antwoord haar niet beviel. Sarah durfde er iets om te verwedden dat ze ook snel haar geld uitgaf. Ze was ongetrouwd en voor zover Zamaroh wist had ze ook geen relatie. Sarah betwijfelde of iemand op de vloer Zamaroh in vertrouwen nam, dus ze hechtte niet te veel waarde aan die inlichting.

De tweede was Miles Churchward, op en top een handelaar en verantwoordelijk voor de binnenlandse verkoop van bedrijfs-obligaties aan institutionele beleggers. Volgens zijn dossier was hij zesendertig jaar oud, en opgeleid aan een gewone middelbare school in Jersey en vervolgens aan de universiteit van Exeter. Zijn laatste salaris bedroeg tachtigduizend pond, zijn bonus honderdtwintigduizend. Hij had een zuster, Claire, en het afgelopen jaar had hij geen enkele dag verzuimd. Zamaroh had hem oppervlakkig gezien wel van haar lijstje kunnen schrappen, dacht Sarah. Afgaande op de eerste indruk die hij wekte en op zijn gelaatstrekken, iets waar Sarah veel belang aan hechtte, leek hij een door en door vriendelijk mens te zijn. Een meter tachtig lang, volwassen en elegant, bijna te beschaafd voor de beursvloer. Hij leek een aardige, bedachtzame, innemende man te zijn, stuk voor stuk eigenschappen waardoor hij opviel en misschien was hij precies om die reden een nader onderzoek waard. Churchward was de man die je als laatste zou verdenken en juist dat maakte hem verdacht.

Jeremy St. James daarentegen, doorgaans bekend als Jezza, zag eruit als een echte boef en dat maakte ook hem tot een echte kandidaat. Eenendertig jaar oud, opgeleid in Eton en Oxford. Salaris tweehonderdduizend pond, bonus een miljoen. Geen naaste familie bekend, acht dagen ziekteverzuim. Hij was druk, ambitieus, luidruchtig, wat al te goed gekleed. Hij was van top tot teen een jongen van Eton die het op de beurs had gemaakt. Zijn telefoongesprekken waren doorgaans uiterst kortaf, alleen met de loopjongens was hij heel familiair. Sarah veronderstelde dat hij afhankelijk van zijn gesprekspartner een ander masker kon opzetten. Hij was een geboren toneelspeler, iemand die iedereen te vriend wilde houden, alleen betwijfelde Sarah of iemand op de vloer hem als vriend of vertrouweling wilde hebben. Hij straalde niet bepaald een grote betrouwbaarheid uit. Ze kon onmogelijk zeggen of hij over een integriteit beschikte die hij liever voor de hyena's van de beursvloer verborgen hield, maar om de een of andere reden veronderstelde ze dat wel. Het zou heel goed kunnen, want op de vloer droeg bijna iedereen een masker waarachter zowel een verfijnd karakter als leegte schuil kon gaan.

Sarah ging terug naar haar kamer om over de verdachten na te denken. Zamaroh had niets beters tegen hen in te brengen dan haar eigen intuïtie, een latente onvrede of misschien pure afkeer. Zamaroh bezat niet veel mensenkennis, vond Sarah. Ze was te veel met haar eigen woede en frustraties bezig om zich in andere mensen te kunnen verdiepen. Het ging haar alleen om de vraag of iemand winst kon binnenhalen en of ze makkelijk in de hand te houden waren. Hun karakter en privéleven, hun verwachtingen en ergernissen waren voor haar bijzaken. Zamarohs verdenkingen waren voor Sarah niet meer dan een uitgangspunt. Het werd tijd voor een gesprek.

Jezza kwam als eerste in aanmerking. Hij handelde voor eigen rekening in buitenlandse valuta, maar met gebruikmaking van Goldsteins eigen vermogen. Sarah had bij Findlays en ICB precies hetzelfde gedaan, dus dat was een goede binnenkomer. Ze was van plan geweest hem op te zoeken, zogenaamd voor een praatje over de toestand op de beurs, maar hij was haar voor.

'Sarah Jensen, koningin van de vreemde valuta. Je gaat me toch niet vertellen dat je je tot ons niveau hebt verlaagd?' Hij leunde met zijn slungelige lichaam tegen de deurpost en keek haar spottend en schalks aan.

Sarah keek op haar hoede terug. 'Ik ben alleen maar uitgeleend.'

'Alsjeblieft zeg.' Hij kwam naar voren en stak zijn hand uit. 'Ik ben Jeremy St. James.'

Sarah schudde zijn hand. Zijn huid voelde koel aan, een vreemd contrast met de glimlach op zijn gezicht.

'Ik doe in vreemde valuta,' zei hij vol bravoure. De handelaren in buitenlandse valuta zaten aan de top van de voedselketen. Het klonk net alsof hij een pik van dertig centimeter had. Sarah zei nog steeds niets.

'Volg je de markt nog?' vroeg hij.

'Op mijn manier.'

'Wat wil dat zeggen?'

'Heel af en toe.'

'Heb je Cable gevolgd?'

'Een beetje.'

'Wil je wedden?'

'Waarop?'

'Hij staat nu honderdvierenzestig vijfenzestig. Sluit hij vanmiddag om vijf uur hoger of lager?'

'Waar wil je om wedden?'

Jezza dacht even na en begon te lachen. 'Om een fles van de beste Krug, vanavond bij Corney en Barrow.'

Het was een tamelijk zinloze weddenschap. Sarah had nooit veel aandacht voor de dagelijkse schommelingen van welke index dan ook gehad, dat vond ze maar onbetrouwbare en onvoorspelbare mijlpalen. Zelf ging ze liever af op maandelijkse trends, waar een zekere logica aan te pas kwam. Bovendien zou het nog twee uur langer duren voordat ze Georgie weer zag, en dat voor een egoïst en een fles slechte champagne waar ze natuurlijk een verschrikkelijke kater aan zou overhouden.

'Hij eindigt lager,' zei ze met volmaakte en oprechte onverschilligheid.

Jezza kwam om vijf uur terug.

'Laat je geld maar zien.'

Sarah keek op van haar paperassen. 'Wacht even.'

Ze liet de slotkoersen op het scherm van haar computer verschijnen en begon te lachen.

'Vuile leugenaar die je bent. Dacht je echt dat je mij erin kon luizen?'

Hij grinnikte. 'Het was het proberen waard.'

'Dacht je dat ik het niet zou nakijken?'

'Het leek je geen fluit te interesseren.'

'Dat is waar, maar daarom hoef ik je nog niet te vertrouwen.'

Hij haalde zijn schouders op. 'Bluffen helpt meestal wel.'

'Bij mij niet, jongen.'

Ze ging naar het toilet en belde snel met Jacob. 'Hoe gaat het?' vroeg ze gespannen.

'Prima, meisje, je hoeft je nergens zorgen over te maken.'

'Heeft hij gedronken?'

'Tot de laatste druppel.'

'Dus hij vindt het niet vervelend?'

'Hij houdt zich goed.'

'Heeft hij niet gehuild?'

'Nou, af en toe, maar niet overdreven.'

'Gelukkig.' Sarah was opgelucht, maar ze voelde ook nog iets waar ze maar liever niet over nadacht. Ze fronste haar voorhoofd.

'Dus hij mist me niet?'

'Natuurlijk mist hij je, meisje. Hij verlangt naar je, maar het is nog uit te houden.'

Sarah haalde diep adem. 'Ik ben de eerste uren nog niet thuis. Denk je dat je het redt?'

'Natuurlijk red ik het. Ga jij nou maar weer aan het werk, wij zijn hier.'

'Goed. Ik hou mijn mobiele telefoon bij me. Je hebt het nummer, weet je nog, het hangt aan de muur van mijn werkkamer.'

'Alsof ik dat niet uit mijn hoofd ken. Schiet nou maar op.'

Sarah staarde naar het pompje in haar handtas en vroeg zich af of ze haar pijnlijk gezwollen borsten niet een beetje moest aftappen. Wel meer dan een beetje, dacht ze, en als iemand het hoort denken ze vast dat ik met een vibrator in de weer ben. Jezus, het was maar een kleine stap van een moederdier naar een seksmaniak. Ze sloot haar tas en ging snel terug naar Jezza.

Ze baanden zich een weg door de drukte in Corney en Barrow en vonden een hoektafeltje. Jezza ging naar de tapkast en wachtte tot hij zijn bestelling kon plaatsen, een kop groter dan de andere bezoekers. Sarah keek de ruimte door. Overal zag ze gespannen handelaren die hier na een drukke dag kwamen om flink te drinken en te roken. Jezus, wat een leven. Vier jaar geleden had ze hier zelf gezeten om de dag met toegestane drugs te vergeten. Nu telde ze de minuten af tot ze naar huis kon gaan. Je krijgt vijftigduizend pond als je het lek opspoort, dacht ze terwijl ze verlangend naar de deur keek. Haar borsten stonden op springen. Ze had al een heel pak watten verbruikt, dus als het over lekken ging konden ze beter haar verdenken. Ze begon bijna hysterisch te lachen toen ze het absurde van de situatie inzag.

'Wat is er zo grappig?' vroeg Jezza terwijl hij een grote fles goede Bollinger op de tafel neerzette.

'Lieve hemel, je denkt toch zeker niet dat ik die ga opdrinken?'

'Waarom zou je nuchter blijven? Je doet toch geen zaken voor ons?'

Sarah glimlachte. 'Ik doe onderzoek.'

'Alsjeblieft zeg. Ik ben niet achterlijk.'

Hij begon de fles open te maken.

'Ik dacht dat ze dat aan de bar voor je deden,' merkte Sarah op.

'Ik geloof in het edele handwerk, schat.'

De kurk vloog uit zijn hand, kaatste tegen het plafond en landde op een naburige tafel. Jaloerse blikken werden naar de fles champagne geworpen. Sarah vroeg zich opnieuw af wat ze hier in 's hemelsnaam deed.

St. James vulde snel twee glazen tot de rand, even voldaan alsof hij een briesend paard had getemd.

'Op de winst,' zei hij terwijl hij zijn glas hief en het met een sierlijk gebaar tegen Sarahs glas tikte.

'Op de winst,' antwoordde Sarah. Ze deed alsof ze een slokje nam.

'Mooie ring,' zei St. James met een blik op de robijn.

'Dank je.'

'Van een vriend?'

'Van mijn oom, als je het per se wilt weten.' Jacob was geen echte oom, maar hij was al eeuwen een huisvriend.

'Heb je geen vriend?'

'En jij? Geen vriendin?'

'Het houdt maar niet op, schat.'

'Een harem vol gewillige dames, zeker?'

'Een hele harem.' St. James leek het een aangenaam idee te vinden.

Je bent homo, zei een stemmetje in Sarahs hoofd. Waarom kwam hij er niet gewoon voor uit? Omdat hij dan geen leven meer zou hebben op de beursvloer, waar uniformiteit de hoofdtoon voerde en elke minderheid als een makkelijke prooi werd beschouwd.

'Jezza, zou je een flesje Evian voor me willen halen? Het is hier zo warm.'

'Ja, natuurlijk.' Hij stond maar al te gretig op en ging naar de bar. Sarah keek om zich heen voordat ze haar champagne in de halfvolle fles mineraalwater in haar tas goot. Door twee keer naar het toilet te gaan en de fles telkens in de wastafel leeg te gooien slaagde ze erin drie glazen champagne weg te smokkelen. Jezza dronk vier glazen zonder dat het hem iets leek te doen.

Ze ging glimlachend terug naar hun tafel. In haar afwezigheid had hij nog een glas soldaat gemaakt.

'Vertel eens, zijn er nog nieuwe gezichten op de vloer?'

Jezza glimlachte. 'Ach, de jongen met de grootste omzet zit nog altijd tegenover je.'

'Hoezo?'

'Weet je hoeveel ik vorig jaar voor Goldsteins heb verdiend?'

'Zeg het maar.'

'Vijftien miljoen.' Hij bracht een toost op zichzelf uit, gooide zijn hoofd naar achteren en dronk zijn glas leeg. Sarah keek naar zijn klokkende adamsappel terwijl hij dronk. Hij zag er erg kwetsbaar uit zo.

'Niet gek. En dit jaar?' vroeg ze, om van het moment te profiteren.

Hij liet zijn kin met een ruk zakken. 'Weet ik het? Het is pas september.'

Zamaroh had haar verteld dat St. James op een verlies van acht miljoen stond en bijna geen kant meer op kon. Zamaroh gaf hem nog een maand om zijn resultaat te verbeteren, maar Sarah twijfelde eraan of hij het zou redden. Zijn grootspraak was te doorzichtig en de angst stond in zijn ogen te lezen. Een handelaar die zijn zenuwen niet kon beheersen was in de City aan de haaien overgeleverd.

'Zo is het,' zei Sarah zachtjes. 'En wie komt er op de tweede plaats?'

Jezza werkte de hele pikorde af. Sarah veronderstelde dat bijna iedereen bij Goldsteins ongeveer dezelfde namen zou hebben opgesomd, ook al waren er vijfhonderd mensen actief op de vloer. Het werd niet toevallig de jungle genoemd, maar Jezza zou ondanks zijn grote mond nooit het dominante mannetje worden.

Na een paar minuten kwam Jezza op Miles Churchward. Zijn persoonlijke oordeel was vernietigend, maar bevatte geen aanwijzingen over mogelijke clandestiene activiteiten.

'Hij is doodsaai,' riep Jezza. 'Wat wil je ook van iemand die van Jersey komt? Hij is er geboren en getogen, spreekt Frans als een echte Fransoos en hij heeft zelfs een Franse vriendin. Die is vorig jaar nog op het kerstbal geweest. Zij is zijn enige pluspunt.'

'Is ze niks voor jou?'

'Misschien wel. Ze kan beter met een echte winner aanpappen.' Sarah lachte.

'Ik dacht hij dat ook was.'

'Ach, hij doet het niet gek, maar eigenlijk speelt hij de onzichtbare man. Hij komt 's ochtends en gaat 's avonds weer weg, doet zijn werk en verder niets. Je ziet of hoort hem niet, hij pakt na het werk nooit een borrel. Hij drinkt trouwens helemaal niet.'

'Een geheelonthouder op de vloer, dat is iets nieuws.'

'En stomvervelend als je het mij vraagt,' snauwde Jezza.

'Wel goed om je hoofd erbij te houden.'

'O, daar kun je bij hem op rekenen. Hij maakt altijd een winst van anderhalf miljoen voor de bank, jaar in, jaar uit. Eén keer heeft hij de twee miljoen gehaald geloof ik, toen kwam de champagne op tafel.'

Er werden nog meer mensen besproken, alsof Jezza genoot van de kans om over zijn collega's te roddelen. Sarah zat half onderuit gezakt van vermoeidheid te luisteren totdat ze de naam van Petra Johnson hoorde.

'Die is niet lang meer bij ons,' zei Jezza op een toon vol leedvermaak. 'Ze was een goeie, maar nu aast ze alleen nog op een rijke vent zodat ze met werken kan ophouden.'

Sarah ging rechtop zitten. Ze dacht er net zo over, maar dat liet ze niet merken. 'Kom nou toch. Het is gewoon niet waar dat elke vrouw boven de dertig naar een gezinnetje verlangt.'

'Dat beweer ik ook niet, maar voor haar geldt het wel.'

'Heeft ze nog niet genoeg geld om te stoppen? Je zei dat ze een tijdlang goed heeft verdiend.'

'Ze geeft het net zo snel weer uit, schat. Ze houdt van mooie dingen.'

'Zoals?'

'Dingen die we allemaal mooi vinden.'

'Jezus, Jezza, ik ken jouw smaak niet eens, laat staan de hare.'

'Een mooie flat in een dure wijk, echte juwelen, de goede vrienden, mooie vakanties op de bekende plekken, goede...'

'Ik snap het al.'

'Waar woon jij?'

'Carlyle Square.'

'In een flat zeker,' zei St. James.

'Een eigen huis,' verbeterde Sarah.

'Zo. Van je vader?'

'Van mij.'

'Dan heb je goed geboerd.'

'Inderdaad. Ik ken het klappen van de zweep. Ik heb met P.J. te doen.'

'Nergens voor nodig. Ze weet wat ze doet. De flat, de garderobe, de levensstijl, de onuitstaanbare vrienden, dat is allemaal een investering. Ze zal echt geen multimiljonair tegen het lijf lopen als ze in de supermarkt diepvriesmaaltijden gaat halen.'

'Ik begrijp dat er nog een hoop werk in gaat zitten,' peinsde Sarah.

'Ja, voor jullie soort wel.' Er was een lichte verbittering hoorbaar in zijn aangeschoten stem.

'Wat bedoel je?'

'Mooie meiden zoals jij en Zamaroh, jullie doen alsof de hele wereld van jullie is en alles komt je aanwaaien.' De dronk begon eindelijk te spreken.

'Ja, alsof jij het zo moeilijk hebt.'

Hij boog zich naar haar toe en keek haar met half dichtgeknepen ogen aan. 'Je hebt geen idee.'

'Wat is er dan?'

Jezza wierp haar een haatdragende blik toe en stond moeizaam op. 'Ach, krijg toch de tering.' Hij wankelde door de drukte naar de uitgang, gehinderd of geamuseerd nagekeken door de andere bezoekers.

Sarah vond een taxi op London Wall terwijl ze zich afvroeg waardoor Jezza's humeur ineens zo was omgeslagen. Ze nestelde zich op de achterbank van de zwarte taxi en wenste dat de auto een sirene had zodat ze ongehinderd door het verkeer naar huis kon. Ze probeerde kalm en geduldig te blijven, maar het was net of ze Georgie al een maand niet had gezien. Ze verlangde naar haar kindje met heel haar geest en lichaam, twee dingen die de laatste tijd wel afzonderlijk van elkaar schenen te bestaan.

Eindelijk thuis bedankte ze Alex duizendmaal voordat ze Georgie te eten gaf en hem een tijdje op schoot hield. Daarna bracht ze hem naar bed en pleegde nog snel een telefoontje.

'Freddie? Met Sarah Jensen. Ja, het is inderdaad lang geleden. Een eeuwigheid, lijkt het wel. Ik heb dringend iets met je te bespreken. Kunnen we elkaar morgen ergens ontmoeten? Ik ben bang dat het erg belangrijk is, dus hopelijk heb je het niet te druk. Gelukkig. Hoe laat?' Ze kreunde. 'Goed. Dan zie ik je om tien uur.'

Ze legde neer, nam nog iets te eten en ging naar bed voordat ze van uitputting op de bank in slaap zou vallen.

16

Jacob kwam de volgende ochtend om negen uur met een enorme ovenschotel aanzetten.

'Voor vanmiddag én vanavond. Fatsoenlijk eten schiet erbij in als ik voor de baby moet zorgen, in elk geval zolang ik de slag nog niet te pakken heb. En wat de kookkunst van je broer aangaat... laat ik maar zeggen dat ik de rest van mijn leven geen bonen meer kan zien.'

'Ha,' zei Alex, 'als je op zesduizend meter hoogte in de bergen zit smaken ze anders heel goed.'

'Net als water en brood zeker,' sneerde Jacob.

Sarah glimlachte en snoof de geur van coq au vin op. 'O Jacob, dat ruikt verrukkelijk.'

'Je hebt gisteren vast niet veel gegeten.'

'Nee, maar dat maak ik vandaag wel goed.'

'Zo werkt de spijsvertering niet, dat zou je moeten weten.'

Sarah glimlachte schuldbewust alsof ze Jacob en niet zichzelf iets te kort had gedaan.

'We krijgen je wel weer op het goede spoor,' zei Jacob. Hij gaf de schotel aan Sarah en nam Georgie van haar over. 'Wil je dit in de vriezer doen, liever? En ga je dan maar aankleden.'

Sarah nam met een zoen afscheid en vroeg zich af of het ooit minder moeilijk zou worden Georgie in de steek te laten. Ze was om kwart over tien in haar kantoor, net toen Zamaroh kwam aanzetten. De Iraanse keek haar met een dreigende blik in haar ogen aan.

'Aha, we zijn er eindelijk. Goedemiddag. Ik dacht dat je altijd haast had omdat Goldstein je per dag betaalt. Geen tijd te verliezen.'

Zamaroh siste bijna als een slang. Als een anaconda, dacht Sarah. 'Ik zou me maar geen zorgen maken, Zaha. Maar als je het wilt weten, ik was al om halfzes op en ik durf te wedden dat jij toen nog in je nest lag.' Sarah glimlachte heel innemend.

'Mag ik nu aan het werk?' Sarah wees veelbetekenend naar de opengeslagen mappen op haar bureau. Ze voelde de priemende blik van Zamaroh nog toen de Iraanse al naar haar eigen kantoor was teruggegaan, gericht op haar blauwe mantelpak dat ze voor de tweede achtereenvolgende dag droeg. Alsof ze het nog niet druk genoeg had zou ze nog meer van haar kostbare tijd en geld moeten besteden aan kleren die twee maten groter waren dan ze gewend was en die over een paar maanden waarschijnlijk alleen nog maar in de kast zouden hangen. En dat allemaal omdat het nodig was voor haar werk, omdat ze kleren moest hebben waarmee ze voor den dag kon komen. Dat was wat haar eigenlijk dwarszat, dat ze afhankelijk was van haar eigen uiterlijk of imago of hoe je het moest noemen. Het zou niet zo mogen zijn, maar het was nu eenmaal zo. Ze had haar schoonheid en haar eens volmaakte figuur altijd als iets vanzelfsprekends aanvaard, maar nu ze de gevolgen van de zwangerschap en de bevalling merkte, moest ze er ineens moeite voor doen.

Ze dronk een grote kop slappe cafeïnevrije cappuccino, zette haar computer aan en begon op het internet alles op te zoeken wat er over de marktwaarde van popsterren te vinden was. Van het nieuwsnet haalde ze meer dan honderd krantenknipsels. Savage had gelijk. Popmuziek en geld waren een spannende combinatie waar de pers niet genoeg van kon krijgen.

De echte prijs van de roem: de beursgang van populaire muzikanten kan een geweldige investering worden, maar zal Wall Street net zo enthousiast zijn? Beleggen in popmuziek? Kijk niet meer naar de Dow Jones, maar naar de hitparade. Alles is te koop.

Rock is goud waard. Bowies bankier zingt een ander liedje. Hits van Motown nog steeds goed voor platina. Grote namen lopen als een trein. Kan Bowies bankier zijn ondergang nog voorkomen? Popsterren boren goudader aan. Een nieuwe vorm van beleggen. Oude hits en nieuwe obligaties. Heavy Metal wordt de nieuwste valuta. Iron Maiden gaat de beurs op. Iron Maiden geeft obligaties uit.

De koppenmakers deden alles om iets pakkends te verzinnen en commentaren verschenen behalve in de muziekbladen ook in financiële tijdschriften en gewone kranten: *Time, The Wall Street Journal, The Financial Times, Business Week, The New York Times, USA Today, The Times, Rolling Stone, Variety, Billboard,* zelfs in de *South China Morning Post.* De belangstelling was overweldigend. Sarah kon zich voorstellen wat Savage voor ogen stond: de naam van Goldsteins in grote letters geschreven, ook op dit nieuwe terrein. Als de transactie tenminste met succes werd afgerond en niet door toedoen van een verrader voor hun neus werd weggekaapt.

Het was kwart over twaalf toen ze eindelijk pauzeerde. Ze wreef in haar ogen en keek naar de beursvloer. Daar heerste de gebruikelijke kakofonie van menselijke en computerstemmen en telefoons, dezelfde mengeling van emoties, uitbundigheid, wanhoop, hebzucht, afgunst, angst. Het was een omgeving waarin je heel snel verleid kon worden, verslaafd kon raken of erg je best moest doen om een nieuwe uitdaging te vinden. Toch had Sarah nog steeds het idee dat het lek bij iemand zat die op wraak uit was en niet bij iemand die het voor de kick deed, hoewel dat laatste ongetwijfeld ook een rol speelde.

Ze plande haar volgende stap heel zorgvuldig. Sarah liep op een afstandje achter P.J. aan toen die zich over de vloer naar de dubbele deur haastte. Ze zag P.J. naar het damestoilet gaan. Sarah volgde haar, koos een van de hokjes en zorgde ervoor dat ze op hetzelfde moment als P.J. naar buiten kwam. Terwijl ze bij de wastafels hun handen stonden te wassen, keek Sarah de andere vrouw aan in de spiegel en wachtte af of ze iets zou zeggen.

'Ben je hier net begonnen?' vroeg P.J.

'Ja,' antwoordde Sarah terwijl ze haar handen afdroogde. 'Gisteren.'

'Hoe gaat het?'

'Ach, het begin is altijd het moeilijkst, in meer dan één opzicht.'
P.J. zette haar handen op haar heupen en keek haar aan. 'Hoe bedoel je dat?'

'O, je weet wel hoe dat gaat. Je moet eerst een beetje de sfeer proeven, erachter zien te komen wie goed is en wie niet, wie je kunt vertrouwen en wie je uit de weg moet gaan, wie aardig is en wie psychotisch.'

P.J. lachte.

'Dat laatste geldt voor ongeveer de helft van al onze mensen. Heb je een eigen kantoor of zit je op een bepaalde afdeling?'

'Ik doe research.'

'Aha. Op welk gebied?'

'Nieuwe producten.'

'Iets bijzonders? Je moet toch wel ergens gespecialiseerd in zijn.'
Hmm, dat was de eerste dolk.

'Wat is jouw terrein?' vroeg Sarah.

'De overheid.'

'O.' Wat moest je daar nou anders op zeggen? 'Leuk werk?'
P.J. lachte kort en ongelovig. 'Ja, ik ben er gewoon dol op.'

'Waarom doe je het dan?'

'Wat dacht je?'

'Er zijn meer manieren om je brood te verdienen.'

'Laat het me alsjeblieft weten als je iets beters vindt.' P.J. draaide zich met een ruk om en liep klakkend met haar hoge hakken de deur uit.

Sarahs volgende doelwit was Miles Churchward. Ze zorgde ervoor dat ze tussen de middag bij Birley's achter hem in de rij voor het buffet kwam te staan. Hij draaide zijn hoofd om en glimlachte tegen haar.

'Jij bent toch nieuw bij Goldsteins?'

'Ja.'

'Houdt niemand je gezelschap bij de lunch?'

'Nee, maar dat geeft niet. Ik heb het erg druk, dus ik moet toch zo weer weg. Ik zou liever gewoon doorwerken en 's avonds een beetje op een fatsoenlijke tijd thuis zijn.'

'Dat zou ik ook wel willen. Bij Birley's kun je trouwens snel en toch goed eten. Betere broodjes vind je nergens in de City.'

'Ja, ze zien er goed uit.'

Ze schoven met de rij mee naar de kassa.

'Wat voor werk doe je precies?' vroeg Churchward.

'Research.'

'Aha. Welke sector?'

'Nieuwe producten. En jij?'

'Doodsaaie bedrijfsobligaties. Verkoop,' voegde hij er bijna verontschuldigend aan toe. Verkopers stonden in de pikorde van de beursvloer een heel eind achter volwaardige handelaars, maar dat was voor Churchward nog geen reden om zo erg in het defensief te gaan. Ze waren aan de beurt bij de kassa. Churchward pakte zijn zak met broodjes en nam afscheid met een vriendelijke zwaai van zijn hand.

'Tot ziens.'

'Ja, dag.'

Sarah liep impulsief een herenmodezaak binnen. Ze bekeek de kostuums en koos er drie die haar wel iets leken. Daarna zocht ze zes overhemden uit, twee witte, twee zachtblauwe en twee roze, en legde die op de kostuums. Een verkoper kwam glimlachend naar haar toe. Blijkbaar vond hij het een goed idee dat een vrouw kleren voor haar man kwam uitzoeken. Sarah wees naar haar stapeltje. 'Ik wil deze graag passen.'

De verkoper kuchte verrast. 'Wat zegt u?'

'U heeft me wel verstaan. Ik ben geen omgekeerde travestiet. Ik ben een jonge moeder met een verlopen figuur en deze kleren lijken me echt iets voor mij. Kan ik ze passen?'

De man keek haar met grote ogen aan. Nog even en ze springen uit hun kassen, dacht Sarah terwijl ze een grijns verborg.

Ten slotte ging ze met drie kostuums en zes overhemden de winkel uit, kleren die haar als gegoten zaten dankzij het stevige middel en de borstomvang van mannen.

Jezza liet zich zien toen Sarah in haar kantoor haar broodjes zat te eten. Ze was nog bezig zich in te lezen toen hij zijn hoofd om de deur stak. Ze drukte een toets in en het beeldscherm van haar computer werd gevuld met zwemmende vissen.

'Hallo.' Hij danste van de ene voet op de andere terwijl hij haar gezicht bestudeerde en probeerde haar te doorgronden. Ze hield haar gezicht zoveel mogelijk in de plooi. Laat hem maar zweten.

'Ik heb een kater van jewelste,' zei hij terwijl hij naar binnen kwam en zich in de stoel tegenover Sarah liet vallen. 'Eigenlijk ben ik niet zo'n drinker.'

'O nee?'

'Nou ja, niet op een lege maag. Ik hoop niet dat ik erg luidruchtig ben geweest.'

Ik zou denken van wel, dacht Sarah.

'Heb je zin om te gaan eten?'

'Hmm?' vroeg Sarah in de hoop dat ze hem verkeerd had verstaan.

'Vanavond, bij Justine's. *Ik* kan altijd nog wel een tafel reserveren.'

'Sorry, Jezza, ik heb het druk.'

'Morgen dan?'

'Ook druk.'

Jezza boog half over het bureau heen. 'Overmorgen dan?'

Gaf de man het dan nooit op? 'Kunnen we een andere keer iets afspreken?'

'Ja, dat zou wel kunnen. Maar ik heb een volle agenda.'

'Dan moet ik maar op mijn geluk vertrouwen.'

Sarah stuurde een deel van de nog ongelezen informatie naar haar computer thuis en borg haar spullen op. Om zes uur ging ze weg. Terwijl ze zich een weg zocht door het labyrint van gangen en kantoren voelde ze hoe Jezza haar met zijn blik volgde.

Georgie lag te slapen en het was stil in huis toen ze binnenkwam. Sarah gaf Jacob een snelle zoen op zijn wang en haastte zich naar boven om naar Georgie te kijken. Hij lag op zijn rug, zijn armen gespreid en zijn mond halfopen, rustig ademend. Hij zuchtte voldaan terwijl ze naar hem keek en naar zijn ademhaling luisterde. Met zijn rozige lipjes leek hij net een engeltje. Zijn lange, donkere wimpers trilden licht tegen zijn fluweelzachte huid. Hij was het mooiste schepsel dat Sarah ooit had gezien. Ze voelde haar hart gloeien. Vijf minuten lang bleef ze zo staan om van hem te genieten. Ze dacht aan zijn vader met zijn verleidelijke gezicht. Was hij hier in Londen? Wat zou hij op dit moment aan het doen zijn? Voelde hij dat er ergens een product van zijn ziel bestond, vredig slapend en omringd door liefde? Georgie was ook van hem, dacht Sarah met een zweem van afgunst.

Op haar tenen ging ze de trap weer af. Alex was weggegaan voor

94

een afspraak met een paar vrienden die net als hij van bergbeklimmen hielden.

'Hoe is het gegaan?' vroeg ze terwijl ze een glas rode wijn voor Jacob inschonk.

Hij nam het glas glimlachend aan. 'Goed. Hij was zo lief als wat. Hij is een engel. Je mag jezelf gelukkig prijzen.'

'Dat weet ik.'

'Alleen snap ik niet hoe alleenstaande moeders zonder hulp drie van die kinderen grootbrengen. Mrs V. is vandaag een paar uur geweest en ik kon haar wel zoenen toen ze kwam.'

'Hou je een beetje in. Maar serieus, het wordt toch niet te veel voor je?'

'Ik zou liegen als ik zei dat ik niet afgepeigerd was, meisje, maar het geeft wel een heel voldaan gevoel. Georgie en ik kunnen het heel goed met elkaar vinden. Je weet dat ik dol op het jochie ben. Ik voel me bevoorrecht dat ik bij hem kan zijn.'

'O Jacob, ik weet gewoon niet hoe ik je moet bedanken.'

De oude man lachte. 'Dat heb je net gedaan.'

Georgie werd wakker en begon te schreeuwen van de honger. Sarah gaf hem te eten en nam hem vervolgens mee voor een uitgebreid bad. Na het afdrogen stopte ze hem in zijn slaappakje, trok zelf een spijkerbroek en een wit T-shirt aan en zette hem naast de keukentafel in zijn nest van kussens. Jacob schepte twee borden dampende coq au vin op. Sarah viel op het eten aan alsof ze in geen week iets had gekregen. Ze kreunde van genot.

'Dit is verrukkelijk.'

Ze at snel haar bord leeg, ging staan en pakte Georgie op. Ze wiegde hem in haar armen. 'Ik blijf nog geen twee uur weg,' zei ze tegen Jacob. 'Georgie zal wel gauw slaap krijgen. Als jij naar bed gaat leg je de babyfoon maar bij de deur, dan neem ik hem mee als ik thuiskom.' Nu Jacob zo vaak op de baby paste hadden ze besloten dat hij voorlopig maar beter in de logeerkamer kon slapen.

'Met wie heb je een afspraak?' vroeg hij.

'Met een man in een lange regenjas.'

'O, zo eentje. Hoe lopen de zaken?'

'Er zijn drie verdachten. De eerste staat stijf van de rancune, de tweede is een boze regelneef, de derde is een heel aardige, normale kerel. Die laatste moet het dus wel zijn.'

Jacob grinnikte. 'Hoe is het met jouw popster?'

Sarah schrok ervan. 'John Redford?' vroeg ze vaag. 'Ik verdrink gewoon in alle papieren. Joost mag weten wanneer ik eraan toe kom.' Ze keek op haar horloge. 'Sorry, Jacob, ik moet weg.' Ze gaf Georgie een tedere zoen voordat ze hem aan zijn oudoom gaf. Ze haastte zich naar boven en haalde een grote plastic envelop die uitpuilde van het geld uit haar kluis. Ze telde vijftienhonderd pond af, maakte er twee dikke bundels van en stopte die met een stuk elastiek in haar sokken. Uit haar koffertje haalde ze een map en stopte die in een stevige tas. Daarna trok ze een denim jasje en sportschoenen aan en ging op weg.

Het was halftien. Door het zachte weer was het druk op straat en de terrasjes in de King's Road zaten vol met etende en drinkende mensen. Sarah nam een taxi naar Camden waar het zelfs nog drukker was, maar de mensen waren er minder welgesteld en niet zo chic. Ze was blij dat ze iets makkelijks had aangetrokken. Ze ging naar de Rat and Parrot en baande zich een weg door de menigte, die niet zo luidruchtig was als de beursmensen van de vorige avond. De mensen kwamen hier om zich te ontspannen, niet om zichzelf en iedereen binnen gehoorsafstand ervan te overtuigen dat ze zo geweldig waren.

Freddie zat al aan zijn favoriete hoektafel met een glas bier voor zich. Ook hij was informeel gekleed.

Sarah ging naar de bar, bestelde een Virgin Mary en voegde zich bij haar vriend. Hij glimlachte. 'Hallo, schat. Fijn je weer eens te zien na al die tijd.'

Ze glimlachte terug. 'Dat vind ik ook, Freddie.'

'Wat heb je allemaal uitgespookt? Ik heb je in geen eeuwigheid gezien.'

'O, van alles,' antwoordde ze.

'Het heeft je zo te zien geen kwaad gedaan.'

'Bedankt. Je bent een echte heer.' Hij was een charmeur, heel vlot met zijn fluweelzachte, innemende stem en met zijn verzorgde, egaal zwarte haar dat naar achteren was gekamd. Zelfs zijn jeans zag er smetteloos uit.

'Sorry dat ik je van een leuke avond beroof,' voegde Sarah eraan toe.

'Voor jou heb ik alles over en bovendien heb ik zulke feestjes al zo vaak meegemaakt dat ik ze kan uittekenen. Ik hoef niet veel te missen.'

'Dat is een geruststelling voor me,' zei Sarah.

'Wat kan ik dit keer voor je doen?'

Sarah haalde de map uit haar plastic tas. 'Drie mensen. Ze werken allemaal bij Goldsteins. Dit zijn persoonlijke gegevens uit hun dossiers. Ik wil zo snel mogelijk alles over ze weten. Creditcards, bankrekeningen, telefoongesprekken.'

'Dat gaat je geld kosten als het gisteren moet gebeuren.'

'Dat moet het ook.'

'Vertel eens wat nieuws.'

Sarah bukte en haalde de bundels bankbiljetten uit haar sokken. Ze gaf het geld onder de tafel aan Freddie.

'Dit is vijftienhonderd pond. Ik hoor het wel als het niet genoeg is.'

'Afgesproken. Ik bel je morgen op, schat, daar kun je op rekenen.'

'Bedankt, Freddie.' Sarah dronk haar tomatensap op en ging naar buiten. Freddie Skelton, senior partner bij Spinnacres, het grootste advocatenkantoor van de City, keek haar glimlachend na.

17

Sarah was om halftien op kantoor. Ze was net met haar tweede ontbijt bezig toen de secretaresse van Savage op de deur klopte.

'Een pakje voor je.'

'Dank je, Evangeline.'

Sarah maakte het pakket open. Het bevatte alle financiële gegevens van John Redford, gelardeerd met een hoop overbodig commentaar. Sarah concentreerde zich onmiddellijk op de cijfers.

Redford had tweeëntwintig albums gemaakt en meer dan vijfhonderd afzonderlijke nummers geschreven. Het bestverkopende album was het laatste, *Fire Walk*. Elke nieuwe plaat verkocht beter dan de vorige. Van zijn eerste album waren er één miljoen honderdnegentigduizend verkocht, van zijn laatste vijf miljoen. Alles bij elkaar waren er honderd en tachtig miljoen exemplaren over de toonbank gegaan. Verder had hij tien keer een succesvolle wereldtournee gemaakt met een bruto opbrengst van honderdtwintig miljoen dollar. De totale verkopen kwamen neer op tachtig miljoen dollar. Elk jaar kreeg hij ook nog eens meer dan een miljoen dollar aan vergoedingen voor zijn nummers die op de radio te horen waren. De afgelopen drie jaar had hij in totaal acht miljoen dollar verdiend voor zijn bijdragen aan reclamespots. Zijn single uit 1999, 'Something Wild', was voor een bedrag van vijf miljoen dollar in licentie aan Ford gegeven voor het gebruik in een televisiespot die niet meer dan drie maanden was vertoond.

'Lieve god!' riep Sarah uit.

De man had een fenomenaal succes. Hij was een moderne profeet naar wie miljoenen mensen luisterden, mensen die er veel voor overhadden om door zijn stem aan hun wereldje te kunnen ontsnappen. Dezelfde man die op zijn gitaar had gespeeld en in de wildernis voor haar had gezongen en die haar ook een kind had geschonken.

Sarah stond op en voelde zich ineens duizelig. Ze draaide zich om en staarde door het raam naar de skyline van de City. Een vroege herfstregen kletterde met vreemd geweld horizontaal tegen het glas.

Ze streek een lok uit haar gezicht. Ze kon zich niet achter de cijfers verschuilen. Het was onmogelijk vol te houden dat dit maar een gewone opdracht was. Hoe ze ook haar best deed, Redford en haar zoontje kwamen steeds in haar gedachten. Alles liep door elkaar heen: liefde, geheimen, begeerte, de herinnering aan haar verlangen. Elke hoop op objectiviteit was een illusie. Eigenlijk zou ze zichzelf op staande voet moeten ontslaan. Dat zou Savage zeker doen zodra hij achter de waarheid kwam. Ze vroeg zich af wat de oude Sarah Jensen gedaan zou hebben. *Je kunt twee weken doen alsof jij dat bent, niet langer.*

Ze ging zitten en probeerde zich weer op de cijfers te concentreren, maar de tegenstrijdige belangen zaten haar nog steeds dwars. Ze voelde zich net een voyeur nu ze het zakelijke leven van de vader van haar kind blootlegde. Het vaststellen van Redfords exacte inkomen was niet zo eenvoudig. Het leek wel alsof hij aan iedereen provisie betaalde, aan managers en agenten, aan promotors en boekhouders, aan advocaten en zijn platenmaatschappij. Hij stond aan het eind van een bijzonder lange voed-selketen waar zo te zien duizenden anderen van profiteerden. Na aftrek van alle provisie en kosten kwam zijn bruto inkomen neer op ongeveer twaalf miljoen dollar per jaar. God, dat gegeven zou kostbare munitie zijn in handen van een andere moeder, van een vrouw die alimentatie wilde. Sarah zou dat nooit doen uit een combinatie van trots, bezitsdrang en haar gewone geheimzinnig-heid. Ze kon en wilde Georgie zelf onderhouden. Ze had niets nodig van Redfords miljoenen die zo open en bloot voor haar la-gen, maar ondanks alles voelde ze een lichte aarzeling nu ze de volle omvang van zijn inkomen besefte. Een paar miljoen daar-van was genoeg om nooit meer te hoeven werken. Wat was het gebruikelijke tarief? Wat had Mick Jagger volgens de geruchten betaald aan de Braziliaanse moeder van zijn laatste zogenaamde liefdesbaby? Tien miljoen dollar had ze ergens gelezen. Ze proef-de een ogenblik van de verleiding en spuwde hem daarna weer uit. Ze werkte nog een tijdje door voordat ze de papieren in haar bu-reau opborg, naar het toilet ging en een bekertje water uit de au-tomaat haalde. Ze liet de valse Gravadlax-papieren op haar bu-reau liggen, gedeeltelijk verborgen om de verleiding groter te maken en met een haar erop geplakt om te kunnen zien of ermee geknoeid was, maar toen ze terugkwam zat de haar nog op zijn plaats en waren de papieren onaangeroerd.

Na drie uur dansten de cijfers als slangen voor haar vermoeide ogen, maar ze slaagde er toch in er een zekere regelmaat in aan te brengen. Ze pauzeerde voor een snelle lunch met broodjes van Birley's, waarna ze haar laptop inschakelde en een overzicht be-gon samen te stellen van verleden en toekomst van Redford BV. Het op deze manier spelen met cijfers gaf haar nog steeds een echte kick. Financiële onderbouwing was de kunst van wat mo-gelijk was, de toekomst voorspellen met behulp van computers en haar eigen hersens, en zoals alle goede voorspellers bezat ze het vermogen door de tijd te reizen om te zien wat mogelijk was en wat niet. Die eigenschap bezaten alle topinvesteerders, Nico-la Horlick, Warren Buffet, George Soros, alle vooraanstaande fondsbeheerders. Voor de meeste anderen was het selecteren van aandelen alleen maar een kwestie van gokken, een blinde aap zou het net zo goed kunnen.

Sarah begon steeds enthousiaster te worden terwijl ze de ene bladzijde na de andere met getallen en berekeningen vulde. Redfords inkomen was van een uitstekende kwaliteit, bijna ongevoelig voor een recessie. Als de economie terugliep en de mensen moesten bezuinigen schenen ze de dromen en teleurstellingen van Redfords liedjes als een noodzaak te beschouwen, niet als een luxe.

Haar telefoon ging.

'Sarah, met Evangeline. Wil je even bij James komen?'

Haar adem stokte in haar keel en ze werd gegrepen door de irrationele vrees dat Savage achter haar geheim was gekomen. Ze vroeg zich af of ze die angst om ontdekt te worden ooit kwijt zou raken, zelfs als ze alleen zichzelf wilde zijn en geen geheimen zou hebben. Ze nam de achtertrap en ging naar de zesde verdieping, haar hakken vermoeid tikkend op de marmeren treden.

Zamaroh en Breden waren al aanwezig toen ze binnenkwam. Breden zat Savage en Zamaroh over zijn werkzaamheden te vertellen.

'Alle kantoren die we hebben onderzocht zijn schoon,' onthulde hij. 'Die van Zaha, jouw eigen kantoor, het tijdelijke onderkomen van Sarah. Ik zou willen voorstellen onze maandelijkse controle te vervroegen. Het lijkt me trouwens toch verstandig om af en toe onverwachts een onderzoek te doen.'

'Prima,' zei Savage. 'Verbaast het je dat je niets hebt gevonden?'

'Niet echt,' antwoordde Breden. 'Ik denk dat we te maken hebben met een slimme tegenstander, iemand die weet dat we de zaak controleren. Afluisteren is een heel voor de hand liggende manier om aan informatie te komen. Het ligt er te dik op.'

'En het is helemaal niet leuk,' merkte Sarah op.

'Leuk?' vroeg Breden.

'Leuk, ja. De dader doet dit voornamelijk voor de kick. Ik durf er een kistje goede rode wijn of havanna's of wat je ook maar wilt onder te verwedden dat hij het daarom doet. Afluisteren is te onpersoonlijk, dat heeft in zijn ogen niets te maken met echte diefstal of verraad.'

'En hoe ben je daar zo zeker van, als ik vragen mag?' vroeg Zamaroh.

'Dat heet een daderprofiel,' antwoordde Sarah eenvoudig. 'En ik vertrouw op mijn intuïtie.'

'Heb je een concrete aanwijzing?' vroeg Savage.

'Nog niet.'

'Hoe zit het met mijn verdachten?' vroeg Zamaroh op de toon van een koningin die naar haar eigen gevangenen informeert.

'Nog niets.'

'Heb je niets gedaan?'

'Dat zou ik niet willen zeggen. Ik heb niets te rapporteren.'

'Wat heb je dan in 's hemelsnaam zitten doen?' vroeg de andere vrouw boos.

'Ik heb je tijd bespaard. Ik kan je natuurlijk wel precies gaan vertellen wat ik heb gedaan, maar dat kost jou en mij alleen maar tijd. Ik weet dat jij er veel waarde aan hecht overal een vertoning van te maken, maar dat geldt niet voor mij.'

'En hoe staat het met Redford?' zei Savage, die er niet in slaagde een grijns te verbergen.

'RSS,' zei Sarah.

'Wat zeg je?'

'RSS,' antwoordde ze langzaam. '*Rock Star Securitisation*. De waardepapieren staan bekend als Bowie-obligaties, omdat Bowie de eerste popmuzikant was die zich door de Amerikaan David Pullman naar de beurs liet brengen. Zulke obligaties hebben doorgaans een looptijd van tien tot vijftien jaar en worden gewaardeerd met een enkele *A*, maar de opbrengst is een of twee procent hoger dan bij vergelijkbare bedrijfsobligaties. De kredietwaardigheid wordt vaak verhoogd door een garantie van de platenmaatschappij, maar zulke garanties heb je niet nodig als de muzikant zelf een solide financiële basis heeft.

Bowie verkocht jaar na jaar ongeveer een miljoen cd's. Zijn transactie, die vijfenvijftig miljoen dollar opbracht, was mede gebaseerd op de royalty's van zijn eerste vijfentwintig albums. Bowie had het voordeel dat hij zelf de rechten op zijn teksten en albums en ook de opnamerechten bezat, zodat hij van alle drie de inkomsten opstreek. Muzikanten hebben vaak alleen maar de opnamerechten.

Volgens mij heeft Redford net als Bowie dezelfde rechten, en dat maakt hem tot een uitstekende kandidaat. Hij heeft tweeëntwintig albums uitgebracht en verkoopt gemiddeld meer dan vier miljoen cd's per jaar, dus dat telt ook in zijn voordeel. Er zijn heel veel technische details uit te werken, zoals de vraag of hij werkelijk het copyright op zijn teksten heeft, maar ik neem aan dat al die kwesties opgelost kunnen worden als jij een blik juristen opentrekt. Gebaseerd op de kwaliteit van zijn inkomsten en op zijn begaafdheid als tekstschrijver, en uitgaande van de veronderstelling dat hij zoveel mogelijk rechten in eigen hand houdt, is Redford de ideale kandidaat om de beurs op te gaan.'

'Welke waardering zou jij hem geven?' vroeg Savage.

'Een enkele A.'

'Opbrengst?' blafte Zamaroh.

'Laten we zeggen vierhonderdvijftig procentpunten vanaf de basis, wat neerkomt op een lopend rendement van ongeveer negen procent. Uitgaande van Redfords vermoedelijke jaarinkomen van ongeveer twaalf miljoen dollar zou de totale lening zo'n honderd miljoen moeten opbrengen met een dekkingsratio van 1,33. Dat is krap, maar niet ondoenlijk.'

Savage, Zamaroh en Breden zaten haar verbluft aan te kijken. Zelfs Sarah was onder de indruk. Misschien zijn mijn hersens toch nog niet helemaal verweekt, dacht ze.

'Provisie?' vroeg Zamaroh toen ze zich had hersteld.

Sarah schrok op uit haar dagdroom. 'We kunnen wel vijf procent voor de transactie rekenen, wat neerkomt op een aardige vijf miljoen. Bovendien zou het de grootste transactie op dit nieuwe gebied zijn, zodat we meteen de marktleider zijn.'

'Dat klinkt heel aantrekkelijk,' zei Savage met een glimlach tegen Sarah. 'Ik geloof dat je die Redford wel ziet zitten.'

'Het is een goede deal,' antwoordde Sarah. Ze was bang dat ze zat te blozen.

'Waarom doet hij het eigenlijk?' vroeg Zamaroh, die Sarah ongewild te hulp schoot. 'Dat zou ik wel eens willen weten. Wat zit erachter? Waar heeft hij ons voor nodig?'

Sarah lachte. 'Sinds wanneer kan jou dat iets schelen? Laten we het geld pakken en wegwezen.'

Zamaroh keek Sarah aan alsof die net haar rok had opgetild.

'Aha, ik zie het al,' zei Sarah. 'De nieuwe geest van politieke correctheid. Je bent hier onder vrienden, Zaha, althans onder bondgenoten. Je hoeft niet te doen alsof.'

'Ik vroeg niet om een preek maar om een antwoord, als je dat tenminste kunt geven.'

Sarah glimlachte. 'Een beursgang komt erop neer dat de popster geld leent met als onderpand de royalty's die hij in de toekomst ontvangt. Dat is voor hem veel voordeliger dan een voorschot van de platenmaatschappij, want die rekent ten eerste met lagere royalty's dan een investeringsbank zou doen, dus hij krijgt meer geld in handen en bovendien is de platenmaatschappij van het voorschot af en zijn ze daarom bereid hem hogere royalty's te geven. Ten tweede gelden voorschotten voor de belastingdienst als inkomen, terwijl de uitgifte van obligaties gezien wordt als een lening. De rente op die lening is aftrekbaar, dus de muzikant is voordeliger uit als hij de beurs opgaat. Ten derde krijgt hij na afloop van de termijn weer de rechten op de albums waarvan de royalty's als onderpand gelden. Als de royalty's hoger uitvallen dan verwacht wordt de lening eerder terugbetaald, zodat de muzikant er alleen maar baat bij heeft.' Sarah besloot haar voordracht, blij dat ze de vorige dag zoveel uitstekende artikelen had gelezen waarin de voor- en nadelen van een beursgang werden opgesomd.

'Wie zijn de kopers?' vroeg Zamaroh.

'Normaal gesproken verzekeringsmaatschappijen. Alle Bowie-obligaties zijn opgekocht door Pru, de hele uitgifte. Voor iemand als Bowie is dat natuurlijk aantrekkelijk, want dan is er maar één grote belegger die al zijn vertrouwelijke gegevens hoeft na te trekken in plaats van twintig. Ik vind dat we het zelf serieus in overweging moeten nemen.'

'Wat, om voor honderd miljoen dollar obligaties van Redford te kopen?' vroeg Zamaroh bars.

'We zullen misschien wel moeten als we de opdracht willen behouden,' antwoordde Sarah. Ze keek naar Savage om te zien hoe hij erop reageerde.

'Dat zou een grote investering zijn,' antwoordde Savage, 'maar als de cijfers kloppen en we geen andere keus hebben, moeten we het doen.'

'Dat is een geweldig risico,' zei Zamaroh. 'Als het misloopt gaan we voor honderd miljoen het schip in.' Ze nam Sarah langzaam op. 'Dat zou een enorme miskleun zijn.'

Ze is net Salome, dacht Sarah met een blik op Zamaroh, en om een onverklaarbare reden wil ze mijn kop zien rollen.

18

Jacob was naar Golders Green gegaan voor een avondje poker met zijn vrienden, Alex zat in de studeerkamer over zijn geliefde landkaarten gebogen, Georgie zat bij Sarah op schoot en speelde met een van haar lokken toen de deurbel ging.

Ze sprong op en Georgie begon geschrokken te jammeren.

'Niks aan de hand, jochie.' Sarah zette hem op een deken op de vloer. Hij voelde zich in de steek gelaten en barstte in een verontwaardigd geschreeuw uit. Ze deed de deur van de zitkamer achter zich dicht en liep naar de voordeur, terwijl ze zich afvroeg wie het kon zijn. Ze hoopte niet dat Jezza haar had opgespoord. Hij wist dat ze in Carlyle Square woonde. Het kon niet moeilijk zijn om uit te zoeken in welk huis.

Ze tuurde door het kijkgat en haalde opgelucht adem toen ze zag dat het een motorkoerier was. Ze deed de deur open.

'Jensen?' vroeg hij, zijn stem gedempt door zijn helm.

'Dat ben ik,' antwoordde Sarah terwijl ze naar het lege plein keek.

'Wilt u hier even tekenen?'

Ze tekende voor ontvangst, nam het pakje aan en sloot de deur met een zucht van verlichting, van streek door haar eigen zenuwen. Georgie hield al snel op met huilen toen ze hem eenmaal in haar armen had. Ze scheurde de dikke envelop open en zag een dikke stapel papieren met gegevens over bankrekeningen, creditcards en telefoongesprekken. Freddie had zich aan zijn woord gehouden en vlot werk geleverd. De senior partner van Spinnacres had er geen briefje bijgedaan. Freddie Skelton had een uitgebreid adresboekje met de namen van twijfelachtige, niet al te hoog in aanzien staande informanten. Bovendien beschikte hij over een betrouwbare assistent die het vuile werk voor hem kon opknappen, wat van belang was sinds de strengere wetgeving op de privacy, die detectives en juristen tamelijk schrikachtig maakte als het ging om het vergaren van dergelijke informatie. Wie die onbekende ook mocht zijn, hij had geweldig werk geleverd. Freddie Skelton had er alleen een getypt briefje bijgedaan: *Je bent me nog 500 pond schuldig.*

Sarah ging met een slaperige Georgie in de schommelstoel zitten en begon met P.J. Petra had een *goldcard* van Visa waarmee ze haar bankrekening plunderde. Sinds vier maanden stond ze in het rood en haar achterstand was inmiddels opgelopen tot twaalf-duizend pond. Het afgelopen jaar had ze gemiddeld vierduizend pond per maand uitgegeven. Sarah bekeek haar uitgaven en pro-beerde er een patroon in te ontdekken. P.J. deed inkopen bij Har-vey Nichols, minstens één keer in de maand en soms elke week, waarna ze bepaald dure drankjes nuttigde in Harvey Nick's wijn-bar op de vijfde verdieping. Een ordinaire tent om je te laten ver-sieren, dacht Sarah. P.J. ging uit eten bij Vong, Momo's en Al-berto's, zo te horen een Italiaans restaurant in South Kensington, niet ver van haar woning in de Little Boltons. Het waren waar-schijnlijk etentjes met vriendinnen of anders in bekakt gezelschap waar iedereen behalve de gewildste meisjes voor zichzelf betaal-de. Het enige vreemde, behalve dat ze boven haar stand leefde, was dat ze elke maand meer dan vijftienhonderd pond in con-tanten opnam, altijd aan het begin van de maand en altijd bij het-zelfde bankkantoor in de Old Brompton Road.

Churchward gaf doorgaans nog geen vijftienhonderd pond per maand met zijn creditcards van Visa en Amex uit, zonder dat er een voorkeur voor het gebruik van de ene of de andere kaart te ontdekken viel. Hij was een echte lezer: geabonneerd op *Coun-try Life, The Week, Spectator, The Economist* en *Traveller* van Conde Nast, en hij was donateur van Monumentenzorg, een steunfonds voor gepensioneerde zeelieden en van Red Hot Dutch. Geweten en begeerte, aspiraties, dromen van bucolische zaligheid, een intellectueel, iemand die in zijn leunstoel maar ook in het echt reizen maakte.

De enige luxe die hij zich veroorloofde waren zijn vakanties, waarvoor niets hem te dol was: negenduizend pond om een week lang een jacht van zestig voet te huren, zesduizend voor twee we-ken heliskiën in Canada, achtduizend voor twee weken duiken in Tortola. Allemaal actieve vakanties, geen romantische weekein-den in Parijs, maar heel zelden een etentje in een duur restaurant. Churchward was met al die tegenstrijdigheden op papier interes-santer dan je op het eerste gezicht zou zeggen.

Sarah bekeek Jezza's uitgaven. Achtduizend per maand, gelijk ver-deeld over Visa en Amex. Schoenen van John Lobb tweeduizend pond, pakken van Oswald Boateng drieduizend, lange weekein-den in Venetië en Cairo zevenduizend, etentjes bij Ivy driehonderd pond, drankjes in de Met Bar vijfhonderd pond, de man was een echte uitgever. De enige eigenaardigheid waren de rustige avondjes die af en toe voorkwamen, doorgebracht in een Indiaas restaurant bij Brompton Road. Sarah schrok op toen de telefoon ging. Ze liet de papieren met een vloek op de grond vallen, klemde Georgie onder haar arm en stak haar vrije hand uit naar de telefoon.

'Hallo!'

'Goedenavond Sarah, met Dick Breden.'

Sarah keek vol afschuw naar het toestel en hoopte dat Georgie zich rustig zou houden. Als ze hem neerzette en de kamer uitging, zou hij het hele huis bij elkaar schreeuwen, maar als ze hem bij zich hield zou hij misschien gaan pruttelen of een van zijn befaamde lachjes laten horen. Ze pakte de afstandsbediening en zette de televisie aan om hem af te leiden.

'Hallo, Dick, hoe is het?'

'Ik heb wat informatie over onze mensen. Misschien kan ik bij je langs komen om erover te praten?'

'Nu?'

'Komt het slecht uit?'

'Kan het morgen niet?'

Georgie kraaide opgetogen toen zijn favoriete reclamespot in beeld kwam. Sarah hoestte om het geluid te overstemmen.

'Ben je ziek?' vroeg Breden. 'Je hebt een lelijk hoestje, een soort gerochel...'

'Ik maak het prima, Dick, dank je. Waar zullen we afspreken? Op kantoor?'

'Ik probeer een paar dagen van de zaak weg te blijven. Kunnen we het thuis bespreken? Ik kan wel bij jou komen.'

'Liever bij Oriel, die zaak op Sloane Square.'

'Voor het ontbijt?'

'Hoe laat?'

'Half acht?'

Weinig kans, dacht Sarah. Dan gaf ze Georgie net de borst.

'Ik ben tot half tien bezet.'

Breden had gelukkig het fatsoen om niet te vragen waarmee. 'Dan zie ik je daar.'

19

Sarah had een zware nacht. Georgie werd meestal maar één keer wakker, maar nu haalde hij haar drie keer uit haar slaap. Ze arriveerde twaalf minuten te laat in Oriel en voelde zich slap en uitgewoond. Ter compensatie had ze een van haar nieuwe kostuums en overhemden aangetrokken, evenals een paar hoge marineblauwe laarzen met lovertjes, in de hoop daarmee de aandacht van haar gezicht af te leiden.

'Dag, Dick. Sorry dat ik zo laat ben.'

Hij was even begripvol als altijd en knikte alleen maar. 'Wil je koffie?'

'Kamillethee graag, en vier stukken geroosterd brood met honing.'

De bestelling werd gebracht en Sarah at haar bord leeg zonder zich de tijd te gunnen adem te halen.

'Heb je gisteren soms niet gegeten?' vroeg Breden.

'Hmm?' vroeg Sarah terwijl ze met een servet de kruimels van haar kin veegde. 'Nee, ik had alleen trek.' Ze bestelde nog een thee en wachtte tot die was gebracht voordat ze de steeds dikker wordende stapel papieren over de verdachten uit haar tas haalde.

Breden bladerde door de papieren en keek op. Zijn blik bleef op Sarahs gezicht rusten.

'Je bent druk bezig geweest.'

'Ja, dat mag je wel zeggen.'

'Wat zijn je eerste indrukken?'

Sarah dronk haar thee op en leunde achterover in haar stoel. 'Jeremy St. James, alias Jezza. Dure smaak, een gulle gever met een naam om hoog te houden, iemand die hoog heeft gegrepen en nu te pletter dreigt te vallen. Hij ziet de bui hangen en is wanhopig. Hij heeft misschien een drankprobleem, is een tikkeltje vrouwenhater, een latente homoseksueel die er niet voor uit durft te komen en daardoor kwetsbaar is. Weinig binding met zijn familie, veel opgekropte woede die kan omslaan in spijt en schuldbesef.' Ze vertelde Breden over haar avond met hem in de kroeg. 'Zoals ik al verwachtte ging hij me gisterochtend uit de weg tot hij voldoende moed had verzameld om me op te zoeken. Hij deed of het

allemaal niet veel voorstelde en wachtte tot ik mijn schouders op-
haalde en hem de absolutie gaf. Daarna vroeg hij me mee uit. Hij
is niet iemand die zich laat afwijzen, dan kan hij vervelend worden. Ik had hem het liefst de deur gewezen, maar misschien kan
ik iets bruikbaars uit hem krijgen en daarom heb ik hem aan het
lijntje gehouden en gezegd dat we wel zullen zien. Een regelrecht
nee en hij zou mijn gezworen vijand zijn geworden.'

Breden knikte en nam Sarah nauwlettend op.

Ze ging verder. 'Hij heeft moeite met intimiteit en verplichtingen;
hij leeft liever van dag tot dag, af en toe een relatie zonder zich
ooit te binden. Zoals de meeste handelaars is hij snel verveeld.'

'Zie je hem zitten?'

'Als ons lek? Hij voldoet in elk geval wel aan het profiel. Hij heeft
het geld nodig en is bang dat hij ontslagen zal worden, dus ligt
het voor de hand dat hij informatie zal verkopen, vooral als hij
Goldsteins daarmee kan schaden en bij voorbaat wraak kan nemen. Het is een clandestiene operatie, iets waar de dader een kick
van krijgt en daar houdt Jezza van. Hij is erg gesteld op zijn status en vindt zichzelf de beste handelaar op de vloer.'

Breden grinnikte. 'Daar zou koningin Zaha wel iets over willen
zeggen, denk ik.'

'Dat lijkt me ook. Maar ze heeft meer van een keizerin, dus Jezza kan zichzelf altijd nog als kroonprins beschouwen.'

'Wat vind je van de anderen?'

'Churchward is te mooi om waar te zijn: saai, betrouwbaar, erg
op zichzelf. Conservatief in zijn uitgaven, leeft naar zijn financiële mogelijkheden, alleen zijn vakanties zijn extravagant. Houdt
van porno. Zo te zien heeft hij zijn leven uitgestippeld en aan dat
plan houdt hij zich. Hij doet zijn werk naar behoren zonder op
te vallen. Natuurlijk heeft iedereen ambities, daar is hij niet immuun voor. Misschien wil hij een eigen zaak opzetten en werkt
hij nu hard om het geld bij elkaar te krijgen. Of misschien wil hij
over een paar jaar met pensioen en een zeiltocht rond de wereld
gaan maken. Hij komt van Jersey en zeilen is een van zijn hobby's. Maar ik betwijfel of het verkopen van vertrouwelijke informatie hem voldoende oplevert om tegen het risico op te wegen. Voor zover ik kan zien heeft hij geen ander motief. Geen
rancune, niet het gevoel dat hem iets te kort is gedaan. Hoewel,

nu ik erover nadenk, kan het zijn dat hij vindt dat hij wel wat meer zou mogen verdienen, dat hij eronder lijdt dat iedereen hem zo'n aardige kerel vindt, dat hij meer zou bereiken als hij een grotere mond had en meer van zich afbeet. Dat is waarschijnlijk ook zo. Hij is het type van de grijze muis. Misschien komt hij daar inwendig tegen in opstand, wie zal het zeggen.'

'En P.J.?' vroeg Breden terwijl hij de ober wenkte. 'Voor mij nog een koffie. Wil jij nog iets hebben?'

'Ja, Evian graag, zonder ijs. Zij is verbitterd, boos, ze komt tijd en geld te kort. Ze geeft heel veel uit, staat rood bij de bank, gebruikt veel contant geld. Ze neemt elke maand vijftienhonderd pond op en daar kan iets interessants achter zitten, verdovende middelen of zo. Ze heeft een motief en ik heb het idee dat ze een harde tante is. Zij zou het beslist een kick vinden om de boel te verraden. Het probleem is dat er op de hele vloer wel honderd mensen te vinden zijn die een motief en het juiste profiel hebben. De beurs trekt egoïstische, hebzuchtige en opdringerige mensen aan, mensen die met hun ellebogen werken. Als je al niet zo bent word je het binnen de kortste keren. Het is ook een plaats die afgunst kweekt. Mensen weten of denken te weten wat de anderen verdienen en natuurlijk vindt niemand dat de grootverdieners recht op hun geld hebben. Ze vinden allemaal dat ze naar verhouding onderbetaald zijn. Het is net een gevangenis met een heel stel mensen die twaalf of veertien uur per dag boven op elkaar zitten, stijf van de testosteron, vrouwen incluis, afgesneden van de buitenwereld. In zo'n broeikas moet er vroeg of laat wel iemand doorslaan. Het opsporen van het lek zal net zo lastig worden als het vinden van de spreekwoordelijke naald.' Ze zuchtte en wreef in haar ogen.

'Zal ik mijn mensen naar de telefoongesprekken laten kijken?' vroeg Breden.

Ze ging er meteen op in. Het natrekken van de gegevens, het opbellen om de mensen te achterhalen met wie het onzalige drietal verdachten had gesproken zou afschuwelijk saai en tijdrovend werk zijn, maar ook een delicate aangelegenheid.

'Nou, graag. Dat zou ik heel fijn vinden.'

Breden glimlachte. 'Geef mij je informatie maar. Kan ik kopieën krijgen van de bankgegevens?'

'Ik heb deze vanmorgen allemaal al gekopieerd. Je kunt ze houden.'

Breden keek er even vluchtig naar voordat hij ze in zijn koffertje stopte.

'Bedankt. Hoe kom je eraan?' vroeg hij achteloos.

Sarah glimlachte. 'Je denkt toch niet echt dat ik daar antwoord op geef?' De nieuwe en strengere wet op de bescherming van de persoonlijke levenssfeer had ervoor gezorgd dat iedereen nog meer dan vroeger zijn bronnen verzweeg.

'Nee, maar je zou me een hint kunnen geven. Is het een grote of een kleine jongen?'

'Iemand met een uitstekend gevulde agenda.'

'Een grote jongen dus. Wat krijgt hij ervoor?'

'Zelf krijgt hij niets, zijn informanten tweeduizend pond.'

'Wat heeft hij er dan aan, tenzij hij zelf een deel van die tweeduizend in zijn zak steekt?'

'Dat doet hij niet, dat is voor hem een zakcentje.'

'Wat dan?'

'Ik heb hem een hoop geld bespaard toen hij in scheiding lag.'

'Aha.'

'Zeg dat wel. Maar wat heb jij voor nieuws? Je kunt je jasje nu overigens wel uittrekken. Om tien uur 's ochtends hoef je in Chelsea niet zo vormelijk te doen.'

'Je meent het.' Breden trok soepel zijn colbert uit. Hij droeg een zwartkatoenen T-shirt met lange mouwen dat strak om zijn gespierde borst zat. Sarah keek er een ogenblik naar en tot haar verbazing, opluchting en afschuw voelde ze ineens een seksueel verlangen opkomen.

'Om te beginnen is de hele verdieping schoon. We hebben alles nagezocht en nergens microfoons gevonden, laat staan in Zamarohs kantoor.'

'Hmm. Dus het moet iemand dicht bij de top zijn.'

'Daar ziet het naar uit.'

'Maar dan komen er nog steeds vijfhonderd mensen in aanmerking,' zei Sarah.

'Jawel, maar we houden ze in de gaten. We hebben intussen apparatuur geïnstalleerd in de kamers van Zamaroh en jou.'

'Fijn, dus ik kan niet eens meer ongemerkt in mijn neus peuteren. Ik heb gewoon medelijden met de arme ziel die alle opnamen moet bekijken.'

'Bij jou zou ik daar geen bezwaar tegen hebben.'

Sarah lachte. 'Nog nieuws over de bende van drie?' vroeg ze.

'Wat achtergrondinformatie. Jezza woont in een vervallen huis aan de verkeerde kant van de Fulham Road. Hij houdt van antiek en van vrouwen met dezelfde liefhebberij. Er is er vannacht eentje bij hem blijven slapen, een jonge en knappe brunette die bij Sotheby's werkt, zo te zien een aardig meisje. Enne, hij rijdt in een Aston Martin.' Breden kreeg heel even een ongemakkelijke uitdrukking op zijn gezicht.

Sarah kon zich niet bedwingen en barstte in lachen uit. 'Daar zou ik hem nog niet voor willen veroordelen, jij wel?'

Breden slaagde erin te grijnzen.

'Is het een nieuwer model dan jij hebt? Groter, sneller?' vroeg Sarah.

Breden keek haar aan alsof hij haar het liefst over de knie had gelegd om haar een flink pak slaag te geven.

Sarah lachte zachtjes. 'Dus hij rijdt in een grote wagen rond. Nog meer?'

Breden glimlachte zuur. 'P.J. is ongeveer zeven weken geleden haar vriend kwijtgeraakt en zo te zien zit ze daar behoorlijk mee in haar maag. Giovanni di Castiglio. Lagere adel met een hoop geld in de familie. Ze heeft drie jaar iets met hem gehad en ze zal wel op een huwelijk hebben gehoopt, zodat ze nu het gevoel moet hebben dat ze drie jaar heeft weggegooid. Vijfendertig en niet getrouwd, ik kan me voorstellen dat ze een tikkeltje verbitterd is.'

'Ze heeft een nieuw doel in haar leven nodig,' zei Sarah peinzend. Ze kreeg bijna medelijden met P.J. nu ze besefte hoe ze de vrouw beoordeelden, maar aan de andere kant wist ze dat haar werk een politiek incorrecte maar genadeloze logica vereiste.

'Hoe woont ze?'

'Ze heeft een souterrainwoning in de Little Boltons met een achtertuin en een hoop mooie planten.'

'Grappig, ik had nooit gedacht dat ze groene vingers had.'

'Ik ook niet. Ze rijdt in een donkerblauwe BMW cabriolet. Morgen krijg je meer te horen. Het is vanavond mijn beurt om haar in de gaten te houden.'

'Vandaar die zwarte koffie, je bent energie aan het opdoen. Churchward?'

'Churchward woont in een flat met twee slaapkamers bij de Kensington Church Street. Hij heeft een wagen van de zaak, in tegenstelling tot de andere twee. Een Nissan Micra.'

'Een Nissan Micra? Wat mankeert die knaap? Hij moet wel voor iets groots aan het sparen zijn, want een man neemt alleen een Nissan Micra als het niet anders kan. De meeste mannen die ik ken houden van grote auto's met veel vermogen en brullende...'

Breden viel haar in de rede. 'Afgezien van die auto heeft hij de hele avond zitten lezen en naar de televisie gekeken. Hij lijkt inderdaad te mooi om waar te zijn.'

'God, wat zijn we pervers,' zei Sarah.

Breden keek haar belangstellend aan. 'Zit ons werk je dwars?'

'Natuurlijk wel. Iemands hele leven omspitten, net zolang zoeken tot je de zwakke plekken hebt gevonden. Daar heb ik een hekel aan als ze onschuldig zijn. Het is niet erg als ze iets uitgehaald hebben. Maar ja, ik moet ook leven en sommige aspecten zijn best boeiend. Ik word altijd gefascineerd door de verborgen levens die mensen leiden. En jij, zit het jou dwars?'

'Het is werk, dat kan ik van me afzetten.'

'Dat mag je wel zeggen. Waar trek jij je eigenlijk wel iets van aan, Dick Breden? Wat zit jou dwars? Waar doe je het allemaal voor? Toch zeker niet alleen voor het geld?'

Breden glimlachte alleen maar.

20

Sarah ging terug naar huis en bracht het grootste deel van de dag in haar werkkamer door met het voorstel voor de beursgang van Redford. De bijeenkomst met Redford zou de volgende dag plaatsvinden en ze was nog lang niet klaar. Thuis werken was vele malen prettiger dan heen en weer reizen naar de City. Ze kon elk uur wel even bij Georgie gaan kijken, hoewel ook dat niet zonder kwelling was, vijf minuutjes terwijl ze allebei naar meer verlangden. Ze nam alleen pauze om hem de borst te geven en zelf iets te eten, daarna sloot ze zich weer op in haar kamer. Georgie bleef achter onder de hoede van Alex en Jacob, die een oude zwart-witvideo over vroege beklimmingen van de Mount Everest hadden gehuurd.

Om acht uur ging de telefoon.

'Sarah, met Zaha.'

'Hallo, Zaha.'

'Waarom ben je vandaag niet op de zaak geweest?'

'Bel je over iets belangrijks?' vroeg Sarah. 'Kom dan alsjeblieft ter zake en laten we anders ophangen.'

'Heb je het voorstel uitgewerkt?'

'Daar ben ik net mee bezig.'

'Nog niet klaar?'

'Het is klaar als het nodig is.'

'Ik heb het nu nodig. Ik moet het nakijken.'

'Er is geen tijd om het na te kijken, Zaha, tenzij je hier midden in de nacht langs wilt komen om het op te halen. Dat lijkt me tijdverspilling, want ik ben toch niet van plan wijzigingen aan te brengen.'

Sarah kon bijna een paar gefluisterde Perzische verwensingen horen. 'Ik heb je toch niet goed verstaan, hoop ik? Ik kan gewoon niet geloven dat je zoiets zegt. Ik kan niet geloven...'

'Tot kijk, Zaha. Geloof maar wat je wilt, het zal mij een zorg zijn.'

Sarah legde neer met een opgetogen gevoel. God, het was verrukkelijk om het laatste woord te hebben. De euforie verdween langzamerhand terwijl ze doorwerkte, vastbesloten om Zamaroh geen enkele reden tot kritiek te geven. Het was drie uur in de ochtend toen ze eindelijk klaar was. Ze liet zich uitgeput in bed vallen.

Georgie liet haar ongestoord tot zeven uur doorslapen, alsof hij helderziend was of met haar meeleefde. Om acht uur nam Jacob hem van haar over en kon ze zich op de aanstaande ontmoeting concentreren. Ze kon zichzelf niet voor de gek houden. Ze was opgewonden en verward door het vooruitzicht John Redford weer te zien. Ze probeerde zichzelf ervan te overtuigen dat het weeë gevoel in haar maag te maken had met zenuwen voor de presentatie van haar voorstel. In werkelijkheid was dat misschien voor tien procent de oorzaak.

Ze stond naakt haar garderobe te bekijken. Ze koos haar nieuwe donkergrijze streepjeskostuum en een lichtroze overhemd. Ze trok er zwarte leren mocassins bij aan en deed twee flinke vleugjes Fracas achter haar oren. Oorbellen met diamanten knoppen volgden, ze schoof de gelukbrengende robijn aan haar vinger en bekeek zichzelf in de spiegel. Ze gebruikte wat glanzende lippenstift en mascara, liet haar vingers door haar haren glijden en vroeg zich af wat John Redford ervan zou vinden, een gedachte die ze zichzelf onmiddellijk verweet.

Alex was wakker geworden en liep stijfjes de trap af toen ze uit haar slaapkamer kwam. Hij nam haar keurend op.

'Je ziet er leuk uit.'

Ze glimlachte. 'Dank je.'

'De grote afspraak?'

'Ja.'

'Veel succes, Sare.'

'Ja.' Ze haalde diep adem.

'Pas goed op jezelf,' zei haar broer, en Sarah wist dat hij niet bang was dat ze de presentatie zou verknoeien.

Ze kwam vijf minuten te laat op de zaak. Savage, Breden en Zamaroh zaten al in de vergaderkamer te wachten.

'Fijn dat je er bent,' zei Savage met een blik op haar hoekige mannenschoenen.

'Je bent te laat,' zei Zamaroh pinnig.

'Ik weet het. Ik lag met mijn vriendje te bonken en daarna moest ik nog douchen.' Sarah lachte even. 'Je weet hoe het gaat.'

Savage en Breden brulden het uit. Zamaroh zou ergens anders ook hebben gelachen, maar hier op de bank was elk gesprek een gevecht en ze wilde niet toegeven dat Sarah had gewonnen.

Er klonk een discreet kuchje.

'Mag ik binnenkomen?' John Redford stond in de deuropening naast Evangeline, de secretaresse van Savage. Hij zag er moe maar gezond uit. Sarah keek onwillekeurig naar zijn sensuele lippen die een licht geamuseerde trek hadden gekregen.

Evangeline trok zich terug. Savage ging staan.

'Mr. Redford, aangenaam.'

Redford schudde zijn hand. 'Zeg maar John.'

'John,' zei Savage, alsof hij het eens wilde proberen. 'Je kent de anderen al: Zaha Zamaroh, Dick Breden en Sarah Jensen.'

Redford glimlachte beleefd naar de aanwezigen. De manier waarop hij naar Sarah keek deed haar vrezen dat hij zich haar maar al te goed herinnerde en bovendien haar laatste opmerking had gehoord.

Sarah voelde een blos op haar wangen komen. God, waarom moest ze uitgerekend nu zoiets zeggen? Wat een geweldig begin, daarmee had ze zichzelf meteen op het verkeerde been gezet.

Ze friemelde aan de mouwen van haar colbert. 'Mooi kostuum,' zei Redford, nog steeds met een uitdagende blik in zijn ogen.

Sarah glimlachte flauw. Ze had geen zin in plaagstootjes die na afloop ongetwijfeld door Savage, Zamaroh en Breden zouden worden besproken. Het was heel moeilijk net te doen alsof ze deze man nooit eerder had ontmoet. Ze kon alleen maar hopen dat Redford op zijn beurt het stilzwijgen zou bewaren, maar zijn geplaag beloofde niet veel goeds. O jezus, kon ze niet beter meteen opspringen en iedereen vertellen dat zij en Redford één verrukkelijke nacht met verstrekkende gevolgen hadden doorgebracht?

'Sarah?' De stem van Savage deed haar uit haar overpeinzing opschrikken. Ze wist zich met moeite te concentreren.

'Begin maar met de presentatie voor meneer... voor John, bedoel ik.'

Sarah wreef over haar benen en keek monter op. 'Natuurlijk. Nu meteen of wachten we op Mr. Cawdor?'

'Die komt niet.'

'Wat? Laat je je helemaal niet vertegenwoordigen?' vroeg Sarah op ongelovige toon.

Redford schudde zijn hoofd. 'Nee.'

'Ook niet door een jurist? Ik zou je toch echt aanraden...'

'Maak je geen zorgen, Sarah, ik ben een grote jongen. Ik zal me door jullie niet van het rechte pad af laten leiden. Trouwens, mijn advocaten krijgen naderhand al jullie papieren. Stelt dat je gerust?' Zijn ogen glimlachten, zijn stem was gemoedelijk. Hij was even aantrekkelijk als hemeltergend. Ze besefte dat Savage, Breden en Zamaroh het gesprek nadrukkelijk hadden gevolgd. Ze kon alleen maar hopen dat ze zijn vertrouwelijke plaagstootjes zouden toeschrijven aan zijn status als popster, die hem immuun maakte voor de gewone omgangsvormen.

Ze schoof het document waaraan ze zo zorgvuldig tot diep in de nacht had gewerkt over de tafel naar Redford toe. Ze vroeg zich vluchtig af wat hij om drie uur had gedaan en voelde zich ineens jaloers worden, jaloers op zijn manier van leven, op zijn geld, op zijn vrijheid, op de onbekende vriendinnen die haar plaats in zijn armen hadden ingenomen. Jezus, mens, hou je een beetje in. Er was helemaal geen plaats meer voor haar.

'Goed,' zei ze op besliste toon met een knikje naar het document. 'De inhoud bestaat uit technische details en een hoop cijfers. Om het samen te vatten: onder voorbehoud van alle rechten – je zult moeten wennen aan dergelijke juridische slagen om de arm – gaan we ervan uit dat je inkomsten voldoende zijn voor een emissie van ongeveer honderd miljoen dollar. Daarbij kun je waarschijnlijk een A-classificatie krijgen van Moody's, Fitch of Duff and Phelps. Dat betekent dat je een lening kunt sluiten tegen ongeveer 4,5 procent boven de basisrente, laten we zeggen 9,5 procent. Onze provisie komt neer op ongeveer vijf procent van dat bedrag en...'

'Jezus,' onderbrak Redford haar. 'Wat doen jullie in vredesnaam voor dat geld?'

Sarah glimlachte. 'Om te beginnen moeten we daar onze winst vandaan halen, duidelijk? Daar zal ik niet omheen draaien. Andere banken zullen ongeveer hetzelfde tarief in rekening brengen. Een kleinere bank doet het misschien met minder provisie, maar dat kan ten koste van de emissie gaan en bovendien zouden je adviseurs denk ik niet willen dat je in zee gaat met minder goed aangeschreven banken. En wat we voor het geld doen is het volgende. Je krijgt allereerst een voorlopige overeenkomst die we allebei moeten tekenen. Goldsteins International neemt de verplichting op zich een bepaald deel van je catalogus om te zetten in waardepapieren, dat wil zeggen obligaties uit te geven met als onderpand jouw inkomsten uit dat deel van de catalogus. Verder zullen we een classificatie voor je regelen en ten slotte voor de uitgifte zelf zorgen. Goldsteins krijgt de optie de totale emissie of een deel van de obligaties aan te schaffen.'

'Hoe lang gaat dat allemaal duren?' vroeg Redford fronsend.

'De voorlopige overeenkomst geldt meestal voor honderdvijftig dagen, hoewel dat sterk afhankelijk is van de complexiteit van je eigen organisatie. Normaal is er een termijn van een maand waarin we je inkomsten tot in detail vaststellen, alle relevante

cijfers verzamelen en onderzoeken of alles in orde is. Daarna hebben we een maand de tijd om de exacte vorm van de emissie te bepalen, een soort wiskundige orgie. Dan nog een maand om de definitieve overeenkomst op te stellen, een juridische en taalkundige orgie, en om het prospectus te schrijven. Dat is in feite een reclamefolder waarin iedereen kan lezen hoe verstandig ze eraan zouden doen om Redford-obligaties te kopen. Ten slotte is er een laatste periode van dertig dagen waarin iedereen hysterisch wordt en begint te roepen dat de hele zaak maar moet worden afgeblazen. En gewoonlijk tellen we daar nog een maand bij op voor onvoorziene gebeurtenissen onder het motto: "Wat mis kán gaan, zál ook misgaan". Ondertussen wordt er aan de classificatie gewerkt, stellen juristen de precieze voorwaarden op schrift, onderzoeken we of al je nummers wel echt van jou zijn, zoeken we uit of je geen crimineel verleden hebt, bekijken we je belastingaangiftes en je kredietwaardigheid, en ten slotte moeten we ervoor zorgen dat de emissie en het onderpand zelfs bij een persoonlijk faillissement geen gevaar lopen. Als je dat allemaal overleeft, komt het tot een obligatielening die op een warme ontvangst van institutionele beleggers mag rekenen en ga jij met honderd miljoen dollar op zak terug naar Wyoming, uiteraard met aftrek van alle kosten.'
Redford glimlachte en Sarah zag aan zijn ogen dat ook hij aan hun tent in de wildernis zat te denken.
'Heel indrukwekkend,' zei hij zonder zijn blik van haar af te wenden.
'Zo werken we bij Goldsteins,' zei Zamaroh alsof zij en niet Sarah de presentatie voor haar rekening had genomen. 'Dat kan Goldsteins International voor jou betekenen,' ging ze nadrukkelijk verder. Het viel Sarah op dat ze Redford er ook van wilde overtuigen dat het om teamwerk ging en niet alleen om Sarah Jensen, naar wie Redford nog steeds zat te glimlachen. Sarah glimlachte terug, een kleine tegemoetkoming aan haar gevoelens. De presentatie was goed gegaan, ze voelde hoe Savage naast haar zat te stralen, en dit was haar beloning: vijf seconden waarin Sarah de vrouw op Redford de man kon reageren. En al die tijd zag ze het gezicht van haar zoontje weerspiegeld in haar minnaar.

'Zo,' zei Savage, die onbedoeld een einde aan het voorval maakte, 'heb je nog vragen?'

Redford kreeg weer een afstandelijke blik in zijn ogen. 'Nee, op het ogenblik niet.' Hij stond op en stopte de map met de presentatie onder zijn arm. 'Ik zal dit meteen aan mijn advocaten geven,' zei hij met een laatste blik op Sarah. 'Ik wil geen overhaaste dingen doen.'

'Waar kunnen we je bereiken als er iets is?' vroeg Savage met een verwonderde blik naar Sarah.

'In de Verenigde Staten,' antwoordde Redford.

'Waar precies?' vroeg Zamaroh, die zich aan het vage antwoord ergerde.

'Overal. Ik ben op tournee.'

'Heb je die onderbroken om hier aanwezig te zijn?' vroeg Breden.

'Ik had een paar dagen rust. Trouwens, honderd miljoen dollar is wel de moeite waard om voor naar Londen te vliegen, vind je niet?'

'Dat is waar,' antwoordde Breden, 'maar als ik zo vrij mag zijn: waarom jij persoonlijk? Je had toch een heel stel adviseurs kunnen aanwijzen?'

Sarah schoof ongemakkelijk heen en weer op haar stoel. Dit begon gevaarlijk te worden.

'Daardoor raken mensen zoals ik nou juist in de problemen,' zei Redford langzaam en met nadruk. 'Ze laten alles aan een stel juristen over en achteraf vragen ze zich af waarom ze genaaid zijn.'

Breden knikte instemmend. 'Maar waarom Londen? Je had toch ook ons kantoor in New York kunnen nemen? Dat zou veel makkelijker zijn geweest.'

Redford hield zijn hoofd een beetje schuin en nam Dick Breden onderzoekend op.

'Wat wil je nou eigenlijk weten? Ik kan je niet volgen.'

Breden trok zijn schouders op. 'Ik ben nieuwsgierig. Ik wil graag weten waarom mensen iets doen.'

'Jezus, dat moet je aan mijn psychiater vragen.' Redford ging naar de deur. 'Jullie horen nog van me.'

'Wat bezielt je in vredesnaam?' vroeg Zamaroh bars aan Breden zodra de deur was dichtgegaan. 'Je zat hem uit te horen alsof hij een misdadiger is.'

'Dat is mijn werk.'

'Je was wel wat erg opdringerig,' zei Savage. 'Net een tamelijk elegante terriër die met een bot speelt.'

'Er is iets niet in de haak,' antwoordde Breden. 'Ik weet niet wat, alleen dat het iets belangrijks is.'

'Zoals?' vroeg Zamaroh op verachtelijke toon. 'Over een paar uur zit hij weer in New York. Een popster is eraan gewend in een vliegtuig te stappen. Wees toch niet altijd zo'n provinciaal.'

Breden keek Zamaroh aan alsof ze een proefdier in een laboratorium was. Sarah keek toe zonder iets te zeggen en verschool zich achter haar stilte. Breden draaide zijn hoofd om en rukte de sluier weg.

'Wat vind jij ervan?'

'Hij is een popster,' antwoordde ze. 'En ik zou zo zeggen dat ze zich aan andere regels houden dan andere mensen. Daar moeten we rekening mee houden voordat we iets als afwijkend gedrag beoordelen.'

Breden keek haar een tijdje aan terwijl hij over haar antwoord nadacht. Ten slotte bromde hij peinzend en wendde zijn hoofd af.

'Ik geloof dat het behoorlijk goed is gegaan,' zei Savage, die andere dingen aan zijn hoofd had. 'Jullie niet?' vroeg hij aan het gezelschap. 'Jij hebt mooi werk geleverd, Sarah. Ik denk dat de zaak wel eens kon zijn beklonken.'

'Heb je kopieën van de presentatie?' vroeg Zamaroh.

Sarah maakte haar koffertje open en deelde drie exemplaren uit. Zamaroh begon meteen te lezen. 'Het klonk wel goed, maar ik wil het zeker weten.'

Lieve god, dacht Sarah, een compliment van Savage en zelfs van Zamaroh min of meer goedkeuring. Ze had beslist goed werk geleverd.

'Ik vind dat we op de volgende stap voorbereid moeten zijn,' zei Savage.

'Hoe?' vroeg Zamaroh. 'Het is nu zijn beurt.'

'Laten we even aannemen dat wij de opdracht krijgen,' antwoordde Savage. 'Voordat we ons laten meeslepen moeten we nagaan of er geen redenen zijn om John Redford niet aan onze illustere lijst van cliënten toe te voegen. Ik weet dat er een paar echte hufters op de lijst staan, maar dat zijn dan discrete of algemeen gerespecteerde hufters, of ze zijn zo ongelooflijk saai dat geen journalist iets van ze wil weten. Redford is nota bene een popmuzikant, dus die wordt geacht zich te misdragen. Ik moet weten hoe erg hij precies is. Is hij voor ons nog aanvaardbaar of ligt straks heel onze goede naam en faam in de goot? Dick, jij gelooft dat er iets aan de hand is. Zoek het uit.'

O, jezus, nu ging de beste privédetective van Londen op jacht naar spoken uit Redfords verleden. Sarah zat nog van de schok bij te komen toen Savage zich tot haar richtte. 'Jij kunt Dick daar wel bij helpen.'

'Wat zei je?' Ze deed wanhopig haar best om niet te begrijpen wat Savage van haar verlangde.

'Dat is toch niets bijzonders? Goede god, mens, je kijkt alsof ik je net heb gevraagd over gloeiende kolen te lopen.'

Sarah staarde hem alleen maar verbijsterd aan en probeerde zich te beheersen.

'Het is een onderdeel van de volgende stap. Ik wil geen nee horen als je nog prijs op deze opdracht stelt... en op je meer dan behoorlijke vergoeding, als ik daarop mag wijzen. En waag het niet om opslag te vragen. Je krijgt er geen cent bij, begrepen? Maak het niet te gek.' Hij richtte zich tot Breden en Sarah kon alleen maar in machteloze woede toekijken. Het huilen stond haar nader dan het lachen.

'Jij doet het ruwe werk,' zei Savage tegen Breden. 'Achtergrond, waar en hoe hij is opgegroeid, wat hij sindsdien heeft gedaan, met wie, financiële regelingen, schandalen, liefhebberijen, huizen, noem maar op.' Hij keek weer naar Sarah. 'Je krijgt een week uitstel. Als ik over een week tevreden ben met de voorlopige resultaten kunnen we de zaak voortzetten en dan begint jouw aandeel. Je stort je op zijn zielenleven, je zoekt uit wat hem beweegt, waar hij van houdt en wat hij haat, waar hij niet zonder kan, waar hij desnoods een moord voor zou plegen. Je schudt net zolang aan de boom tot er iets naar beneden valt en je kunt zien wat het is.'

'En hoe krijg ik dat voor elkaar?' stamelde Sarah.

'Je vindt wel een manier.'

21

Sarah bracht een heerlijk maar ook melancholiek weekend door met Georgie, Jacob en Alex. Haar broer zou die zondag naar Peru vliegen en, als alles goed ging, meer dan twee maanden wegblijven, en ze probeerden zijn laatste dag in Londen allemaal zo aangenaam mogelijk te maken. Ze gingen met de baby in de herfstzon wandelen en legden hem op het gras in het plantsoen van Carlyle Square, waar Sarah probeerde te lezen zonder dat Georgie haar papieren aan stukken scheurde. Eva Cunningham kwam zaterdag tussen de middag bij hen eten en bracht een hele lading lekkernijen mee. Afhaalsushi voor de volwassenen en voor Georgie de laatste snufjes van Baby Gap. Eva was blij dat ze met Georgie kon spelen, met een verlangende glimlach op haar gezicht, terwijl ze met Sarah roddelde. Op zondag controleerde Alex voor het laatst zijn bagage voordat hij emotioneel afscheid nam van zijn zuster, neef en oom.

Sarah nam zijn gezicht tussen haar handen en kuste hem op zijn voorhoofd.

'Het beste, Al, en pas goed op jezelf. Beloof je dat?'

Hij volgde haar voorbeeld.

'Ik beloof het, je hoeft over mij niet in te zitten.' Zijn ogen kregen een intense uitdrukking. 'En jij moet ook op jezelf passen, in ieder opzicht.'

Ze begreep maar al te goed wat hij bedoelde en glimlachte geruststellend, hoewel ze er zelf niet helemaal gerust op was. 'Dat zal ik doen. Maak je over mij geen zorgen.'

Sarah hield Georgie dicht tegen zich aan terwijl hij zijn oom met een verbaasde frons op zijn gezichtje gedag zwaaide. Met een mengeling van verdriet en trots keek ze de taxi na. Alex was begonnen aan een avontuur waarvan ze allemaal hadden betwijfeld of hij er ooit nog toe in staat zou zijn. Sarah had nog steeds de nodige bedenkingen, maar Alex had zijn uiterste best gedaan om te herstellen, en hoewel het onwaarschijnlijk was dat hij weer helemaal de oude zou worden was hij nog altijd sterker en gezonder dan de meeste andere mensen. Dat moest voldoende zijn voor een trektocht waarop niet al te veel geklommen hoefde te worden. Op Heathrow zou hij worden opgewacht door Eddie, een oude reisgenoot en tegelijk een oude vlam van Sarah. Eddies aanwezigheid was een grote geruststelling voor Sarah.

Na de geboorte van Georgie kon ze Alex niet meer als een plaatsvervangende zoon beschouwen en was de verhouding tussen broer en zus veranderd. Alex had haar altijd al in bescherming genomen, maar nu leek hij zich nog sterker van zijn verantwoordelijkheid bewust te zijn en dat was van invloed op de risico's die hij bereid was te nemen. Daar kwam bij dat hij niet meer helemaal aan de grond zat. Hij had langzaam maar zeker wat geld verdiend met het schrijven van artikelen en het interviewen van bekende bergbeklimmers, en ondanks Sarahs protesten was hij begonnen met het aflossen van de negenhonderdduizend dollar die zijn niet door de verzekering gedekte behandeling in de kliniek had gekost.

Nu hij weg was kon ze niemand meer in vertrouwen nemen over Redford. Ze zou haar geheimen nog meer moeten opkroppen dan normaal. Met een beetje geluk zou de hele affaire met Redford achter de rug zijn tegen de tijd dat Alex thuiskwam.

Ze deed haar best om Redford uit haar gedachten te verbannen. Die zondagavond, nadat Georgie naar bed was gebracht, ging Jacob naar Golders Green om er even tussenuit te zijn. Sarah warmde het gehaktbrood op dat hij voor haar had meegebracht en probeerde daarna vergetelheid in de slaap te vinden. Georgie sliep de laatste tijd beter. Hij was vrijdag maar één keer wakker geworden en zaterdag en zondag helemaal niet, zodat ze overgeleverd was aan de dromen en angsten die haar in het donker altijd leken te overvallen.

Jacob keerde maandagochtend als babysitter terug op zijn post en Sarah ging naar kantoor om haar speurtocht naar het lek voort te zetten. Als ze de schuldige inderdaad vond zou ze de vijftigduizend pond premie kunnen opstrijken en Redford verder laten zitten. Terwijl ze daarover aan het dagdromen was liep ze op het toilet P.J. weer tegen het lijf, ditmaal bij toeval. Toen Sarah binnenkwam stond P.J. voor de spiegel mascara op te brengen. Ze keek haar aan.

'Hallo,' zei Sarah luchtig. 'Hoe is het?'

P.J. bestudeerde haar even voordat ze antwoord gaf.

'Als je het weten wilt, klote,' zei ze verrassend openhartig. 'Mijn vriend heeft me een paar weken geleden de bons gegeven.'

'O,' zei Sarah. 'Dat is inderdaad klote.'

'Misschien ken je hem wel,' zei P.J., die zich van de spiegel afwendde en Sarah aankeek.

'Hoe heet hij?' vroeg Sarah, alsof ze dat niet wist.

'Giovanni di Castiglio.' Er klonken verachting en verlangen in de stem van P.J.

Sarah schudde haar hoofd. 'Waar zou ik hem van moeten kennen?'

'Jij woont toch aan Carlyle Square, of niet?'

'Ja, dat is zo.' God, wat deden verhalen hier snel de ronde.

'Hij ook. Op nummer achttien.'

'Dat is aan de andere kant van het plein,' antwoordde Sarah. 'Gek dat je zo dicht bij iemand in de buurt woont zonder het te beseffen. En zonder te weten waar ze mee bezig zijn.'

'Behalve als je je ogen openhoudt,' antwoordde P.J. met een flauwe glimlach.

Sarah hield haar hoofd schuin. 'Wat bedoel je daarmee?'

'Ik woon toevallig in dezelfde straat als onze verheven directeur.'

'Je meent het,' zei Sarah belangstellend. 'En?'

'Ik wil alleen maar zeggen dat mevrouw Savage een erg smakelijke thee serveert. Vooral op woensdagmiddag.'

Sarah moest een ogenblik nadenken voordat ze een veronderstelling durfde te wagen. 'Je bedoelt dat ze bezoek krijgt?'

P.J. grinnikte. 'Jij zegt het, ik niet.' Ze liet de mascara in haar tas vallen en knipte de sluiting dicht.

'Als ik het vragen mag,' zei Sarah peinzend, 'hoe weet jij dat eigenlijk?'

P.J. keek haar neerbuigend aan. 'Heb jij nooit eens een dagje vrij genomen?'

Sarah glimlachte. 'Vaker dan ik me kan herinneren.'

De dag ging voorbij en de opmerkingen van P.J. vervaagden. Sarah deed extra haar best om het lek op te sporen, maar ze boekte geen resultaat. Het werd dinsdag en woensdag en noch zij, noch de camera's slaagden erin de verrader te betrappen. Savage en Zamaroh werden steeds zenuwachtiger en prikkelbaarder. Allebei waren ze op hun manier een dictator en ze reageerden zich af op de mensen in hun omgeving. Op donderdag besloot Sarah thuis te blijven bij gebrek aan inspiratie en ziek van de sfeer op kantoor. De zon scheen, het plantsoen lonkte en ze voelde veel voor een ontspannen dag met Georgie op het gras.

Ze schakelde haar telefoon door naar haar mobiel in de hoop dat er niet gebeld zou worden. Het ding zweeg tot kort voor de middag. Ze greep het toestel voordat Georgie, die op een deken onder een oude eik lag te slapen, wakker kon worden en ging een eindje bij hem vandaan.

'Ja?'

'Sarah? Met James. Groot nieuws. Redford heeft getekend.'

'Dat is fantastisch,' antwoordde Sarah met de meest tegenstrijdige gevoelens. 'Je hebt precies gekregen wat je wilde, de grootste beursgang van een popster tot nu toe. We zijn het lek te snel af geweest.'

'Dat hoop ik. Hij is net een schaduw, ik denk steeds dat ik hem overal zie en Zamaroh ook. Ik hoop dat we nu geen last meer van hem hebben.'

'Is er op Bredens camera's iets te zien geweest?'

'Niets.'

'Misschien is het hem gaan vervelen en valt hij nu iemand anders lastig,' suggereerde Sarah zonder dat ze het zelf geloofde. 'Is het een goed contract met Redford?'

'Heel behoorlijk. Veertien bladzijden vol met juridisch jargon, maar het komt erop neer dat Goldsteins zich sterk maakt voor een uitgifte van obligaties met als onderpand Redfords albums. Van zijn kant verklaart hij dat er geen persoonlijke of zakelijke belemmeringen zijn die de uitvoering van de transactie in gevaar zou kunnen brengen,' reciteerde Savage.

'Is dat zo?'

'Denk je dan dat hij iets te verbergen heeft?'

'Wie niet?'

'Je weet wat ik bedoel.'

'Hij is een artiest, dus hij zal ook wel goed toneel kunnen spelen.'

'We spelen verdomme allemaal toneel. Wil je de opdracht nog hebben?'

Sarah zei niets. Ze voelde zich nog steeds niet opgewassen tegen de taak die Savage voor haar in gedachten had.

'Ik weet dat je bedenkingen hebt,' ging Savage verder. 'Wil je me misschien vertellen waarom?'

O jezus. 'Mijn probleem is dat het doorgestoken kaart is en dat het bijna zeker zal mislukken. De ergste schandalen worden altijd het diepst begraven.'

'Zoals.'

'God, ik weet het niet. Redford moet heel goed zijn in het bewaren van zijn privacy. Bijna twintig jaar aan de top en hij zal in die tijd wel zo vaak zijn lastiggevallen dat hij een expert is geworden in het beschermen van zijn geheimen. Het hoeft voor hem helemaal niet iets sinisters te zijn. Het is gewoon een manier van leven, denk ik.'

'Misschien, maar ik betwijfel sterk of er echt duistere geheimen te vinden zijn.'

'Heeft Breden niets gevonden?'

'Tot nu toe is alles in orde.'

'Dus jij vindt dat hij koosjer is?'

'Voldoende om een intentieverklaring en een voorlopige overeenkomst te tekenen. Als we nog iets tegenkomen wat ons niet bevalt, maakt dat de overeenkomst nietig en blazen we de zaak af. Dat zou pijnlijk maar niet desastreus zijn. Het zou pas echt een ramp zijn als we iets over het hoofd zien en er tijdens de emissie of de looptijd van de lening achter komen. Vooral als we zelf alle obligaties in handen willen houden.'

'Ben je dat van plan?'

'Dat hangt gedeeltelijk af van wat jij te weten komt.'

'Daar maak ik me zorgen over, James. Er hangt te veel van af. Popmuziek is niet direct mijn specialisatie.'

'Mensenkennis is jouw specialisatie.'

'Ik weet het niet, James. Het is zo'n linke boel. Je kunt er heel makkelijk naast zitten en dan heb ik het gedaan.'

'Kom nou, Sarah. Het zou een geweldige zaak kunnen zijn, een primeur voor Goldsteins en voor jou. Je zegt toch altijd dat je een interessante klus wilt hebben, iets spannends?'

'Dit is eerder kinky dan spannend. Iemand kan er lelijk zijn vingers aan branden en dat zal ik dan wel zijn.'

'Daar heb je je in het verleden nooit iets van aangetrokken. Als

ik me niet vergis kon het jou nooit gewaagd genoeg zijn.'
'Misschien heb ik niet meer zo'n zin in avonturen.'
Savage lachte. 'Dat geloof ik als ik het zie.'
'Ik wil deze klus niet, James, kun je dat niet gewoon accepteren?
Dick kan het best alleen af. Je hebt mij niet echt nodig.'
'Dick beschikt niet over dezelfde contacten als jij.'
'Ik snap niet hoe je dat kunt zeggen. En trouwens, daar vindt hij
wel iets op. Zoals altijd.'
'Maar ik heb een betere binnenkomer voor je.'
'Wat bedoel je?' vroeg Sarah. Ze voelde haar achterdocht sterker
worden. Savage zweeg even. De spanning was bijna tastbaar.
'Je gaat twee weken met hem op tournee.'
'Ik ga wát?'
'Voor de ondertekening heb ik hem en zijn manager gezegd dat
het je heel wat uren gaat kosten om al zijn contracten uit te plui-
zen om er zeker van te zijn dat er geen andere rechthebbenden
zijn, geen overeenkomsten met derden die zijn eigen inkomsten
kunnen aantasten, noem maar op. Dat had je in je presentatie al
aardig slim naar voren gebracht. Ze hebben er geen bezwaar tegen, alleen zitten ze midden in een wereldtournee en daarom hebben ze weinig tijd. Ik heb het aan hen overgelaten en gezegd dat
ze dan maar tijd moeten maken. Cawdor belde me terug en zei
dat je voor twee weken bent uitgenodigd.'
Sarah wist niets te zeggen.
'New York, Londen, Parijs en Venetië met een van de meest sexy
mannen op aarde, als je de verhalen mag geloven, plus vijfduizend pond per dag. Wat wil je nog meer?'

22

Een uur later arriveerden Sarah en Georgie in Golders Green. Sarah droeg de slaperige Georgie van de auto naar de krakende
poort waarvan Jacob de scharnieren met opzet nooit smeerde om
inbrekers af te schrikken. De tuin geurde naar kamperfoelie en
jasmijn. Jacob stond hen bij de deur op te wachten.
Sarah keek liefdevol naar het gezicht van de man die als een vader voor haar en haar broer was geweest. Nadat de ouders van

Sarah en Alex bij een verkeersongeval in New Orleans waren omgekomen, waren de verweesde kinderen door hun tante Isla mee naar Londen genomen. Hun tante woonde hier in Rotherwick Road in het noorden van de stad en Jacob was de buurman. Isla doceerde scheikunde aan de universiteit van Londen. Ze was een zachtaardige vrouw, maar te rationeel en te zeer op haar werk gericht om de kinderen de aandacht te geven die ze nodig hadden. Jacob had altijd een warme maaltijd klaar en zachte handen om hun opengehaalde knieën en gebroken harten te verzorgen. Zijn vrouw was een jaar eerder overleden en de komst van Sarah en Alex naar Rotherwick Road gaf hem een nieuw doel in zijn leven. De harten van de kinderen werden nooit helemaal geheeld (zo'n verlies overwon je nooit helemaal, je leerde er alleen mee te leven), maar ze hadden weer iemand om wie ze konden geven. Jacob was hun liefde, hun vriend, hun mentor, hun zekerheid. Samen met Alex bladerde hij in atlassen, hij las verhalen voor over de beroemde bergtochten en bracht de jongen een liefde voor avontuur bij die hij nooit meer zou kwijtraken. Jacob had Sarah geholpen haar anarchistische neiging te ontwikkelen, haar onconventionele moraal. Jacob was een inbreker op leeftijd, iemand die dertig jaar lang kluizen had gekraakt. Sarah had hem ertoe gebracht ermee op te houden voordat hij betrapt kon worden. Ze had hem ook net zolang aan zijn hoofd gezeurd tot hij iets van zijn ervaring op haar had overgedragen en hoewel ze weinig ervaring had zou een eenvoudige kluis waarschijnlijk geen probleem voor haar betekenen.

Sarah keek naar het verweerde gezicht van Jacob en dacht aan de mensen van wie ze had gehouden en die haar op een gewelddadige manier waren ontrukt. Haar ouders, haar beste vriendin, haar minnaar. Jacob was haar redding geweest. Ze kon zich geen leven zonder hem voorstellen. Isla was na verloop van tijd naar de Verenigde Staten verhuisd en Sarah had zich vlot aan de nieuwe situatie aangepast, maar ze moest er niet aan denken dat ze het ooit zonder Jacob zou moeten stellen. Hij was achtenzeventig, nog steeds opgewekt en jong van uiterlijk, maar elk teken van veroudering bezorgde haar een steek van verdriet. Ze streelde zijn achterhoofd en gaf hem een zoen op zijn wang.

'Hallo, meisje!' Hij deed een stap naar achteren en bestudeerde haar gezicht alsof haar opvallende tederheid hem wantrouwig maakte. Daarna richtte hij zich tot Georgie, die al gauw helemaal wakker werd toen hij Jacob en de nieuwe omgeving herkende.

'Dag, schoonheid van me.' Hij drukte een zoen op Georgies voorhoofd. De baby kronkelde en lachte onder de aanraking van zijn zachte oogwimpers.

'Kom binnen. Ik weet niet hoe het met jou is, maar ik ben uitgehongerd.'

Hij ging Sarah en Georgie voor naar binnen en Sarah voelde opnieuw de zegenrijke sfeer die ze in haar jeugd had gekend. De kat Ruby wreef tegen haar enkels en begon te spinnen toen Sarah zich bukte om het dier te aaien. Op de keukentafel stonden rozen in een eenvoudige vaas, in de oven lag een kip knapperig en goudkleurig te braden en op het buffet stond een fles rode wijn. Jacob haalde twee enorme glazen te voorschijn.

'Wil je ook?'

'Nou en of.'

Jacob had haar wijn en eten leren waarderen. Ze voelde hoe hij naar haar keek. Ze zette Georgie neer op een vloermat, gaf hem wat speelgoed en ging zelf aan de tafel zitten.

'Waar moet je naartoe?' vroeg Jacob terwijl hij haar een van de glazen gaf.

Sarah nam een slok wijn. 'Is het zo duidelijk?'

'Je belt op om te zeggen dat je langskomt. Je staat te trillen van opwinding en verwachting, maar je doet net of er niets aan de hand is. Ik kan je koffers bij wijze van spreken al klaar zien staan, dus zeg het nou maar. Ga je op reis met een nieuwe vriend?'

'Niet met een nieuwe vriend,' zei Sarah. Ze nam een flinke slok wijn. 'En ook niet met een oude vriend. Ik ga met die rockster naar New York.'

'Wat, met die Redfern?' Jacob ging tegenover haar zitten en leunde over de tafel heen.

'Redford.'

'Heb ik die naam al eens eerder gehoord? Wie is hij in 's hemelsnaam en wat moet hij van je?'

'Hij is een cliënt, Jacob.'

'Dat weet ik ook wel.'

'Hij schrijft en speelt popmuziek en ballades. Het is prachtige muziek, wild en indringend. Er zijn over de hele wereld miljoenen platen van hem verkocht en hij heeft een contract met Goldsteins getekend.'

'En wat heb jij dan met hem te schaften?'

'Ik moet hem natrekken, kijken of er nergens vuile was te vinden is. Als alles in orde is gaat Goldsteins met hem in zee, anders trekken ze zich terug.'

'Dan zul je wel populair worden, denk ik. Hij is een rockster, meisje. Dat zijn allemaal halvegaren.'

'Laten we hopen van niet. Savage belde een uur geleden om te vragen of ik twee weken met Redford op tournee wil.'

Jacob ging staan om voor het eten te zorgen. Hij haalde kip en gebraden aardappelen uit de oven. Hij zei niets tot ze allebei een dampend bord voor zich hadden.

'En George dan?'

Sarah trok een gezicht. 'Ik weet het niet. Ik wil graag naar Amerika, maar ik moet er niet aan denken hem achter te laten. Ik voel me helemaal verscheurd, ik weet niet wat ik moet doen.'

'Wat heb je tegen Savage gezegd?'

'Dat ik het hem zou laten weten.'

'Twee weken is lang.'

'Dat weet ik. Zelfs al zou ik een paar keer terug kunnen komen, het blijft afschuwelijk.'

'Waarom wil je het dan toch?'

O god. *Omdat ze in haar hart nog steeds van John Redford hield na die eerste hartstochtelijke nacht in de wildernis, des te meer omdat hij zonder het te weten de vader van haar geliefde kind was, omdat ze naar hem verlangde, omdat ze het gevoel had dat ze het vreemde pad moest volgen dat het lot voor haar had uitgestippeld.*

'Omdat ik het gevoel heb dat het moet, Jacob.'

De oude man keek haar lang en onderzoekend aan.

'Ik weet dat ik je niet kan vertellen wat je moet doen of laten. Dat heeft nooit iemand gekund, zelfs niet toen je nog een klein meisje was, dus ik zal niet zeggen dat je niet moet gaan. Maar pas alsjeblieft goed op jezelf, al was het alleen maar voor mij en je zoontje. In New York met een vreemde man.' Jacob staarde bezorgd in de verte.

Sarah kreeg een weemakend gevoel van opwinding en verslagenheid. Ze had het aan Jacob overgelaten en hij had de beslissing voor haar genomen. Ze zou haar baby twee weken in de steek laten om met een man mee te gaan. *Om te werken*, zei ze tegen zichzelf, *om geld te verdienen*. De vrouw en de moeder in haar streden om de voorrang.

'Ik zal voorzichtig zijn,' zei Sarah. 'Maak je maar geen zorgen. Zijn manager is er ook bij, net als zijn hele entourage. Er zal ongetwijfeld altijd iemand in de buurt zijn.'

'Wat is hij voor iemand?'

Dit was een kwelling. Ze wilde niet telkens draaien en liegen tegen de enige man, afgezien van haar zoontje en haar broer, die er recht op had de waarheid te kennen.

'Hij lijkt me aardig, gevoelig, bedachtzaam, intelligent, bijna ingetogen.'

Stille wateren, diepe gronden, zou je moeder zeggen, dacht Jacob, maar hij slikte de woorden in.

'Pas goed op jezelf, meisje. Ik zorg wel voor je zoon.' Hij zweeg een ogenblik en keek naar zijn bord alsof hij ineens geen trek meer had.

'Wanneer moet je weg?'

Sarah schoof haar volle bord van zich af. 'Morgen.'

23

De volgende ochtend gaf Sarah haar zoontje voor de laatste keer de borst. Alleen het idee maakte haar al helemaal van streek. Het was een afsluiting, een initiatierite op een weg die haar van haar kind zou scheiden. Ze was bang dat hij nooit meer op dezelfde manier haar baby zou zijn. Borstvoeding was iets wat niemand anders hem kon geven, het was een unieke band en die raakte ze nu kwijt. Nadat hij had gedronken nam ze hem mee naar beneden en gaf hem aan Jacob. Ze ging naar haar eigen kamer, liet zich op het bed vallen en huilde vijf minuten lang. De tranen hielden langzaam maar zeker op en ze begon haar koffer te pakken, lusteloos rondlopend als een robot. Ze zette de cd-speler aan en draaide het volume hoog. De stem van John Redford vulde de kamer en verdrong al het andere, alsof ze alleen met hem was. Hij bespeelde emoties net zo bedreven als zijn gitaar, maar hij kon nog beter overweg met verdriet dan met vreugde. Waar kwam al die pijn vandaan? Hij zong een ballade, een treurig lied over een verdwenen liefde:

'Run away, run away, run away, run away.
Words can't hold you, touch can't hold you,
Eyes can't hold you, love can't hold you.
You're a prisoner of my heart,
Run away, run away, run away, run away.

Go now before you kill me,
Kill me with your words,
Kill me with your touch,
Kill me with your eyes,
Kill me with no love,
Run away, run away, run away, run away.

Stop pretending, sweet love, stop pretending,
I can see your love's gone,
Your touch is cold, your eyes are absent,
You're somewhere else, with someone else,
And I'm dying without you,
Run away, run away, run away, run away.'

Ze deed de muziek uit en ging terug naar beneden. Ze nam haar zoon in haar armen, drukte een zoen op zijn hoofdje en hield hem dicht tegen zich aan.
'Ik moet een tijdje weg, lieverd, maar ik kom weer terug. Ik zal de hele tijd aan je denken, ik zal altijd bij je zijn, ik zal...' Ze zweeg toen de tranen haar dreigden te overstelpen. Ze wilde niet huilen waar hij bij was, ze wilde hem niet laten schrikken. Met moeite wist ze zich te beheersen en daarna hield ze haar kind een eindje van zich af om hem te kunnen aankijken. 'Ik hou van je, lieverd. Mamma houdt van je.'
Jacob stond naar haar te kijken en de tranen liepen over zijn wangen. Hij veegde ze weg in de hoop dat Sarah ze niet had gezien

en nam het kind van haar over. Buiten klonk het geluid van een dichtslaand portier, gevolgd door voetstappen op de trap en de bel van de intercom. Jacob drukte op de knop.

'Ze komt er zo aan.' Hij draaide zich om naar Sarah. 'De taxi is er.'

Ze gaf Georgie een laatste zoen en ging op weg naar de deur. Ze schrok toen de telefoon ging. Ze pakte haar mobiel van de gangtafel.

'Ja?'

'Sarah, met James. Ik heb net een gespecialiseerde jurist van Theodore Goddard gesproken,' zei hij op gewichtige toon. 'Volgens hem moet je op vrouwen uit zijn verleden letten. Die zouden wel eens Redfords ondergang kunnen betekenen. Moeders met hun liefdesbaby's die beweren dat hij de vader is en alimentatie willen hebben, of die zeggen dat zijn teksten eigenlijk van hen zijn en dat hij de rechten niet heeft. Sarah? Ben je daar nog? Sarah? Sarah?'

24

Sarah bekeek het muziekaanbod terwijl het vliegtuig haar over de Atlantische Oceaan voerde. Het duurde niet lang voordat ze John Redford had gevonden. Het was een cover van Van Morrison, 'Queen of the Slipstream'. Ze hoorde hem door de koptelefoon alsof hij in haar oor fluisterde. Ze viel in slaap en droomde van een fontein van leugens, leugens die van het gezicht van een kind afstraalden.

Het toestel landde om twaalf uur op JFK. Ze liet zich met de drukte meevoeren langs de immigratiedienst, de douane en de lopende band met de bagage naar de uitgang, waar taxi's af en aan reden. Het was fris en ze trok haar jas strakker om zich heen terwijl ze stond te wachten en steelse blikken op de andere reizigers wierp. Ze moest haar ogen half dichtknijpen tegen het felle licht van de zon. Het leek wel of het altijd zonnig was in New York. Elke keer was ze door een stralende zon begroet, of ze nu in de zomer of in de winter was gearriveerd. Aan de hemel was ook de vage schaduw van de kleine maansikkel te zien die het einde van de dag afwachtte.

Sarah kwam aan de beurt. Ze stopte haar bagage in de kofferbak en ging op de gebarsten plastic stoelbekleding zitten. Voor het eerst hier in de stad gaf ze gehoor aan Eartha Kitts oproep om braaf te zijn en maakte ze haar gordel vast. Ze glimlachte wrang. Georgie was zelfs nu nog bij haar en trok zonder het te weten aan de touwtjes. De taxi schoot weg alsof het de spaceshuttle was en bracht haar naar Manhattan.

Het Grand Hotel in Soho zag er eigenaardig uit, heel modern met zijn rode steen, bijna een fantasieloos flatgebouw in Marylebone. Die indruk verdween onmiddellijk toen Sarah de foyer op de begane grond binnenkwam. Die deed haar denken aan het ondergrondse verblijf van Batman met zijn trap van steen, metaal en glas, geflankeerd door twee bronzen honden die zowel dreigend als geruststellend waren, afhankelijk van de vraag aan wiens kant ze stonden. Ze ging de trap op naar de receptie en keek om zich heen terwijl ze bij de balie wachtte. De andere gasten waren voor het merendeel net zo hip als het hotel. De meesten waren informeel gekleed, zoals je in Soho kon verwachten. Beige tricot voerde de hoofdtoon, bij de mannen strak over het gespierde lichaam getrokken, bij de vrouwen bedrukt met fijne motieven. In de lounge aan de rechterkant stonden comfortabele sofa's met een ouderwetse leren poef ervoor. Weelderige palmbomen met stompe bladeren wierpen schaduwen die aan het Verre Oosten deden denken. Het was erg modieus, maar het resultaat was even verleidelijk als grandioos. Sarah had een gevoel alsof ze in de grote tijd van de jazz was beland.

De receptionist rechtte zijn rug toen Sarah haar naam noemde en haar paspoort overhandigde om zich te laten inschrijven. Er ontstond een stille bedrijvigheid en ze werd onmiddellijk naar haar kamer geëscorteerd. Haar begeleidster, die volgens haar naamplaatje Deborah heette, drukte op het bovenste liftknopje en scheen een reactie van Sarah te verwachten. De lift vloog naar boven en ze stapten uit in een koffiebruin ingerichte gang. Sarah liep achter Deborah aan naar een metalen deur die een kunstmatig ouderwets aanzien had gekregen. Deborah deed de deur met een buiging open. Sarah stapte over de drempel haar kamer in, of beter gezegd haar penthouse.

'Ik wens u een aangenaam verblijf,' zei Deborah. 'Laat het gerust weten als we iets voor u kunnen doen.'

Sarah knikte, ze vroeg zich af wat een mens hier niet allemaal zou kunnen doen. Ze legde haar handtas neer en liep verrukt door de uitgestrekte en lichte kamer naar een balkondeur die uitkwam op het grootste dakterras dat ze ooit had gezien. Ze ging naar buiten, rillend in de kille herfstwind. Manhattan strekte zich voor haar uit, met recht vooruit het centrum en aan de rechterkant de East River. Ze kon bijna driehonderd zestig graden in het rond kijken. Een houten ligstoel stond tussen een verzameling dwergsparren en sierkool. Als het warmer werd zou ze hier in haar blootje kunnen zonnebaden, slechts bespied door overvliegende helikopters.

Terwijl Sarah naar het drukke verkeer in Canal Street keek, voelde ze zich verwend, bevoorrecht. Dit was zeker een meer dan behoorlijke compensatie. Ze ging weer naar binnen. De slaapkamer was heel comfortabel en knus, met een dof oranje deken op het bed, chocoladebruine muren en een eveneens zonovergoten uitzicht. De tafzijden gordijnen voelden even fijn aan als de eerste baljurk van een jong meisje. In een kom met water dreef een gouden zonnebloem, aan de wanden hingen zwartwitfoto's. Ze zou het hier fantastisch naar haar zin kunnen hebben als ze niet zou moeten werken. Die gedachte bracht haar met een schok terug tot de werkelijkheid. Geen gratis lunch, zei ze streng tegen zichzelf voordat ze naar de telefoon ging waarvan het lampje al een tijd had geknipperd.

Er waren vier berichten binnengekomen, allemaal van Strone Cawdor, met de vraag hem terug te bellen. Je kan de pot op, dacht ze grof. Ze pakte snel haar tas en jas en verliet de rust van het hotel om de sfeer van de straat te proeven. Ze hield van New York. De energie, de anonimiteit, de opwindende mogelijkheden die achter elke stille glimlach, achter elke getinte ruit verborgen lagen.

Ze was er nog niet aan toe Redford te zien. Ze wilde nog een paar uur alleen zijn met haar dromen en illusies voordat die allemaal in rook zouden opgaan. Ze begon te lopen zonder te weten waarheen en dat maakte eigenlijk ook niet uit. Ze had haar zwarte Todds aan, haar terroristenlaarzen zoals Jacob ze noemde. Ze zou uren kunnen lopen. Ze kwam op Broadway, waar de wind haar met volle kracht belaagde. God, wat ging het tekeer. Ondanks alle gemakken van het leven in de moderne stad liet de natuur zich niet temmen.

Ze bleef staan om naar het straatnaambord te kijken: Worth Street, met daaronder 'De boulevard van de sterksten'. Ze glimlachte. Ze was in de buurt van Wall Street. Waren de beurshandelaars de sterksten of was het een subtielere toespeling die haar ontging?

Ze was op tijd terug in het hotel voor een overdreven late lunch. Boven gebruikte ze haar elektronische sleutelkaart om de suite binnen te komen. Op de drempel bleef ze staan, gewaarschuwd door haar instinct. Er klopte iets niet, ze voelde dat er iemand binnen was.

Uit haar ooghoek zag ze iets bewegen.

'Dat werd tijd ook. Waar heb je verdomme gezeten?'

Strone Cawdor kwam uit de badkamer en wapperde met zijn handen om ze droog te maken. Hij liep onbeschoft voor Sarah langs en ging met zijn rug naar haar toe zitten.

'Heb je mijn bericht niet gekregen? Ik heb vier keer gebeld.' Hij stak zijn hand uit en nam een handvol pinda's uit een zilveren schaaltje. Hij liet ze een voor een in zijn mond vallen. Eindelijk draaide hij zich om en keek Sarah aan.

'Ga mijn kamer uit,' zei ze met lage stem. Ze stond volmaakt roerloos, haar gezicht zonder enige uitdrukking. Strone was voldoende onder de indruk om op te staan, maar daarna leek hij zich te herinneren wie hij was.

'Wat zei je?' siste hij.

Sarah deed een stap naar voren. 'Maak dat je wegkomt. Nu.'

Strone lachte geforceerd. 'Jouw kamer, zei je? Tweeduizend dollar per nacht en mijn handtekening staat onder de rekening, maar je noemt het toch jouw kamer?'

Sarah ging naar de telefoon op de wandtafel. Ze toetste drie cijfers in.

'Receptie? Ja, u kunt me helpen. Er is een man in mijn...'

'Hou godverdomme je bek!' schreeuwde Strone. Hij sprong over de sofa heen en liet zijn vuist op de telefoon neerkomen om de verbinding te verbreken.

'Stomme koe. Als de pers hier lucht van krijgt. Bel ze terug en zeg dat het een misverstand was. Ze kunnen hier binnen een paar seconden zijn en dan...'

'Dan kun je maar beter verdwijnen.'

Strone stak een priemende wijsvinger in haar richting voordat hij de kamer uitrende. Ze gooide de deur met een klap achter hem dicht. Ze leunde er met haar rug tegen, hijgend en trillend op haar benen. Ze zag haar koffer die nog ongeopend tegen de muur stond en overwoog hem op te pakken, weg te gaan en naar huis te vliegen. Er werd aangebeld en ze hoorde het gekraak van walkietalkies. Ze tuurde door het kijkgaatje. Mensen van de bewaking. Ze deed de deur open en twee mannen kwamen naar binnen.

'U zei dat er een indringer was, mevrouw?' vroeg een van hen met een snelle blik in het rond. De ander liep met grote passen de kamer door.

'Hij is weg,' zei Sarah. Ze had de naam van Strone kunnen noemen, maar omwille van Goldsteins deed ze dat toch maar niet.

'Wat is er gebeurd?' vroeg de bewaker terwijl zijn collega iets door de walkietalkie zei. 'Hoe zag hij eruit?'

'Het was een misverstand,' hoorde Sarah zichzelf zeggen. 'Het was een kennis van me die een grapje met me wilde uithalen.'

Ze slaagde erin de duidelijk sceptische bewakers ervan te overtuigen dat er niets aan de hand was, het slachtoffer van een stomme vergissing. Net toen ze met veel bedankjes en geruststellingen de deur sloot ging de telefoon.

'Sarah?'

Haar hart sprong op. 'Ja?'

'Met John. Het spijt me erg wat er is gebeurd. Kan ik bij je langskomen?'

25

Redford droeg een verbleekte trainingsbroek en een wit t-shirt. Zijn haar was ongewassen en hij had er alleen zijn vingers doorheen gehaald. Zweetdruppeltjes glinsterden op zijn gezicht. Sarah kon hem ruiken. Ze kon hem bijna proeven.

'Sorry voor mijn uiterlijk,' zei hij met een gebaar naar zijn kleren terwijl hij de suite inliep. 'Ik kom net uit de sportzaal.'

'Dan zul je wel de aandacht hebben getrokken.'

Hij lachte. 'Er zit een sportzaaltje in mijn suite.'

'O. Wat eenzaam.'

Redford keek haar verrast aan. 'Dat is zo,' zei hij alleen maar. 'Je gaat er voornamelijk naartoe om indruk te maken op de meiden en op de andere kerels.'

Sarah herinnerde zich elke centimeter van zijn lichaam, ze wist dat hij perfect in vorm was. Ze probeerde de herinnering van haar af te zetten.

'Sarah, het spijt me echt heel erg dat Strone hier is geweest. Hij denkt dat dit zijn kamer is omdat wij de rekening betalen en hij...'

'Nee,' zei Sarah, 'hij dacht dat ík van hem was, dat hij iedereen kan commanderen die voor Goldsteins werkt omdat jij ze in de arm hebt genomen. Ik kan je wel vertellen...' Ze zweeg even. 'Of nee, dat kan ik beter tegen die klootzak zelf zeggen.'

Redford trok zijn schouders op. 'Dat moet je zelf weten. Ga hem de huid maar vol schelden als je dat wilt.' Sarah ging langzaam zitten, haar ergste woede enigszins getemperd.

'Hij is een heethoofd,' zei Redford zachtjes, 'maar hij heeft ook een goed hart. Het probleem is dat je door onze manier van leven makkelijk de verhoudingen uit het oog kunt verliezen. Hij heeft het contact met de realiteit nodig, net als wij allemaal. We zijn nu al meer dan een jaar op tournee en dat gaat aan je vreten. Ik zeg niet dat hij niets verkeerds heeft gedaan, ik zou er alleen niet te veel drukte over willen maken.'

Hij zag Sarah naar haar koffer kijken. 'Je bent toch niet van plan weer weg te lopen?'

'Nou en of. Als het zo begint.'

'Kom op, Sarah. Geef hem alsjeblieft nog een kans.'

'Waarom zou ik?' vroeg ze, vastbesloten zich niet te laten ompraten.

'Omdat iedereen wel eens een fout maakt.'

'Nou en? Ik hoef dit toch niet te pikken? Ik wou echt dat ik hem en zijn paard in het bos met rust had gelaten.'

Redford glimlachte onwillekeurig. 'Dat weet ik. Dat denk ik zelf ook wel eens.'

'Hij heeft altijd zó'n grote mond, maar ik heb hem gezien toen hij echt bang was. Hij is net een kleine jongen.'

'Dat is nou juist zo leuk aan hem.'

'En die vuilak herkent me niet eens.'

'Hij verkeerde in een shock toen je hem naar de ranch bracht en bovendien zou hij het hele incident het liefst vergeten. Hij nam het eerste het beste vliegtuig naar New York, terug naar de veilige stad, en sindsdien heeft hij er met geen woord meer over gesproken. Dat noemen ze ontkenning. Hij wil altijd alles in de hand hebben, dus hij moet zich rot zijn geschrokken toen zijn paard op hol sloeg.'

Sarah begon te lachen. 'Net goed voor hem.'

'Wel als hij er iets van zou leren.'

'Wat vind jij van hem?'

'Hij is echt het type ruwe bolster, blanke pit. Je moet een grote mond hebben om zulk werk te kunnen doen. Er zijn zoveel mensen die van me willen profiteren dat hij het wel hard moet aanpakken. Hij moet de hele tijd de baas spelen.'

'Nou, niet over mij. Ik zie niet in waarom ik onder hem zou moeten lijden.'

'Goed, en als ik dan zeg dat dit een belangrijk project voor me is?'

'Waarom dan?' vroeg ze zacht.

'Dat weet je best.'

Ze staarden elkaar aan en hielden elkaars blikken even vast. Een kortstondig ogenblik lieten ze hun masker zakken. Het was maar al te duidelijk wat Redford wilde weten. *Waarom heb je me in de steek gelaten?* Sarah draaide zich om en ging naar het raam. Ze keek naar Canal Street en zag een langgerekte limousine langs het trottoir stoppen.

Redford ging achter haar staan. 'Wat wil je? Wat kan ik doen om het goed te maken?'

Sarah draaide zich om en keek hem aan. Haar gezicht was nog geen dertig centimeter van het zijne verwijderd. Ze liep langs hem heen en zocht haar toevlucht achter een stoel, waarvan ze de rugleuning stevig beetpakte.

'Ik regel het wel. Ik zal zorgen dat die idioot zijn sleutelkaart inlevert en ik betaal zelf voor de suite. Als hij hier nog eens durft binnen te dringen waarschuw ik niet de receptie maar meteen de pers. Dan zal ik iedereen laten weten dat hij een schijterd is die niet eens op een paard kan blijven zitten.'

Redford glimlachte. 'Goed, dat is afgesproken. Maar het is echt niet nodig dat je zelf voor je kamer betaalt. Zo'n suite kost een smak geld, zelfs ik ben niet zo wereldvreemd dat ik dat niet weet. Hoe kun je je ooit veroorloven...'

'Ik ben geen arme bankier, John, als zoiets al bestaat. Ik werk freelance voor Goldsteins, op projectbasis. Ik werk alleen omdat ik het wil, niet uit noodzaak,' loog ze. 'Ik heb vroeger genoeg verdiend om me die luxe te kunnen permitteren. Popsterren en hun managers hebben misschien een groot ego, maar van een beurshandelaar kunnen ze nog het een en ander leren. Strone kan me van nu af aan maar beter met respect behandelen, anders schop ik hem de ballen door zijn keel en loop ik regelrecht over hem heen. Ik ben niemands eigendom, begrepen? Als ik blijf doe ik het voor Goldsteins, omdat James Savage het wil en omdat het voor jou belangrijk is.'

'Dus je blijft?'

'Voorlopig.'

Sarah veegde een lok uit haar gezicht en begon heen en weer te lopen. Redford keek naar haar en wachtte af. Ze bleef bij de sofa staan met haar handen op de rugleuning en hield het meubel als een barrière tussen hen in.

'Mag ik je iets vragen?'

'Natuurlijk, vraag maar.'

'Weet Strone dat wij elkaar... gekend hebben?' Een blos kleurde haar wangen rood.

Redford schudde zijn hoofd. 'Nee, dat weet hij niet.'

'Heb je niet verteld dat je mij bent komen bedanken? Per slot van rekening logeerde hij bij jou.'

'Hij was al vertrokken voordat ik je ging opzoeken. Op de ranch hadden ze me verteld dat je in Spring Creek zat. Dat wist Strone niet eens. Iemand van de ranch, Earl, heeft me verteld wat er was gebeurd, dat kon Strone me niet eens zelf vertellen. Hij heeft tegen mij alleen gezegd dat hij de pest had aan paarden en van zijn leven niet meer in het zadel zou klimmen, daarna is hij meteen teruggegaan naar de stad. Jij kwam helemaal niet ter sprake.

Trouwens, sommige dingen zijn nu eenmaal privé.'

Sarah had behoefte aan een volledige verklaring en was blij dat hij die zo vlot had gegeven. Ze wierp een blik op zijn gezicht. Hij keek naar haar alsof hij iets verwachtte. Ze wendde zich af.

'Ik neem aan dat Goldsteins niets van onze relatie af weet?' zei hij zachtjes.

'Nee,' antwoordde Sarah. 'Dat klopt.'

'En het heeft geen zin om ze dat nu te vertellen, of wel?'

Sarah keek hem dankbaar aan. 'Nee, dat is niet nodig.'

'Goed. Ik ben blij dat we het daarover eens zijn.'

Sarah voelde zich opgelucht. Het was ontwapenend hoe Redford haar aanvoelde en haar een bevredigende uitleg kon geven zonder dat het leek alsof ze zich in de kaart had laten kijken. Ze wilde niet dat hij zo redelijk of zo toegeeflijk was.

'Ik heb behoefte aan een kop thee om mijn gedachten te verzamelen en tot mezelf te komen.'

Hij begreep de hint en stak zijn hand op. 'Ik ben al weg.'

Sarah keek hem na tot de deur dichtging. Waarom moest hij zo vervloekt meelevend zijn? Hij was nota bene een popster, hij zou een egoïstische klootzak moeten zijn. Hij moest wel erg op de emissie gebrand zijn, dacht ze uit haar humeur, om zo aardig tegen haar te zijn.

Vijf minuten later werd er aangebeld. Een piccolo overhandigde haar een sleutelkaart en een envelop. Sarah vouwde de plastic kaart dubbel en gooide hem in de prullenmand. Met een fruitmesje sneed ze de envelop open.

> Beste Sarah,
> Voel je ervoor om aan het werk te gaan? Als het je
> uitkomt verwachten we je om half zes in mijn suite.
> Strone

Niet wat je noemt een verontschuldiging, maar voor Strone was het een opmerkelijk verzoenend briefje. Sarah nam de telefoon op.

'Ja?' antwoordde de manager op vervelende toon.

'Ik ben er over twintig minuten.'

Ze legde neer en liep naar het grote raam. Ze ging op haar buik liggen en keek uit over Manhattan, met haar neus tegen het koude glas gedrukt. Ze hield van deze stad vol dromen, vol herontdekkingen, vol brute fantasie. Mensen konden in elke illusie trappen die je creëerde zolang je er zelf maar in geloofde en er met voldoende durf en verve gestalte aan gaf. Dus wie was John Redford nu werkelijk? Wie was zij?

26

Ze zaten rond een glazen tafel met stalen poten. John Redford had een douche genomen, een vaalzwarte spijkerbroek en een zwart polotrui aangetrokken. Strone Cawdor droeg jeans en een volmaakt gestreken wit overhemd dat zo te zien met de hand was gemaakt. Sarah was gekleed in mannelijke golfschoenen, een zwarte wollen broek uit haar nieuwe collectie, een hemelsblauw T-shirt met lange mouwen en een strak zwart vestje. Ze had zich getooid met haar grote robijnen ring en een waterproof Swatch-horloge. Strone keek haar aan. Sinds haar entree varieerde zijn stemming telkens van opluchting tot irritatie. Ze vroeg zich af wat Redford tegen hem had gezegd.
'Wil je iets drinken?' vroeg hij aan haar.
'Een espresso graag, met een flesje mineraalwater zonder koolzuur.'
Hij belde roomservice en gaf hun bestellingen door. Redford hield het nog steeds bij mineraalwater op kamertemperatuur en met een schijfje citroen.
'Wat on-Amerikaans,' merkte Sarah op. Ze herinnerde zich dat hij bij Goldsteins hetzelfde had besteld.
'Wat bedoel je precies?' vroeg Redford met een spottende blik in zijn ogen.
'Amerikanen nemen meestal een heleboel ijs.'
'Dat is slecht voor de spijsvertering.'
'Leef je zo gezond?'
'Jij niet? Je ziet er heel fit uit.'
'Ik probeer een middenweg te vinden,' zei Sarah. 'Ik wil niet te fanatiek worden.'

'Ben je fanatiek?' vroeg Redford belangstellend.

'Van nature wel.'

'Waarin?'

'Ik ben gek op details,' zei Sarah met een glimlach. 'Zullen we beginnen?'

Redford leunde zachtjes grinnikend achterover in zijn stoel alsof hij toegaf dat zij de eerste ronde had gewonnen.

'Hoe pakken we het aan?' vroeg Strone.

'Als een tango,' zei Sarah, 'alleen ben ik nu de man.'

'Hoe bedoel je?'

'Ik leid en jij volgt.'

Eerlijk is eerlijk, Strone gaf geen krimp.

'Zeg het dan maar.' Hij glimlachte langzaam, zijn hoofd een beetje schuin, en nam haar onderzoekend op. Maar voordat ze iets kon zeggen stak hij een hand op om haar tegen te houden.

'Dit zit me al een tijdje dwars. Ik durf te zweren dat ik je al eens eerder heb gezien.'

Sarah voelde het bloed naar haar gezicht stromen. Strone keek haar strak aan, net als Redford. Ze mocht dit niet verknoeien. Ze probeerde zich voor te stellen dat ze een ijszak tegen haar gezicht hield.

'Echt waar?' Haar stem klonk luchtig, verstrooid. 'Waar dan? Ik kan me niet herinneren dat wij elkaar vroeger al eens zijn tegengekomen.'

Hij schudde zijn hoofd. 'Dat is het hem nou net. Ik mag doodvallen als ik het nog weet.'

'Ik ben wel heel vaak naar New York gevlogen,' antwoordde Sarah vlot. 'Misschien hebben we elkaar een keer op straat gezien of zaten we naast elkaar in het vliegtuig.'

'Ja, dat zal het zijn.' Strone trok zijn schouders op alsof het niet zoveel te betekenen had, maar Sarah zag nog steeds een nieuwsgierige glans in zijn scherpe ogen.

'Zullen we dan maar beginnen?' vroeg Sarah. De twee mannen knikten.

Sarah keek naar Redford. Ze zweeg een ogenblik om zichzelf op te peppen voor de harde, onpersoonlijke rol van een bankier.

'Ik moet weten wie je bent, wie je bent geweest en wie je zult zijn, wie je platen koopt, waar en tegen welke prijs. Ik heb een specificatie nodig van al je inkomsten, verkopen en royalty's, inclusief alle kosten. Sommige cijfers heb ik gezien, maar ik heb meer details en uitleg nodig. Ik moet alles weten over al je professionele contracten, de hoogte van je diverse bankrekeningen, details van je bezittingen, huizen, auto's, aandelen, waarom je geld wilt lenen en waarom via een publieke transactie. Ik moet weten wat je de komende tien jaar denkt te gaan doen, beroepsmatig en als het relevant is ook in je persoonlijke leven. Aan de hand daarvan zal ik verschillende scenario's opstellen die alle mogelijke gebeurtenissen omvatten, zowel positieve als negatieve. Wat er mis kan gaan, wat er goed kan gaan en waarom. Ik moet weten of er iemand is die een claim zou kunnen indienen omdat ze beweren dat een of meer van jouw songs in werkelijkheid door hen zijn geschreven. Alles wat van invloed kan zijn op de positie van heel jouw organisatie.'

'Jezus.' Redford streek met zijn vingers door zijn haar.

Sarah vroeg zich af of ze niet had overdreven, of ze de financiële aspecten niet te veel met de persoonlijke had vermengd.

'Je moet maar vast wennen aan mijn bemoeizucht,' zei ze op zakelijke toon. 'Ik weet dat het onplezierig is. Ik doe dit niet voor de lol en ook niet uit nieuwsgierigheid. Ik doe het omdat de beleggers het willen en omdat Goldsteins de plicht heeft alle relevante informatie te verschaffen. Anders kunnen we worden aangeklaagd als er iets misgaat en dan loopt onze reputatie ernstige schade op. Het spijt me dat ik zo pompeus klink, maar je moet goed beseffen dat het niet persoonlijk bedoeld is.'

'Voor mij is het wel persoonlijk,' zei Redford.

'Dat weet ik en ik zal proberen zo discreet mogelijk te werk te gaan.'

'Is dit echt nodig?' vroeg Strone. 'Is er geen andere manier, eentje die minder opdringerig is?'

'Niet als je zaken wilt doen,' antwoordde Sarah. 'Elke fatsoenlijke bank zou dezelfde inlichtingen willen hebben. Een onbetrouwbare firma zou de hele emissie laten mislukken omdat de uiteindelijke kopers over deze informatie willen beschikken en alle details tegen het licht zullen houden tot ze tevreden zijn. Geloof me, er is geen andere manier.'

'Goed. Het bevalt me niet, maar het zal wel moeten,' zei Strone.

Hij keek Redford aan. 'Ja?'

'Ja.'

Daarna richtte hij zich weer tot Sarah.

'John Redford schreef zijn eerste song toen hij veertien was. Zijn oma had hem piano leren spelen, hij zong en begeleidde zichzelf.'

Sarah zag ineens een eenzaam kind voor zich dat zijn dromen in een lied onder woorden bracht.

'Aha, je wilt de nostalgie niet horen,' zei Strone, die Sarahs peinzende blik helemaal verkeerd interpreteerde. 'Laten we dan bij de cijfers blijven. John Redford heeft in de loop der jaren steeds grotere contracten met platenmaatschappijen gesloten, maar geloof het of niet, voor een artiest valt het niet mee om in dit vak geld te verdienen.' Strone pauzeerde. 'Je kijkt verbaasd, maar ik zal je vertellen wat er met al het geld gebeurt voordat er iets voor de muzikant zelf overblijft.'

Hij bukte en haalde een cd en een zakrekenmachine uit zijn koffertje. Hij tikte met de rand van de cd op de tafel. 'Cassandra Wilson. Van zulke jazz hou ik, maar laten we net doen alsof het een cd van John Redford is die in Engeland wordt verkocht.' Hij nam zijn calculator en tikte een getal in. 'We beginnen met de prijs die je in de winkel betaalt, bijvoorbeeld bij W.H. Smith. £ 14,99. Daar gaat £ 2,62 BTW vanaf, zodat je £ 12,37 betaalt,' zei hij terwijl hij nog meer berekeningen maakte. 'Daarvan gaat ongeveer dertig procent naar Smith, zeg £ 3,71. Blijft over £ 8,65. Tien procent daarvan gaat naar de componist en de tekstschrijver. In dit geval is John gelukkig allebei. Resteert £ 7,79. Over dat bedrag worden royalty's berekend. Omdat John helemaal aan de top staat krijgt hij twintig procent, oftewel £ 1,56. Dat komt dus neer op tien procent van de winkelwaarde van de cd. Maar je vergist je als je denkt dat hij dat geld in zijn zak kan steken. Laten we zeggen dat er een miljoen exemplaren van de cd worden verkocht. Het zijn er in werkelijkheid heel veel meer, maar laten we het simpel houden. Bij een totale verkoop van een miljoen exemplaren krijgt John aan royalty's bruto ongeveer anderhalf miljoen pond. Daaruit worden promotieartikelen betaald, zoals de cd's die de platenmaatschappij gratis uitdeelt om reclame te maken, maar voor het grootste deel is het gewoon diefstal ten koste van de artiest. Die post is goed voor vijftien procent, oftewel £ 234.000 pond. John heeft dan nog £ 1.326.000 over. Daarvan betaalt hij nog meer aan de platenmaatschappij, een zogenaamde *reserve* die ze achter de hand houden voor het geval ze zich hebben misrekend en hem te veel hebben betaald. Die reserve is goed voor twintig procent, £ 265.200. John houdt zelf £ 1.060.800, plus zijn copyright ter waarde van £ 860.000, totaal £ 1.920.800. Zijn agent krijgt vijf procent, £ 96.040, dus er blijft £ 1.824.760 over. Ik als zakelijk en artistiek manager krijg tien procent, dat is £ 182.476, resteert £ 1.642.284. De platenmaatschappij trekt alle opnamekosten af, zeg £ 200.000, de helft van de kosten van de videoproductie, £ 50.000, en ten slotte de kosten voor juridisch advies, accountants en dergelijke, nog eens £ 200.000. John Redford, de superstar, houdt dus £ 1.192.284 over van een bruto verkoop van £ 14.990.000.'

Sarah floot tussen haar tanden. 'Begrijp ik het goed? Er gaan een miljoen albums over de toonbank voor een totaal van bijna vijftien miljoen pond, en alles wat John overhoudt is...' Ze pakte haar eigen calculator en maakte een berekening. '£ 1.192.284, dat komt neer op maar 7,9 procent. Dat is bespottelijk.'

Strone glimlachte. 'En dan hebben we het nog niet over de belasting. Verder moet je niet vergeten dat het erg ongebruikelijk is dat een artiest zowel de muziek als de teksten schrijft. Zonder die royalty's zou Johns aandeel in de hele cd dichter in de buurt van de vijf procent liggen.'

'De berooide popster,' zei Sarah droog.

'Dat komt vaker voor dan je denkt,' zei Strone. 'Natuurlijk worden Johns platen over de hele wereld verkocht. Een miljoen pond per album geldt alleen voor Engeland. Zijn omzet is groot genoeg om veel geld binnen te halen, ook bij een gering percentage, maar ik bedoel maar.'

Sarah knikte. 'Ik neem aan dat zo'n tournee veel geld oplevert?'

'Tegenwoordig wel,' antwoordde Strone. 'Coca Cola is de sponsor en neemt alle kosten voor zijn rekening, dat is het grote verschil. Voor deze tournee staan negenenvijftig concerten van John Redford gepland en in totaal zullen er naar schatting 3,4 miljoen bezoekers komen. Bij een gemiddelde toegangsprijs van veertig pond levert dat bruto honderdzesendertig miljoen pond op. Die opbrengst wordt als volgt verdeeld.' Strone wist alle feiten en cijfers uit zijn hoofd op te noemen.

'Hoe worden al die financiële aspecten geregeld?' vroeg Sarah. 'Hebben jullie een holding met allerlei dochtermaatschappijen?'

'Ja, er zijn verschillende maatschappijen voor verschillende belastingregiems.'

'Kun je ervoor zorgen dat al die achtergrondgegevens, de bronnen van de cijfers die je net hebt genoemd, naar Goldsteins in Londen gestuurd worden?'

'Wat moeten ze daarmee?'

'Aan de hand daarvan wordt er een interne nota opgesteld over de financiële details tot nu toe en ze dienen tevens als basis voor toekomstverwachtingen.'

Strone keek haar onzeker aan.

'Is er een probleem?' vroeg Sarah.

'Er zijn meer dan veertig verschillende maatschappijen.'

'We zijn gewend aan bergen papier,' zei Sarah luchtig om zijn bezorgdheid weg te nemen. 'Als je mij een samenvatting wilt geven van wat je net over verkopen, royalty's en dergelijke hebt gezegd, dan kan ik me meer op de structuur van de emissie gaan concentreren.'

'Doe je dat dan ook?' vroeg Strone.

'Wat dacht je anders?'

'Moeilijke vragen stellen.'

'Dat doe ik ook, daar begint het mee. De structuur is de tweede fase.'

'Ik dacht dat je daar raketgeleerde voor moest zijn,' zei Strone. Sarah lachte.

'Zo heten die lui toch?' vroeg de manager.

'Zo heten ze,' antwoordde Sarah.

'Dus jij doet het?'

'Ik doe het.'

'Ik wil niet onbeleefd lijken,' zei Redford. 'Ik ben alleen maar nieuwsgierig. Hoe ben je in dit werk terechtgekomen? Wat voor opleiding heb je?'

'Ik ben in Cambridge met lof afgestudeerd in de zuivere wiskunde, daarna heb ik acht jaar in de City gewerkt. Is dat voldoende?'

'Je ziet er niet uit als een wiskundige,' zei Strone.

'Jezus,' zei Sarah, 'en ik dacht dat er in de City seksisten rondliepen. Mijn hersens werken in elk geval als die van een wiskundige en daar gaat het om.'

Redford wierp Strone een woedende blik toe.

'Wat dacht je dat ik hier kwam doen?' vroeg Sarah. 'Ik ben toch geen naïef gansje dat zich even laat inpakken? Dacht je nou echt dat ik Goldsteins een positief advies zal uitbrengen omdat ik hier een mooie suite, een vrijkaartje en een paar goede maaltijden krijg? Sorry, maar zo werkt het niet in de City en zo werkt het bij mij ook niet.' Sarah ging staan.

Redford stond ook op. 'Rustig nou maar. Vind je niet dat je een klein beetje overdrijft?'

'Heb je zo vaak met stomme groupies te maken dat je je geen vrouw met hersens meer kunt voorstellen?' vroeg Sarah koel.

Redford staarde haar boos aan. 'Dat is een dooddoener die nergens op slaat.'

'Precies,' zei Sarah. 'Misschien snap je nu wat ik bedoel? En, bevalt het?' Ze ging naar de deur. 'Ik heb vandaag wel genoeg gezeik gehoord. Zorg nou maar dat ik de cijfers krijg, de mooie persberichten en hagiografieën en andere reclamespullen, dan kunnen we morgen misschien serieus aan het werk gaan.'

Sarah ging terug naar haar suite en verwenste zichzelf. Ze liet zich op het bed zakken en drukte haar handen tegen haar gezicht. Hoe kon ze zich zo makkelijk laten gaan? Het was net of ze geen zelfbeheersing meer had, of ze naakt en weerloos was. Waar was haar pokergezicht gebleven, haar koele aanpak? Ze stond op en slofte naar de badkamer om koud water over haar gezicht te plenzen. Daarna ging ze weer op bed zitten, sloeg de deken om haar heen en belde Jacob.

'Hoe gaat het?'

'Dag, kindje. Het gaat prima. De kleine mist je en zoekt je overal, maar ik hou hem zoveel mogelijk bezig. Tot nu toe gaat het goed.'

'Ik mis hem zo erg, het doet gewoon pijn,' zei ze. 'Geef hem een zoen en een stevige knuffel van me.'

'Dat zal ik doen. Het zal je plezier doen te horen dat hij slaapt als een roos.'

'O gelukkig. Dat is een opluchting voor me.'

'Vertel nu eens hoe het daar bij jou gaat.'

'Vreselijk. Ik wil naar huis.'

'Meisje toch.'

'Ik heb net ruzie met onze cliënt gehad. Ik weet dat ik me moet inhouden, maar ik kon er gewoon niets aan doen.'

'Dat klinkt bijna alsof je ruzie met hem zocht.'

'Dat heb je goed gezien.'

'Maar je hoeft toch niet te blijven? Je weet dat je altijd weg kunt gaan.'

'Ja, in theorie.'

'In de praktijk ook. Laten we anders een muntje opgooien.'

Sarah giechelde. Jacob had meestal wel een grapje paraat om haar op te vrolijken. 'Dat meen je toch niet.'

'Ik ben nog nooit zo ernstig geweest.'

'God, het is nog waar ook.'

'Ik heb hier een muntstuk bij de hand. Wordt het kop dan blijf je en zorg je maar dat het je bevalt, anders kom je naar huis. Daar gaat hij.'

'Kan ik je wel vertrouwen?'

Jacob snoof. 'Klaar?'

'Doe maar.'

Sarah hoorde hem de hoorn neerleggen, gevolgd door het rammelende geluid van een munt op het tafelblad.

'Kop,' zei Jacob teleurgesteld. 'Je blijft.'

Er werd op de deur geklopt.

'Wacht even, Jacob.'

Ze maakte zich los uit de deken en liep op haar hoede naar de deur.

John Redford stond op de drempel.

'Stoor ik?'

Sarah draaide zich met een ruk om. 'Kom binnen,' zei ze over haar schouder. Ze ging naar de telefoon in de zitkamer en nam op.

'Sorry, Jacob, ik moet ophangen. De volgende keer gooi ik wel.'

Ze legde neer en bleef achter de sofa staan terwijl ze Redford met een kritische blik in haar ogen opnam.

'Wat moet je gooien?' vroeg hij.

'Een munt.'

'Waarom?'

'Om te bepalen of ik blijf of niet,' antwoordde ze op een uitdagend nonchalante toon.

'Hier, bedoel je?'

'Zeker.'

'Neem jij beslissingen aan de hand van een muntstuk?'

'Mijn hele leven is een spel van gooien en tossen. Ik ben een gokker. Je hoeft het niet persoonlijk op te vatten.'

'Dat doe ik verdomme wel, Sarah. Voor mij is dit geen spel.'

'Dan wordt het hoog tijd dat je verandert.'

Redford propte zijn handen in zijn zakken. Hij begon door de kamer te ijsberen en staarde naar het vloerkleed.

'Wat is er toch met je?'

Sarah trok theatraal haar wenkbrauwen op. 'Tja, waar zal ik beginnen?'

'Dus je gaat weg?'

'Als je het weten wilt, ik blijf. Ik mag je optreden morgenavond niet missen, denk ik.'

'Praat me alsjeblieft niet naar de mond, wil je?'

'Ik zou niet durven.'

Redford haalde diep adem om zijn woede in te tomen.

'Ik kwam alleen vragen of we niet opnieuw kunnen beginnen, maar dan beter. Heb je zin om vanavond samen ergens te gaan eten?'

27

Redford reed met zijn zwarte Range Rover naar Upper West Side. Sarah was te zeer in gedachten verzonken om erop te letten waar ze uitstapten. Ze gingen samen het restaurant binnen. Sarah was zenuwachtig, bang dat ze er net als eerder die dag een vertoning van zou maken. In het begin had ze geen erg in de reactie van de andere gasten. Zelfs de meest verwaten New Yorkers lieten hun stem dalen, hoofden werden omgedraaid en ogen volgden hun bewegingen als radar. Houdingen werden aangenomen, jaloerse blikken werden als raketten op Sarah geworpen. Het stel kreeg een beschut tafeltje achter in het restaurant. Ze konden naar buiten kijken, maar werden door een rijtje decoratieve katwilgen beschermd tegen al te opdringerige blikken.

'Jezus,' zei Sarah. 'Gaat het altijd zo?'

Redford knikte.

'Hoe hou je het uit?'

'Ik heb er een hekel aan, maar het hoort er nu eenmaal bij. Het is vervelender voor de mensen in mijn gezelschap.'

Sarah schudde haar hoofd. 'Als blikken konden doden zou ik er al geweest zijn. Ik geloof niet dat ik ooit zoveel jaloezie heb opgewekt.'

'Bevalt het?'

'Wat? Ben je gek, ik haat het.'

'Sommige vrouwen zijn er dol op.'

'Daar hoor ik dan niet bij. Begrijp me niet verkeerd, maar ik val niet voor afgeleide glorie.'

Redford lachte. 'Ik ben blij dat ik het weet. Ik wou alleen dat meer vrouwen er zo over dachten.' Net op dat moment liep een vrouw heupwiegend langs en legde demonstratief een visitekaartje op hun tafel. Redford sloeg er geen acht op.

Sarah pakte het kaartje en las hardop wat de vrouw erop geschreven had. 'Bel me voor de neukpartij van de eeuw. *Wat?*'

Redford verscheurde het kaartje en gooide de stukken in de asbak.

'Gebeurt dat vaak?' vroeg Sarah.

'Je zou het niet geloven.'

'Dan weet je hoe vrouwen zich in zo'n situatie voelen.'

'Een erg knappe vrouw misschien, die genoeg aanzoeken krijgt om negen levens mee te vullen.'

'Is het voor jou zo?' vroeg Sarah.

'Voor jou niet dan?'

'Niet helemaal.' Ze begon zich ongemakkelijk te voelen en frunnikte aan haar horloge.

'Voel je nu niet beledigd,' zei Redford met grote nadruk, 'maar jij bent een van de mooiste vrouwen die ik ooit heb gezien. Ik denk dat je wel tien aanzoeken per dag krijgt, al loop je alleen maar op straat.'

Sarah keek hem ongelovig aan. 'Ik ben tien kilo te zwaar. Ik slaap niet goed, ik heb altijd donkere wallen onder mijn ogen en mijn huid is net een stuk gebruikt aluminiumfolie.'

Het licht was gedempt, een kaars flakkerde tussen hen in op de tafel en Sarahs gezicht glansde als een perzik met slagroom. Haar kattenogen glinsterden, haar hoge jukbeenderen en volle lippen gaven haar een voluptueuze en sensuele uitstraling. Ze droeg nog steeds haar zwarte broek en vestje en de mocassins van Lobbs. Haar krullerige haar viel tot op haar rug. Ze rook naar parfum en gevaar.

'Je kijkt in de verkeerde spiegel,' zei Redford zacht.

Sarah glimlachte. 'Nu je het zegt, ik moet even naar achteren.'

Terwijl ze door het restaurant liep kreeg ze nog meer bewonderende blikken toegeworpen dan normaal. Het damestoilet was ingericht als een boudoir, met grote spiegels in vergulde lijsten en een met rood fluweel beklede ligstoel. De stoel werd in beslag genomen door een uitgemergelde blondine die via haar mobieltje een gesprek over haar vriendje voerde met een vriendin die er waarschijnlijk net zo gemakkelijk bij was gaan liggen.

'Ja, ik kan toch niet anders?' jammerde het blondje. 'Het is al de tweede keer dat hij me vraagt.'

Geef jezelf een lintje, dacht Sarah terwijl ze een van de hokjes binnenging.

Toen ze terugkwam was de blondine verdwenen, ongetwijfeld op weg naar een nacht vol hartstocht. Plotseling werd de deur met geweld opengegooid. Sarah maakte een sprongetje van schrik. Een lange, naalddunne vrouw met rood haar tot op haar middel kwam binnen. Ze leek in de dertig te zijn en haar meisjesachtige aantrekkelijkheid had plaats gemaakt voor een rijpe, harde schoonheid. Haar blik bleef onmiddellijk op Sarah rusten. Sarah keek terug en wachtte tot de vrouw haar ogen zou neerslaan, maar dat gebeurde niet. Ze liep langs haar heen en stootte Sarahs handtas van de rand van de wastafel. Ze bukte meteen om hem op te rapen en draaide zich langzaam om naar Sarah om de tas terug te geven.

'Wat onhandig van me,' zei ze met een strakke glimlach en duidelijk zonder het te menen.

Sarah nam de tas zwijgend aan en vroeg zich af waarom de onbekende vrouw zo vijandig was. Het was bijna alsof ze werd uit-

gedaagd. *Trek je er niets van aan,* dacht ze, *dat is tijdverspilling.*
'Waarom ga je eigenlijk nog uit?' vroeg ze toen ze weer bij Redford aan tafel was gaan zitten en de roodharige uit haar hoofd had gezet. 'Met al die aandacht is er toch niets meer aan?'
'Moet ik dan de rest van mijn leven met roomservice genoegen nemen? Het leek me wel leuk voor jou, dit is min of meer neutraal terrein waar we als gewone mensen met elkaar kunnen praten, niet als popsterren en bankiers.'
'Daar zit wat in,' antwoordde Sarah, hoewel het vooruitzicht haar afschrikte.
'Wat wil je drinken?'
'Rode wijn graag.'
Redford bestudeerde de wijnkaart en stelde een 1983 St. Julien voor.
'Hou je van rode bourgogne?'
'Ja, en dat is een heel goede.' Dankzij Jacobs opvoeding en jarenlange praktijkervaring wist ze dat de St. Julien een voortreffelijke wijn was.
De wijnkelner bracht de fles, ontkurkte hem en begon het ritueel van voorproeven en inschenken. Nadat hij was weggegaan zaten Sarah en Redford een tijdje zwijgend te drinken, alsof ze hun gedachten moesten verzamelen.
'Het spijt me wat er vandaag is gebeurd,' zei Redford.
'Waar ging het nu eigenlijk om?' vroeg Sarah.
Redford kreeg een peinzende uitdrukking op zijn gezicht. 'Het was een stomme streek van Strone om naar je kamer te gaan en net te doen alsof die van hem was, maar verder snap ik het niet. Misschien ben je wat erg lichtgeraakt?'
'Natuurlijk ben ik lichtgeraakt, maar dat betekent nog niet dat jullie je alles maar kunnen permitteren. Zo ga je gewoon niet met mensen om.'
'Hebben we ons echt zo misdragen?'
'Dat niet,' zei Sarah, 'maar het gaat mij om het principe. Jullie deden net alsof jullie alles maar kunnen zeggen zonder rekening met een ander te houden. Ik wilde alleen maar duidelijk maken dat ik er geen zin in heb om dat twee weken lang te moeten verdragen.'
Redford knikte nadenkend.

'Dat begrijp je zelf toch ook wel, zo moeilijk is het niet,' zei Sarah verbaasd.

Redford leek ineens heel moe te worden.

'Wat is er?' vroeg Sarah. 'Heb ik iets verkeerds gezegd?'

Redford glimlachte flauw. 'Dat heb ik heel lang niet van iemand gehoord.'

'Wat bedoel je?'

'Ik bedoel dat niemand tegen mij zegt waar het op staat, niemand durft zijn mond tegen me open te doen omdat ze allemaal iets van me willen. Ze slikken alles van me om maar een kruimel mee te kunnen pikken, liefst meer dan een om het me betaald te zetten. Zelf doe je eraan mee omdat je weet dat ze je naar de mond praten en voor de gek houden, maar voor je het weet begin je het normaal te vinden en gaat het altijd zo. Je begint te vergeten hoe het zou moeten zijn.'

'Er zijn toch wel meer mensen zoals ik?'

'Was het maar waar. Je kunt stomvervelend zijn, maar dat is soms wel prettig.'

Sarah lachte.

'Waarom doe jij het eigenlijk?'

'Ik geloof dat je zelf het antwoord al hebt gegeven. Ik wil niets van je.'

'Niets?' vroeg Redford langzaam.

'Wat zou ik moeten willen?' vroeg Sarah. Het begon een opwindend maar ook gevaarlijk spelletje te worden.

'Ach, wat zal ik zeggen. Sieraden, geld, een flat, een platencontract, een scalp.'

Sarah grinnikte. 'Ik heb al sieraden, van mensen die iets voor me betekenen. Verder is het maar koolstof. Ik heb een mooi huis en genoeg geld om van het leven te kunnen genieten, maar niet genoeg om geen doel meer te hebben. Mijn stem is niet om aan te horen, dus een platencontract lijkt me vergezocht, en wat jouw scalp betreft...'

'Ja?'

'Ik zou er geen grapjes over maken als ik jou was. Mijn moeder had indiaans bloed, ze was nog voor een vierde Cheyenne.'

'Dat meen je niet.'

'Toch is het zo.'

Redford hield zijn hoofd schuin en keek haar aan.

'Ja, je huidskleur, je hoge jukbeenderen, dat lange glanzende haar. Hmm, dan mag ik inderdaad wel oppassen.'

Sarah zei niets.

'Hoe is ze in Engeland terechtgekomen?' vroeg Redford.

'Dat is ze niet. Ze was Amerikaanse.'

'Uit welk deel van het land?'

'New Orleans.'

'Dát is nog eens een geweldige stad.'

'Absoluut.'

'Heb je er gewoond?'

'Tot mijn achtste.'

'En daarna?'

'Daarna ben ik naar Londen verhuisd.'

Redford keek haar vragend aan. 'In je eentje?'

'Samen met mijn broer.'

'En je ouders dan?'

Sarah keek in haar wijnglas. 'Die waren dood.'

'O Sarah, dat spijt me.' Hij nam een slok water. 'Hoe?'

'Een auto-ongeluk.'

Hij werd even bleek alsof hij een geest had gezien.

'Wat is er?' vroeg Sarah geschrokken. Ze kon zich niet voorstellen dat hij zo heftig op haar verdriet kon reageren.

'Mijn eigen moeder is bij een auto-ongeluk om het leven gekomen toen ik twaalf was.'

'Ach, John.'

'Eigenlijk is het mijn vader ook fataal geworden. Hij klampte zich nog vier jaar aan het leven vast voordat hij er met zijn jachtgeweer een einde aan maakte.'

Sarah leunde naar voren en pakte Redfords hand.

Hij keek haar aan. De pijn in zijn ogen verscheurde haar, een gebroken spiegelbeeld van haar eigen verdriet. Het duurde lang voordat ze weer iets zeiden.

28

Dick Breden zat tegenover Savage en Zamaroh. Hij had een triom-fantelijke en tegelijk nonchalante uitdrukking op zijn gezicht.

'Laat maar eens horen,' zei Savage. Zijn nieuwsgierigheid won het van zijn gebruikelijke verveelde pose.

'Verdovende middelen,' zei Breden. 'Cocaïne. Hij heeft drie jaar geleden drie maanden in een ontwenningskliniek in Arizona ge-zeten.'

'En?' wilde Savage weten.

'Het schijnt dat hij zwaar verslaafd was.'

'Ik wil geen spelbreker zijn, Dick, maar het zou me eerder ver-baasd hebben als hij geen drugs of alcohol zou hebben gebruikt. Hij is verdomme een popster.'

'Een popster met een verslaving die hem waarschijnlijk instabiel heeft gemaakt. De meeste drugsverslaafden hebben ook proble-men met alcohol, maar hij drinkt nog altijd. Dat roept vragen op.'

'Hij wás verslaafd,' zei Zamaroh, 'en misschien weet hij met drank om te gaan zonder weer naar de coke te grijpen. Trou-wens, zelfs als we van het ergste geval uitgaan, er zijn veel drugs-verslaafden die hun werk naar behoren kunnen doen als ze maar regelmatig hun shot krijgen.'

Savage draaide zijn hoofd met een ruk om. 'We hebben toch ze-ker geen cokegebruikers op de vloer, hoop ik?'

Zamaroh keek hem net iets te lang aan, nauwelijks in staat haar ongeloof te verbergen. 'Natuurlijk niet.'

'Dat is dan maar goed ook. Ik moet er niet aan denken dat die lui met hun verdwaasde hersens hier aan de handel meedoen.'

'Op de vloer is geen plaats voor dagdromers, James, dat weet je zelf ook wel. Hier is het elke dag het Laatste Oordeel.'

Savage glimlachte. 'En jij bent God. Ik weet het.' Hij richtte zich weer tot Breden.

'Waarom is het niet algemeen bekend dat John Redford verdo-vende middelen heeft gebruikt? Van popsterren wordt bijna niet anders verwacht.'

'Er deden wel geruchten de ronde, er waren vermoedens. Die heb ik bevestigd.'

'En nu? Is hij er vanaf?'

'Ik heb geen aanwijzingen gevonden dat hij nog steeds drugs gebruikt.'

'En de geruchten, de vermoedens?'

'Ze zeggen dat hij clean is.'

'Dat is goed nieuws,' zei Savage. 'Tot nu toe. Hoe staat het met het lek?'

Breden schudde zijn hoofd. 'Er wordt hard aan gewerkt, maar er valt nog niets te melden.'

'Misschien heeft hij het opgegeven,' zei Zamaroh. 'In dat geval zou je misschien de camera's en microfoons uit mijn kantoor kunnen halen. Het is een volslagen inbreuk op mijn privacy en dat kan ik niet al te lang hebben.'

Breden keek Savage aan. 'Vind jij dat we het moeten weghalen?'

Savage schudde zijn hoofd. 'Niet voordat we de schoft te pakken hebben. Door die knaap zijn we vier contracten ter waarde van ruim vijftien miljoen dollar misgelopen. Daar zal hij voor bloeden.' Hij wierp een blik naar Zamaroh. 'Sorry Zaha. De camera's blijven actief.'

Zamaroh zuchtte geërgerd. 'We zouden ze in jouw kantoor moeten installeren, dan piep je wel anders.'

'Dat is niet nodig,' antwoordde Savage kortaf.

'Waarom niet?' vroeg Zamaroh met schuin gehouden hoofd, benieuwd naar de uitleg van Savage.

'Omdat ik het zeg. Mensen lopen niet zo makkelijk even bij mij naar binnen als bij jou.' Savage richtte zich tot Breden. 'Heb je nog meer te berichten?'

Breden bestudeerde zijn handen. 'Er is nog iets anders uit Redfords verleden boven water gekomen.'

'Laat maar horen.'

'Zijn moeder is bij een auto-ongeluk om het leven gekomen toen hij twaalf jaar was. Zijn vader pleegde vier jaar later zelfmoord met een geweer. Redford vond hem.'

'Jezus.' Zamaroh trok wit weg. Savage keek haar verbazend meelevend aan.

'Gaat het, Zaha?'

Het duurde een paar seconden voordat ze antwoord gaf op een rustige, waardige toon. 'Ja, dank je.' Ze stond op en liep de kamer uit. Savage en Breden keken haar na.

'Wat heeft zij ineens?' vroeg Breden op ongelovige toon. Het was voor het eerst dat Zamaroh zich van een kwetsbare kant had laten zien.

'Haar vader is opgehangen door de ayatollahs,' antwoordde Savage.

Zamaroh kwam tien minuten later terug.

'Heb ik iets gemist?' vroeg ze. Haar stem klonk evenwichtig, maar ze had haar flair verloren.

'We hadden het erover of Bredens informatie problemen kan opleveren. Wat denk jij?'

'Het lijkt mij van niet,' antwoordde ze zachtjes. 'Hij is verslaafd geweest, maar dat is nu achter de rug. Het pleit voor hem. Hij heeft een persoonlijk trauma overwonnen en is erin geslaagd in de muziek tot de top door te dringen. Hij is een volhouder, een ster. Nee, daar heb ik geen problemen mee, jullie wel?'

'Ik ben benieuwd,' zei Savage peinzend, 'wat Sarah Jensen nog weet te ontdekken.' Tot zijn genoegen zag hij een afgunstige blik in Bredens ogen verschijnen.

'Dat levert niks op,' antwoordde Zamaroh verachtelijk.

'Jij wilt dit contract toch graag hebben?' merkte Savage op.

'Net als jij. We zijn al jaren op zoek naar een middel om op deze markt binnen te komen.'

'Ik wil het ook,' zei Savage, 'maar niet tegen elke prijs.'

'Maak je niet dik, ik zal zorgen dat het een redelijke prijs wordt,' antwoordde Zamaroh.

'Goldsteins zal geen informatie achterhouden, hoe pijnlijk die ook is,' zei Savage. 'Dat krijg je vroeg of laat zelf op je boterham.'

Is dat zo? Zamaroh dacht aan wat ze zelf had meegemaakt en was er nog niet uit. Ze had het zwaard van Damocles boven haar hoofd hangen en Sarah Jensen kon elk ogenblik de draad doorsnijden. Hoewel ze het tegen geen mens zou durven bekennen, en nauwelijks tegen zichzelf, was ze bang voor Jensen. Ze had dringend iets nodig om als wapen tegen Sarah te kunnen gebruiken en het evenwicht te herstellen, iets waarmee ze kon onderhandelen.

29

Sarah werd laat wakker, met het vage gevoel dat ze in haar slaap door een nachtmerrie was gekweld. Ze kon zich niets van haar dromen herinneren, maar er was nog wel een echo van iets onaangenaams. Ze bleef een tijdje in bed liggen om over de vorige avond na te denken. Ze vond het verschrikkelijk wat Redford had moeten meemaken, voor hemzelf maar ook omdat het hun band op de een of andere manier nog hechter maakte.

Kreunend stapte ze uit bed. Ze had Georgie al twee keer niet kunnen voeden en haar borsten waren keihard en gezwollen van de melk. Lichamelijk stond ze op springen en ook geestelijk had ze het gevoel dat ze barstte van verlangen. Ze dacht aan haar jongen, ze vroeg zich af of hij een rustige nacht had gehad en wat hij op dit moment aan het doen was. Ze schudde haar hoofd en dwong zichzelf de noodzakelijke handelingen te verrichten. Ze nam een uitgebreide douche, kleedde zich aan en concentreerde zich weer op haar werk. Om tien uur belde ze Strone op. Hij klonk afgeleid.

'Wanneer kunnen we afspreken?' vroeg Sarah.

'Vandaag zal het niet gaan, sorry.'

'O,' zei Sarah aarzelend. 'Waarom niet?'

'Er is vandaag een optreden, Sarah. Heb je enig idee wat daar allemaal bij komt kijken?'

'Totaal niet, maar ik zou het graag met eigen ogen zien,' zei ze met onverholen geestdrift. 'Misschien kan ik je vandaag gezelschap houden. Ik beloof dat ik me heel klein zal maken. Je zult geen last van me hebben.'

Strone lachte. 'Ja, ja. Nou, goed dan. Ik ben het grootste deel van de dag bezet, maar we zouden vroeg naar het Beacon kunnen gaan. Dan kun je het podium en de opstelling zien, de geluidstest meemaken en zo. Ik haal je om zes uur op. Lijkt je dat wat?'

'Prima.'

Sarah legde neer en keek de kamer door. Ze had ineens helemaal niets te doen. Ze besloot uit te gaan en in de Village een laat ontbijt te gebruiken, een tijdje uit haar rol te stappen. Ze pakte haar handtas en zocht haar portemonnee om er wat kleingeld uit te halen. Haar portemonnee was weg. Verdomme, waar had ze dat ding gelaten? Ze zocht de hele suite af. Ze probeerde zich te herinneren wanneer ze hem voor het laatst had gezien. Gisteravond had ze hem meegenomen naar het restaurant om altijd wat contant geld bij zich te hebben voor het geval ze van Redford af wilde. Zorg altijd dat je geld hebt om te vluchten. Ze keek radeloos om haar heen. Geen portemonnee. Geen geld, geen creditcards, geen rijbewijs. *Shit*. Waar was dat ding?

Ze zocht een halfuur lang koortsachtig en haalde al haar kleren overhoop, maar er was geen twijfel mogelijk. Haar portemonnee was verdwenen. Ze voelde een blinde moordlust opkomen jegens de onbekende dader. Zou het een schoonmaakster van het hotel kunnen zijn? Maar ze nam haar tas altijd mee als ze de kamer uitging. Iemand van roomservice toen ze even in de slaapkamer was? Dat was mogelijk, maar heel onwaarschijnlijk. Plotseling begreep ze het. Dat rotwijf in het restaurant, de roodharige die haar handtas op de grond had gegooid. Ze had met haar rug naar Sarah gestaan toen ze hem opraapte. Ze had heel makkelijk de portemonnee in haar zak kunnen stoppen voordat ze zich omdraaide en Sarah haar tas teruggaf. Ze herinnerde zich het sarcastische 'Wat onhandig van me' en de eigenaardige blik in haar ogen. Wat een vuile teef!

Sarah probeerde haar kalmte terug te vinden. Er was geen ramp gebeurd, ze was alleen maar bestolen. Maar die gedachte gaf haar geen rust. Haar portemonnee was iets persoonlijks, geld was te belangrijk voor haar om het zomaar uit handen te geven. Ze voelde zich ontheemd, beroofd van haar macht, van haar onafhankelijkheid, en dat was een afschuwelijk gevoel. Ze zou morgen haar bank moeten bellen om geld te laten overmaken. En ze had nog wel zo driest geroepen dat ze de suite zelf zou betalen. O jezus! Haar foto's van Georgie, die zaten ook allemaal in de portemonnee. Ze voelde het verlies bijna even sterk als haar zoontje zelf van haar was afgenomen. Tranen brandden in haar ogen. Ze wiste ze met een boos gebaar af. Nu had dat rotmens ook nog de foto's: Georgie in haar armen, Georgie in bad, Georgie een paar seconden na de geboorte in het ziekenhuis. Die beelden stonden in haar hart en ziel gegrift. Dat een vreemde de foto's had, onderging ze als een soort aanranding.

Ze dwong zichzelf langzaam en ritmisch adem te halen. Klamp

je vast aan het praktische. Ze zocht in haar zakken naar kleingeld dat ze altijd bij de hand had om een fooi te kunnen geven. Ze schraapte vijfentwintig dollar bij elkaar, voldoende voor een bescheiden lunch. Ze begon opeens te lachen: gestrand in een vijfsterrenhotel, als gast van een van de rijkste mannen op aarde. Geld, geld in overvloed... Ze ging naar de telefoon en vroeg de nummers van Visa en American Express op. Ze gaf de diefstal van haar creditcards door, legde neer en ging weg.

30

Om halfzeven arriveerden Sarah en Strone in het Beacon Theatre in Upper West Side. Redfords gezicht, in zwart-wit en met een raadselachtige blik in zijn ogen, staarde hen vanaf een poster aan toen ze het gebouw betraden. Strone knikte naar een in het zwart geklede bewaker met scherpe ogen en een minuscule koptelefoon. 'Alles in orde?'
'Ja, geen moeilijkheden.'
'Mooi.' Strone liep snel door. Sarah vertraagde haar pas en keek om zich heen. Het theater was een rococoparadijs met sierlijke krullen, bladgoud, een muurschildering van een neoklassiek Utopia, een balustrade en gebrandschilderd glas dat aan een kerk deed denken. Strone was bijna uit het gezicht verdwenen. Sarah haastte zich achter hem aan naar de coulissen. Het rook naar hamburgers en bier. Ongeveer veertig mensen liepen snel en doelgericht over het toneel om kabels en speakerboxen aan te sluiten en een hele serie onbegrijpelijke, soms bijna onzichtbare maar ongetwijfeld noodzakelijke handelingen te verrichten voordat ze linksof rechtsaf gingen. Ze droegen jeans of legerbroeken en hadden lang haar in een staart en zware laarzen aan hun voeten. Mannen en vrouwen waren identiek gekleed. Veel mensen hadden koptelefoons met kleine microfoons waarin ze bijna voortdurend fluisterden, alsof ze met een intieme vriend of vriendin in gesprek waren. Hun activiteiten werden nog koortsachtiger toen Strone zijn opwachting maakte. Strone bleef staan als een Romeinse legeraanvoerder die toeziet hoe zijn manschappen zich op de slag voorbereiden. Af en toe kwam iemand hem snel iets vragen.

'Dit is een soort zenuwenoorlog,' zei Strone tegen Sarah. 'Het concert van vanavond is maar klein in vergelijking met een normaal optreden van John Redford. Hij heeft de laatste twee weken vijf concerten in Madison Square Gardens gehad, twintigduizend man publiek per voorstelling. Dit wordt zijn laatste optreden in New York wat deze tournee betreft. Veel intiemer, snap je, echt. Tweeduizend mensen. Dat is...'

Strone zweeg. Sarah zag hem naar een vrouw met lang blond haar en hoge zwarte laarzen kijken die doelbewust kwam aanlopen.

'Hallo, Zena,' zei hij vermoeid.

'O, hou toch je mond. Van mij hoef je niks te zeggen.'

Strone draaide zich op zijn hakken om. 'O, ook goed. Dan praat ik niet met je.'

'Wacht even, opgefokte idioot die je bent.' De vrouw legde haar hand op de schouder van Strone. Sarah verwachtte bijna dat hij zou ontploffen van woede, wat zij in zijn plaats gedaan zou hebben, maar de manager zuchtte alleen maar even, schudde de opdringerige hand losjes van zich af en keek de feeks aan.

'Je hebt drie weken geleden beloofd dat Ray opslag zou krijgen, maar wat zie ik op zijn loonstrookje? Helemaal niks, dat zie ik. Je weet dat hij basgitaar speelt als een engel, hij draagt de hele show. Jake heeft er geld bij gekregen en hij kan amper...'

Strone onderbrak de stroom van woorden. 'Zena, Zena, Zena. Niemand betwist dat Ray zo goed is. We weten allemaal dat hij geniaal is, maar een genie is soms miskend.'

Zena deed haar mond open en keek alsof ze Strone naar de keel wilde vliegen. De manager stak zijn hand op in een kalmerend gebaar. 'Rustig nou maar. Ik doe wat ik kan, maar ik heb met allerlei beperkingen te maken waar jij geen weet van hebt. Ik...'

'Dat is gelul. Jij doet gewoon wat je wilt, jij bent Strone de almachtige.' Haar stem droop van het sarcasme. 'Meneer de potentaat, dat weten we allemaal.'

Strone liet zijn stem een octaaf dalen. 'Nu ga je te ver. Ik ben bezig. Wil je ons alleen laten?'

Sarah keek het belangstellend aan.

Zena liet zich niet zo gemakkelijk wegsturen. 'Ik hou niet van dreigementen.'

'Je hebt nog niks gehoord. Jij bent maar een armzalige kleine groupie die toevallig geluk heeft gehad. Ga je moeder nou maar pesten en val me niet lastig.'

Het meisje kreeg tranen van woede in haar ogen.

'Vuile schoft.' Ze spuugde de woorden in zijn gezicht, draaide zich op haar hoge laarzen om en holde weg. Sarah keek om zich heen. Heel wat sjouwers hadden hun werkzaamheden gestaakt om de discussie te volgen. Strone wierp een boze blik in het rond en ze gingen met tegenzin weer aan het werk.

'Stom wijf,' zei Strone. 'Het zou me een lief ding zijn als ik niets met die huiselijke beslommeringen te maken hoefde te hebben.'

'Gebeurt dat vaak?' vroeg Sarah, nog verbaasd over de heftigheid van de discussie.

'Voortdurend. Er heerst hier een echte pikorde. Jake, de sologitarist, krijgt opslag. De stomme hufter kan zijn mond er niet over houden. Dus nu wil Ray ook meer geld, maar als ik dat doe komen de andere bandleden en hun vriendinnen ook bij mij klagen.'

'Je hebt geen erg hoge dunk van de mensen in het vak, geloof ik,' merkte Sarah op.

Strone wierp haar een onderzoekende blik toe. 'De meesten zijn klootzakken of imbecielen.'

'En waar hoor jij bij?'

Een lenige man met een volledig kaal hoofd van rond de vijfenveertig nam Strone apart voordat hij antwoord kon geven. Sarah vroeg zich af wie de man was.

Strone kwam een paar minuten later met een bleek gezicht terug. 'Wat wilde hij?' vroeg Sarah achteloos.

'Wat?' Strone deed net alsof hij haar niet verstond. 'Excuseer me even, schatje. Ik moet piesen.'

Mooi gezegd, dacht ze terwijl ze zijn in spijkerpak gehulde gestalte nakeek. Ze glimlachte breed tegen een van de passerende medewerkers en hield hem staande.

'Sorry, maar wie is die man?' Ze wees naar de kale veertiger.

De man keek haar bevreemd aan, alsof ze van een andere planeet kwam. 'Dat is Jim O'Cleary, hoofd van de bewakingsdienst.'

Sarah hield haar hoofd schuin alsof het antwoord haar verbaasde. 'Dat is gek, ik zou durven zweren dat ik hem ergens van ken.'

De bevreemde blik werd uitgesproken achterdochtig voordat de man zich weg spoedde.

Sarah vroeg zich af waarom haar woorden zoveel verwarring hadden gezaaid. Ze begon met haar handen in haar zakken rond te lopen en probeerde net te doen alsof ze in deze onbekende wereld thuishoorde. Haar rammelende maag dreef haar naar het stalletje van de catering, waar ze tegen beter weten in een hotdog kocht. Ze leunde tegen een enorme metalen koffer en begon te eten.

'Hallo, wie ben jij?' vroeg een vriendelijke stem.

Sarah draaide zich om en keek de nieuwkomer met volle mond aan. Hij was in de veertig en had lang golvend haar en vrolijke bruine ogen. Sarah maakte haar mond leeg.

'En wie ben jij?' vroeg ze met een glimlach. De man scheen een ogenblik van zijn stuk te zijn gebracht, maar zijn glimlach keerde snel terug. 'Ik ben Ray Waters.'

'Aha.' Sarah waagde snel een gok. 'De basgitarist van John Redford.'

'De enige echte. En jij bent zijn laatste speeltje.'

Hij klonk nog steeds vriendelijk en Sarah dacht dat ze het verkeerd had verstaan. 'Wat zeg je?'

'Speeltje. S-p-e-e-l-t-j-e.'

'Mijn god,' zei Sarah. Ze keek Waters strak aan. 'Je kunt verbazend goed spellen voor een klootzak.'

Strone was ongemerkt achter haar komen staan. 'Ik zie dat jullie al kennis hebben gemaakt.'

Sarah schrok zich halfdood en draaide zich boos naar Strone om. 'Wil je dat laten? Ik krijg zowat een hartaanval.'

'Dat doet hij graag,' zei Ray op dezelfde vriendelijke toon. 'Intimidatie, daar krijgt hij een kick van.' Hij keek naar Strone. 'Zena heeft me verteld wat er is gebeurd. Ik hou er niet van dat je mijn vrouw afbekt.'

'Dan mag je wel eens op je eigen woorden letten,' zei Sarah, die de innemende, dubbelzinnige toon van Ray imiteerde.

'Waarom zou ik, speeltje?' Hij grinnikte en liep weg.

'In dit vak heb je gasten die klootzak én imbeciel tegelijk zijn,' zei Sarah.

Strone keek haar veelzeggend aan. 'Vergeet hem maar. Hij houdt ervan mensen uit te dagen.'

'Denkt iedereen dat ik Johns liefje ben?' vroeg Sarah ongelovig.
'Ja, wat dacht je,' zei Strone. 'Je zit in hetzelfde hotel en dan ook
nog op dezelfde verdieping. Niemand kan een andere reden bedenken waarom je met hem op reis bent. We kunnen moeilijk
rondbazuinen dat jij van de bank bent en zijn boekhouding komt
uitpluizen. En je moet me niet kwalijk nemen, maar je ziet er in
de ogen van deze mensen niet direct uit als iemand van de bank.
Zolang het vertrouwelijk moet blijven is het overigens best een
goede dekmantel voor je, dus je moet er niet te min over doen.'
'Ik heb er geen zin in,' zei Sarah geïrriteerd.
'Veel vrouwen zouden er een moord voor doen, al was het maar
in hun fantasie.'
'Er is niet veel voor nodig om het te worden, zou ik denken.'
Strone staarde haar strak aan. 'Daar heeft alleen John iets mee te
maken, vind je niet?'
Sarah trok haar schouders op. 'Wat is er voor bijzonders aan om
in hetzelfde hotel te zitten als hij, ook al is het op dezelfde ver-
dieping?'
'Waarom vraag je dat?'
'Omdat je het zei op een toon alsof het iets heel opmerkelijks is.'
'Niemand van de band of van zijn entourage mag in hetzelfde ho-
tel zitten, behalve ik.'
'En zijn speeltje,' zei Sarah, die het nog steeds wilde weten.
Strone hapte niet.
'Waarom zit de band in een ander hotel?' vroeg ze.
'Privacy. Ik denk dat John niet vierentwintig uur per dag dezelfde rol wil spelen. Je hebt Ray Waters gezien. Sommige bandle-
den zijn beter dan Ray, andere nog erger. Het zijn allemaal zei-
kerds, misschien met uitzondering van de pianist, Stevie Charlton.
Die leeft alleen voor zijn muziek. Hij is heel prettig in de om-
gang.' Strone snoof waarderend. 'Het kan hem niet schelen wat
hij vangt, wie de grootste hotelkamer krijgt of dat soort gelul.
Maar de rest zit de hele tijd maar te ouwehoeren. John voelt er
niets voor om met de bandleden of met opdringerige meiden geconfronteerd te worden.'
'Kan hij niet met de rest van de band opschieten?'
'Het zijn geen vrienden, nee. Hij doet zijn werk, zij doen hun werk.
Ze zien elkaar bij het optreden en dat gaat goed. Buiten het po-

dium is het een ander verhaal. Hij ziet ze liever niet midden in de nacht wankelend en schreeuwend naar zijn kamer komen.'

Sarah glimlachte. 'Nu ik Ray en Zena ken, kan ik me dat heel goed voorstellen. Maar waarom houdt hij zich niet aan die regel en heeft hij me een suite in hetzelfde hotel gegeven?'

Shrone trok zijn schouders op. 'Geen flauw idee.'

Zijn blik dwaalde naar het toneel, waar Ray Waters en andere bandleden – afgaande op het ontzag waarmee ze werden bejegend – hun posities innamen.

'De geluidstest begint,' zei Strone. 'Nu zijn de technici de baas. Elk instrument heeft zijn eigen versterker en de geluidstechnicus kan ervoor zorgen dat de basgitaar het hele theater opblaast of bijna niet te horen is. Het is echt een kunst om de juiste balans tussen de instrumenten tot stand te brengen. Het is ook een kwestie van tact. Die arme technici krijgen de wind van voren van Waters en de anderen als ze die niet genoeg volume geven. Ray zou zelfs John overstemmen als hij de kans kreeg.'

'Waar is John eigenlijk?' vroeg Sarah. 'Wanneer wordt zijn geluid getest?'

Strone keek haar een ogenblik aan. 'Wie zal het zeggen. Hij is een ondoorgrondelijk mens, onze John, vind je ook niet?'

Probeerde hij haar uit te dagen? Wist hij iets of was het maar een onschuldig plaagstootje?

Sarah kon zijn onderzoekende blik niet langer verdragen. Ze excuseerde zich en ging naar het toilet. Het was er aangenaam koel na de opgewonden drukte op het podium. Ze zette Strone uit haar gedachten en vroeg zich af hoe het was om John Redford te zijn. Al die mensen in dienst, al die uitrusting, al die voorbereidingen. Hoe ging Redford met die verantwoordelijkheid om? Achter de circusatmosfeer en de zo te zien vrijgevochten medewerkers stonden vrouwen, kinderen en hypotheken. Achter de glitter en de schmink gingen rekeningen en het spookbeeld van werkloosheid schuil. De firma Redford was een eenmanszaak. Niemand kon hem vervangen als hij ziek werd of een baaldag had. Hij zat gevangen in het veel grotere geheel van de show die altijd moest doorgaan. Het was een kermis, een circus met alle pathos van zo gewonnen, zo geronnen, het vluchtige genot van een optreden, het opbouwen en weer afbreken, het voor en na, het hele ritueel herhaald in honderd verschillende steden tijdens een marathontournee van achttien maanden rond de wereld. Het telkens op reis zijn, nooit ergens lang blijven, de entourage in een hotel, de ster in een ander. Geen wonder dat er een verknipte, nihilistische sfeer hing. Niemand was voor langere tijd ergens aan gebonden: een stad veroveren en weer verder trekken. Net een rondzwervende bende.

Sarah schudde haar hoofd, probeerde zichzelf te bevrijden van wat een bijna sinistere gedachte was.

31

De gekleurde lichtbundels priemden als laserstralen door de zaal. De toeschouwers roken naar zweet, het basisingrediënt van parfum allang verdampt van opwinding. Hun ogen schoten telkens naar het podium nu het grote uur naderde. Sarah voelde hun gespannen verwachting die aan honger grensde. Het was een begeerte, voor een deel seksueel van aard, maar ook een verlangen naar de man zelf.

Ze bestudeerde de mensen om haar heen. Een vrouw in een strakke spijkerbroek, hoge laarzen van zwarte suède en een roze topje. Zwaar opgemaakt en geparfumeerd, met lust in haar ogen, helemaal uitgedost voor een avond met haar minnaar. Een meisje dat niet ouder dan veertien kon zijn, lang blond haar, een verbleekte denim broek, hoop en verrukking in haar blik, dat haar verlangen probeerde te verbergen voor haar moeder met haar wereldwijze flair.

Het geroezemoes verstomde toen drie zwarte zangeressen in korte, strakke jurkjes met glitters heupwiegend het podium opkwamen en hun plaatsen innamen. Ze begonnen op een bijna onhoorbare beat te dansen.

Sarah sprong op toen John Redford het toneel opkwam. De massa volgde haar voorbeeld, juichend en schreeuwend. Ze voelde de adrenaline door haar aderen stromen, alsof zij en de menigte op een en dezelfde energiebron waren aangesloten. Redford droeg jeans en een wit T-shirt met cowboylaarzen. Zijn stralende gezicht had een wilde uitdrukking. Hij stak zijn hand op en achter het gordijn werd een geluidsband gestart. De bandleden kwamen op en namen hun posities in: drums, keyboard, sologitaar, basgitaar, altsax, tenorsax, trompet en viool. Elke muzikant had zijn eigen spotlight. Het gebrul van de menigte werd eindelijk minder. Een assistent rende naar voren en gaf John Redford zijn gitaar. Redford ging weer in het licht staan en begon te zingen. 'Come to Me', een rocknummer als een beurtzang om het publiek op te zwepen. Redford zong, schreeuwde, rende over het podium. De manier waarop hij zijn gitaar bespeelde had iets uitgesproken seksueels. Het instrument hing voor zijn kruis en de beweging van zijn vingers over de snaren riep zowel herinneringen als fantasieën op. Het zweet kwam op zijn armen, liep over zijn gezicht. Sarah kon het goed zien vanaf de eerste rij, ze zag de druppels op zijn gezicht glinsteren. Ze wist nog hoe het smaakte. Redford keek voor het eerst de zaal in. Zijn blik dwaalde over de zee van gezichten. Ze merkte dat ze naar oogcontact verlangde. Ze was zo dichtbij, misschien drie meter bij hem vandaan, maar of het nu toeval of opzet was, zijn ogen vingen haar blik niet.

'Hallo,' zei hij zacht en met een samenzweerderige glimlach, schijnbaar volkomen op zijn gemak. Het publiek schreeuwde iets terug.

'Het is fijn om hier te zijn, in zo'n intiem theater als het Beacon. Dan kunnen jullie me zien, maar zal ik je eens wat vertellen?' Opnieuw gebrul, alsof het publiek een hondje was dat slaafs aan een spelletje meedeed.

'Dan kan ik *jullie* ook zien,' antwoordde Redford onder nog meer kreten, 'en dat niet alleen, ik kan jullie ook horen.' Hij glimlachte en begon de draak met zichzelf te steken. *'Hij ziet er goed uit, jonger. Wat heeft hij laten doen? Moet je die spieren zien, dat is pas hardrock. Zou hij overal net zo gespierd zijn? En kan hij het echt zeven uur achter elkaar doen?* Nou, ik kan je wel vertellen dat ik niet meer aan tantristische seks doe,' verklaarde hij. 'Ik doe alleen nog tantristisch boodschappen: zeven uur kijken, maar niet aankomen.' Het publiek begon te lachen.

Hier kwamen de emotionele en zakelijke kanten van de muziek bij elkaar. Redford was de showman, de kunstenaar, al die tamelijk versleten benamingen kregen ineens betekenis in de persoon van John Redford die als een gigant over het toneel liep en het publiek gaf waar het zo wanhopig naar verlangde. Bij het begin van een optreden kan het altijd nog twee kanten op. Het publiek wacht met ingehouden adem af om te zien of de artiest de moeite waard is. Het is net als met de christenen en de leeuwen in de arena van het oude Rome. Als de gladiator weet te betoveren en verleiden wordt zijn leven gespaard. Als hij al een vrij man is slaagt hij erin de toeschouwers in zijn ban te krijgen en tot zijn slaven te maken. Als hij daar niet in slaagt zal het publiek zich tegen hem keren en hem onder woedende kreten verslinden. Redfords faam was al zo groot dat er bij hem geen twijfel leek te bestaan, zelfs niet in die eerste hachelijke ogenblikken. Maar het was de man zelf, niet zijn imago of reputatie die de mensen van hun aanvankelijke respect tot slaafse toewijding bracht.

Sarah zag hem naar de zijkant van het toneel gaan en een grote slok nemen uit een glas met zo te zien water en schijfjes citroen. Ze was bijna teleurgesteld nu ze hem zoiets alledaags zag doen. Hij ging terug naar het midden en zong nog eens drie rocknummers in een hoog en opzwepend tempo. Het podium veranderde in een krachtveld. Sarah had niet verwacht dat alle afzonderlijke instrumenten en spelers echt een geheel zouden vormen. Op een cd, hoe goed ook van kwaliteit, klonk de muziek altijd enigszins ingeblikt, zouteloos. Maar bij dit live optreden hadden alle instrumenten hun eigen klank en ontstond er een alchemie van geluid. Op het podium kregen alle bandleden, zelfs Ray Waters, iets verhevens, maar John Redford torende als een onbetwiste koning nog boven hen uit. Sarah vroeg zich af welke lange weg hij had afgelegd om de status van superster te bereiken, hoe het in de begintijd was geweest met zijn zelfvertrouwen en twijfels, hoe een jongen met zo'n traumatisch verleden de kracht had gevonden om alles te overwinnen en het podium te veroveren. Zij zou het nooit kunnen, daarvoor had ze te veel aarzeling en te veel schaduwen.

Het toneel werd plotseling in het donker gehuld. Toen er een enkel spotlight aanging stond Redford midden op het podium, alleen met zijn akoestische gitaar. Hij zette zijn eerste ballade in, 'How'. Hij begon langzaam te bewegen, in zijn eentje dansend, zijn zachte stem bijna schor van de pijn terwijl hij zong. *'How could I do what I did? How could I say what I said, how could*

I kill our love?' Sarah leefde mee met zijn gekwelde ziel en vroeg zich af voor wie hij het lied zong.

Ze keek naar de mensen in haar buurt, zag hoe weerloos ze waren. De naar het podium gekeerde gezichten waren spiegels vol pure, onversneden emotie. Hun naakte kwetsbaarheid was vreemd aangrijpend. *'How can I win you back? How I'm going to love you this time, just give me one chance'*. Het was een verleiding, langzaam en meesterlijk en bedreven. Elk akkoord een streling, elk woord een zoen, de samensmelting van woord, muziek en dans een liefdesspel.

Sarah ging maar zelden naar een concert, was ze instinctief uit de weg gegaan. Ze stond wantrouwig tegenover groepen, zowel in kerken als bij aerobicsles, misschien wel omdat ze vreesde overgevoelig te zijn voor massahypnose. Maar net als iedereen verlangde ze naar vergetelheid, naar de omhelzing van iemand die haar begreep, die haar eigen verdriet onder woorden bracht, het uit haar trok en er iets moois van maakte. Nu gaf ze zichzelf eraan over.

Nu begreep ze dat het publiek verlangde naar betekenis, naar de wereld die John Redford wist te scheppen, naar de plaatsen die hij hun liet zien. Hij legde hun hart en ziel bloot, hij verrijkte hun emoties, hij sprak de woorden uit die ze zelf niet konden vinden. Hij leidde het leven waarvan sommigen droomden. Hij was hun prins, hun verlosser, maar hij was ook een man van het volk. Hij had hun leven geleid, hun dromen en teleurstellingen gedeeld. Zijn eigen verdriet was niet verzacht door geld. Zijn inkomen, zijn succes, zijn talent, niets stond tussen hen in. Hij zou hen overal naartoe kunnen brengen. Sarah voelde zich van binnen trots omdat ze deze man kende, omdat een deel van hem altijd bij haar zou zijn in de vorm van haar zoon. Op dat ogenblik keek Redford haar recht aan. Ze probeerde haar blik af te wenden, maar slaagde er niet in. Hij staarde haar aan in een stroom van seksuele energie, zo sterk en opwindend dat ze bijna het gevoel had dat ze ter plekke ging klaarkomen. Hij bleef haar aankijken toen hij begon te zingen, 'One Perfect Night'.

One perfect night you came my way,
With your uncertain smile,

You stopped awhile in your wild flight,
And you spent it with me.

Just you and me and the singing wind,
The wolves for guards,
The stars lit our way,
And you left me with shards.

You smiled on me, you kissed my face,
And you left without a trace,
Leaving me with nothing but the memory,
Of one perfect night.

Sarah moest het nummer al zeker tien keer hebben gehoord zonder naar de woorden te luisteren, maar deze avond leek Redford extra duidelijk te zingen, want elk woord drong tot haar door alsof het speciaal voor haar oren was bedoeld. Haar gezicht gloeide. Het lied moest wel over hun eigen perfecte nacht gaan. Ze wilde het geloven en tegelijkertijd verwerpen. Elke nuance van zijn woorden riep herinneringen op aan de nacht die ze samen hadden doorgebracht. Toen de laatste akkoorden van zijn gitaar wegstierven was ze verzonken in haar herinneringen.

Ze schrok op toen iemand op haar schouder klopte. Strone stond naast haar. 'Kom mee,' zei hij. Hij pakte Sarah bij een arm en trok haar met zich mee. Sarah was blij met zijn steun. Ze had het gevoel alsof ze zonder hem geen stap had kunnen verzetten, nog steeds in de ban van haar zalige droom. Mensen van de bewaking maakten ruim baan voor hen. Strone nam Sarah mee door het zijpad langs het toneel naar een trap en ten slotte naar het podium zelf. Ze rook het stof dat in het felle licht van de lampen werd verschroeid. Ze rook het fluweel van de meer dan twintig meter hoge gordijnen. Ze keek naar Redford die een toegift zong, 'Run Away'.

Ze stond in de coulissen en keek naar de zee van gezichten achter de toneellampen. Voor het eerst zag ze wat Redford al duizend keer gezien moest hebben. Een enorm toneel, een lege, verlaten vlakte. Duizenden mensen die allemaal voor jou waren gekomen. Het verlangen en de liefde van de toeschouwers kwamen hier samen, gericht op die ene kleine figuur die de zaal in zijn eentje vulde. Hij voedde de menigte, hij laafde zich aan hun bewondering. Sarah veegde het haar uit haar gezicht. Hoe bleef hij in vredesnaam bij zijn gezonde verstand?

Strone stond naar haar te kijken.

'Zie je het nu?' vroeg hij. 'Daar gaat het allemaal om.'

Sarah knikte. Het was alsof ze in een droom gevangenzat en probeerde te vluchten, maar haar voeten zakten weg in de stroop. Ze wilde niet net zo kwetsbaar zijn als de bezoekers. Ze wilde niet dat Strone haar emoties zag. Ze probeerde in haar geest te vluchten, haar overgave te vergeten en weer nuchter te worden. Samen bleven ze naar Redford kijken terwijl hij nog twee nummers speelde. Na een indrukwekkend optreden van tweeënhalf uur ging hij eindelijk het toneel af. Ze staarde naar de lege plek die hij achterliet en had bijna het gevoel alsof ze naast hem had gestaan. Het was net een catharsis, een loutering waarvan de oude filosofen alleen maar hadden kunnen dromen. Ze voelde zich opgetogen maar ook uitgeput. Strone legde zacht een hand op haar schouder.

'Geeft niks, dat hebben we allemaal meegemaakt. Na John zijn eerste concert dacht ik dat ik een week niets meer zou kunnen zeggen. Ik was tot tranen toe bewogen. Maar kennelijk heb ik toch iets gezegd, want dezelfde avond tekende hij een contract.'

Sarah keek hem met glanzende ogen aan. 'O ja? Wanneer was dat?'

'Het is een lang verhaal. Kom. Je krijgt een etentje van me en dan vertel ik je er alles over.'

32

Even later reden ze over de Brooklyn Bridge.

'Ik neem je mee naar Pierre's. De beste biefstuk met patat in New York en een geweldige wijnkaart.' Zijn gezicht kreeg opeens een ontstelde uitdrukking. 'Je bent toch geen vegetariër?'

'Een echte carnivoor.'

'Godzijdank.'

Sarah ging tegenover Strone aan tafel zitten. Voor de tweede achtereenvolgende avond dronk ze een heerlijke rode wijn. Ze was blij met de anonimiteit van dit etentje. Niemand schonk hun meer aandacht dan waaraan Sarah gewend was.

'Moet je niet bij John zijn?' vroeg ze aan Strone. 'Na zo'n optreden kan hij toch niet alleen blijven?' Ze zweeg even en glimlachte ongemakkelijk. 'Nou ja, hij zal wel niet alleen zijn. Hij heeft natuurlijk keus uit wel vijftigduizend vriendinnen, alleen al in deze stad.'

Strone lachte. 'Aan die gemeenplaatsen moet je geen geloof hechten. De popster met zijn groupies.'

'Waarom niet? Gemeenplaatsen zijn meestal op de waarheid gebaseerd, kijk maar naar Mick Jagger.'

'Nou ja, daar is John overheen gegroeid.'

'Wat doet hij nu dan?'

'Normaal wordt er veel nagepraat met mensen van de platenmaatschappij, vrienden en journalisten, maar vanavond niet. Hij heeft dit optreden alleen voor zichzelf gedaan, omdat hij het leuk vindt in een klein theater te spelen en niet in een dierentuin. Dus vanavond is hij alleen. Hij mediteert, doet zijn yoga en ademhalingsoefeningen, drinkt een groot glas wortelsap en gaat naar bed.'

'Alleen?'

'Hij heeft op het ogenblik geen vriendin, dus hij gaat in zijn eentje naar bed,' antwoordde Strone geduldig, maar hij keek Sarah verwonderd aan.

'Dat lijkt me zo eenzaam,' zei ze, ongewild toegevend aan haar emoties. 'Na zo'n optreden, de liefde van al die mensen. Je legt je ziel en zaligheid voor hen bloot en dan ga je alleen terug naar een anonieme hotelkamer.'

'Het is ook eenzaam. Waarom denk je dat ik van hem houd? Waarom zou ik hier anders zitten, ook alleen, en niet ergens bij mijn vrouw en kinderen?'

'Hou je van hem?' vroeg Sarah verrast.

'Natuurlijk hou ik van hem. Ik heb hem ontdekt toen hij nog een jongen was. Zestien jaar oud.' Hij glimlachte. 'Ik was zelf nog een jonge vent, zesentwintig. Hoe dan ook, hij zong in een bar in Jackson Hole in Wyoming, en ik kreeg er letterlijk kippenvel van. Ik wist dat hij een grote zou worden. Daarna heb ik alles met hem meegemaakt, zijn ups en downs, zijn ambitie, zijn moed. Ik heb gezien hoe zijn ruwe, ongeslepen talent de diamant is geworden die je vanavond hebt gehoord. Hij is nergens mee te vergelijken, of wel soms?'

Sarah schudde haar hoofd. 'Er zijn geen woorden voor.'

'We hebben altijd voor elkaar klaar gestaan,' ging Strone verder. 'Ik maak alle kanten van hem mee. Ik zie het succes en de adoratie, maar ik zie ook de pijn en de eenzaamheid en de opoffering.'

'Hoezo opoffering?' vroeg Sarah.

'Het verneukeratieve,' antwoordde Strone ongeduldig, alsof het voor de hand lag. 'Rock-'n-roll is een volkomen krankzinnige wereld.'

'Waarom dan?' vroeg Sarah.

'Omdat het gevaarlijk is. Je raakt erdoor van slag, soms word je er helemaal gestoord van.'

'Jij en John?'

'Ik en John.'

'Waar merk je dat aan?'

Strone keek haar even aan en wendde zijn blik af, een stilzwijgend antwoord.

'Waarom blijven jullie er dan toch mee doorgaan?' vroeg Sarah. 'Waarom houdt John er niet gewoon mee op?'

Strone lachte. 'Je hebt hem vanavond gezien, het publiek gehoord. Kun je je voorstellen hoe het is om op dat podium te staan? Het is een geweldig gevoel, een echte kick. Het is de lekkerste drug die er bestaat, de grootste liefde die je ooit zult voelen.'

Het lijkt er niet op, zei Sarah tegen zichzelf toen ze aan Georgie dacht.

'Vertel eens hoe je hem precies hebt leren kennen,' zei ze terwijl ze een stukje bloeddoorlopen biefstuk oprikte.

Strone nam een slok wijn en zijn ogen kregen een melancholieke uitdrukking. Sarah verbaasde zich over de verandering die over hem was gekomen. Redfords optreden had een snaar bij hem geraakt, of misschien durfde hij een andere kant van zichzelf te tonen omdat hij de reactie van Sarah op het concert van zijn ster had gezien. Het was alsof ze een inwijdingsceremonie had doorlopen en nu als een volwaardig lid van de stam was opgenomen.

'Dat is tweeëntwintig jaar geleden. Ik had vijf jaar als boekhouder gewerkt en dat hield ik niet meer uit.' Hij zag Sarahs verbaasde blik. 'Ja, ik weet het, ik zie er niet uit als een boekhouder, maar wat zegt het uiterlijk eigenlijk over iemand? Ik hoop niet dat je je wijn over mijn hoofd uitgiet,' zei hij op zijn hoede, 'maar zoals ik al eerder heb opgemerkt, jij ziet er niet bepaald uit als een bankier.'

Sarah glimlachte. 'Ik snap wat je bedoelt.'

'Hoe dan ook, boekhouden alleen was niet voldoende voor me, dus probeerde ik het te gebruiken om iets te bereiken wat meer in mijn straatje lag. Ik was altijd gek geweest op muziek, dus ik had de vage hoop dat ik manager van een nieuw talent zou kunnen worden. Op een dag gaf ik mijn baan op en verhuisde van New Jersey naar het wilde westen. Ik dacht dat ik daar de meeste kans zou hebben om mijn droom waar te maken. Ik reisde maar zo'n beetje rond, net hoe het uitkwam, zonder me af te vragen waar ik jonge zangers zou kunnen vinden. In elk geval kwam ik na een jaar zwerven in Wyoming terecht, in Jackson. Ik was bijna door mijn geld heen, dus ik sliep bij boeren in de schuur, at een goedkoop ontbijt in truckerscafés en leefde van de gratis pinda's in bars. Op een avond ging ik naar een tent met zaagsel op de vloer en een stel kinkels aan de bar. Er kwam een jonge knaap met een gitaar naar de verhoging. Ik had gevonden wat ik zocht. Ik wist het voordat hij zijn mond open had gedaan, voordat hij ook maar één akkoord had gespeeld. Hij had gewoon iets. Hij was jong en aantrekkelijk en hij was nog onervaren, maar hij had een blik in zijn ogen alsof hij de hele wereld begreep, ook al was hij nog maar zestien jaar. En toen begon hij te zingen.' Strone glimlachte en trok zijn schouders op alsof alles al gezegd was. 'Na afloop ging ik naar hem toe, stelde mezelf voor en kocht van mijn laatste dollar een drankje voor hem.'

'En verder?'

'Ik zei dat ik een ster van hem kon maken. Hij vroeg wie ik dan wel was, wat ik had gedaan. Wat ik in Jackson deed, waar ik woonde. Ik waagde het erop en zei dat ik in een schuur moest slapen. Hij begon te lachen en zei dat hij het een pluspunt vond. In elk geval moet hij ook iets in mij hebben gezien, want ik stelde een contractje op op de achterkant van een servet en dat tekende hij.'

'Impulsief,' zei Sarah peinzend.

'Ja, dat was hij, maar je moet niet vergeten dat hij al heel lang van niemand meer een schouderklopje had gehad. Hij had in Jackson ook weinig te zoeken, geen reden om te blijven, afgezien van zijn broer en die wilde wel met ons mee.'

'Zijn ouders waren allebei dood,' zei Sarah.

'Heeft hij je dat verteld?'

Sarah knikte.

Strone keek haar scherp aan. 'Meestal praat hij daar niet over.'

Sarah trok haar schouders op. 'Nou ja, hij heeft het ook niet uitgebreid verteld en ik hoef geen details te weten. Hoe oud was zijn broer toen?'

'Veertien.' Strone zat haar nog steeds achterdochtig op te nemen, alsof ze buiten haar boekje was gegaan.

'En waar gingen jullie heen?'

Strone glimlachte. 'Naar mijn moeder in Jersey City. We hadden allemaal weer eens behoefte aan een stevige maaltijd. Mijn moeder kon erg goed koken.'

'Kon?' vroeg Sarah zachtjes.

'Kanker. Vorig jaar.'

'O god, Strone, dat spijt me.'

Hij gebaarde met zijn hand en kneep zijn ogen dicht zonder iets te zeggen. Sarah hielp hem uit de brand. 'En daarna zijn jullie naar de platenmaatschappij gegaan.'

Hij knikte. 'John zong en speelde gitaar voor een van de directeuren. Ik had erop gestaan dat hij persoonlijk een nummer mocht spelen, geen demo. Ik wilde dat ze John met eigen ogen zagen.'

'Hoe kreeg je dat voor elkaar? Je was een onbekende ex-boekhouder en manager van een onbekende tiener.'

'Ik heb een goede babbel.' Hij glimlachte. 'Ik krijg meestal wel wat ik wil.'

'Meestal?' drong Sarah aan.

'Niet als het om bijzaken gaat. Als het iets belangrijks is krijg ik altijd mijn zin.'

'Ja, ja. En je bent zeker ook onsterfelijk?'

'Hier aan tafel zit maar één godenkind,' antwoordde hij.

'Ik niet,' zei Sarah. 'Ik geloof al heel lang niet meer in mijn eigen onsterfelijkheid.'

Strone glimlachte. 'Wie mist je als je er niet meer bent? Dat is de vraag die we ons allemaal zouden moeten stellen.'

Sarah dacht aan Georgie en tot haar ontzetting kwamen er tranen in haar ogen. Strone leunde naar voren en pakte haar hand. 'Hé, het spijt me,' zei hij ontdaan.

Sarah trok haar hand weg en veegde haar ogen droog. 'Het geeft niet. Ik ben een beetje overgevoelig, maar het ligt niet aan jou.'

Strone lachte haar vriendelijk toe. 'Je bent niet zo hard als je je voordoet, wel? Hij is een bofkont als je zoveel van hem houdt.'

Sarah wendde zich af. Dit begon te benauwend te worden. Redford had met zijn optreden een snaar geraakt zoals hij alleen dat kon doen en ze was bang dat ze zich bloot zou geven.

33

Sarah werd om zes uur gewekt toen roomservice het ontbijt kwam brengen. Met rode ogen trok ze een badjas aan, deed de deur open en zette haar handtekening. Ze voelde zich uitgeput en helemaal van slag. Haar borsten waren nog steeds pijnlijk en ze had een tamelijk licht gevoel in haar hoofd alsof ze ongesteld moest worden. Mrs V. had volkomen gelijk met te zeggen dat je niet te snel met borstvoeding moest ophouden. Het was een schrale troost, dacht Sarah. Ze keek verlangend naar de pasteitjes op haar bord, maar voordat ze ging ontbijten dwong ze zichzelf haar bank in Londen te bellen. Ze liet telefonisch vijftienduizend dollar overmaken. Ze had geen idee hoeveel de suite haar ging kosten, maar ze was niet van plan hier of in Parijs – hun volgende tussenstop – door haar geld heen te raken. Ze wreef in haar ogen, schonk een kop koffie in en belde Jacob. Alles liep op rolletjes. Georgie kraaide zelfs toen hij haar stem hoorde. Na vijf minuten hing Sarah op. Ze beet op haar lip, stond op en begon heen en weer te lopen terwijl ze zonder iets te zien door het raam naar de skyline van Manhattan staarde. Daarna dwong ze zich te gaan zitten, koffie te drinken en een croissant te eten voordat ze aan de slag ging met Redfords financiële gegevens. Na een uur werken belde ze Savage op.

'Heb je iets bereikt?' vroeg hij.

'Geen negatieve berichten. En wat de positieve kanten betreft, hij is echt een ongelofelijke artiest. Zijn concert gisteravond was geweldig, tweeduizend mensen helemaal in zijn ban.'

'Heeft hij je bekeerd?'

'Ik ben een atheïst, James, altijd geweest en dat zal ik ook altijd blijven. Heb jij nog iets voor mij?'

'Drugs,' antwoordde Savage. Hij liet een stilte vallen om Sarahs reactie te peilen, maar toen ze niets zei moest hij wel doorgaan. 'Hij is blijkbaar lang verslaafd geweest. Hij is drie jaar geleden afgekickt en sindsdien is hij clean. Labiele achtergrond. Zijn moeder is omgekomen bij een auto-ongeval, zijn vader pleegde een paar jaar later zelfmoord met een geweer. Redford heeft zijn lichaam gevonden.'

'O nee.' Sarah zag een ogenblik haar eigen ouders voor zich, dood en onderuitgezakt op de voorbank van de auto terwijl zij en haar broer achterin gewond waren en bekneld zaten. Sarah wist wat Redford had moeten doorstaan, ze wist dat hij er nooit overheen zou kunnen komen. Daar konden geen verdovende middelen tegenop, geen juichende fans of adrenaline.

'Geloof jij dat hij clean is?' vroeg Savage, die haar zonder het te beseffen iets gaf om zich te herstellen.

'Hij ziet er vreselijk gezond uit. Het zou me bijzonder verbazen als hij iets gebruikte, maar ik zal erop letten. Is het voor jou een probleem?'

'Ik geloof het niet. Ik hoop het niet. Hij is een popmuzikant, zulke mensen associeer je nu eenmaal met verdovende middelen, maar zo te horen gebruikt hij ze nu in elk geval niet meer. Als blijkt dat hij toch verslaafd is, zullen we opnieuw moeten bekijken of we daarmee kunnen leven of niet.'

'Hoe gedraagt Zamaroh zich?'

'Zij staat helemaal achter hem.'

Sarah dacht aan de dode vader van de Iraanse. De dood leek hen allemaal te verbinden.

'Ik neem aan dat Breden dat van die drugs heeft ontdekt?'

'Ja.'

'Is hij vandaag aanwezig?' Breden genoot het zeldzame voorrecht van een eigen kantoor op dezelfde etage als de president-directeur.

'Ja, hij is er. Wil je hem spreken?'

'Graag.'

'Een ogenblikje, dan verbind ik u door,' zei Savage op sarcastische toon.

Sarah veronderstelde dat het een geweldige gunst was van iemand die zelfs zijn eigen vrouw nooit zonder tussenkomst van zijn secretaresse opbelde.

'Hallo, Sarah, hoe is het met je?' vroeg Breden energiek.

'Ik ben afgepeigerd, in tegenstelling tot jou. Moet je horen, ik weet niet zeker of het iets voorstelt maar ik wil meer weten over Jim O'Cleary. Hij hoort bij de entourage van Redford, hij is hoofd van de bewaking. Er is iets vreemds aan hem, ik weet het niet precies. Ik kan niet specifieker zijn. Het is niet meer dan een gevoel, maar zou je misschien een van je talloze contacten kunnen inschakelen om meer over hem aan de weet te komen?'

'Voor jou en je gevoel heb ik alles over.'

Er werd op de deur geklopt voordat ze een antwoord kon formuleren dat scherp moest zijn, maar niet zo scherp dat ze er Breden mee voor het hoofd stootte.

'Eh, sorry, maar er is iemand aan de deur. Bedankt, Dick.'

Ze legde neer en haastte zich naar de deur. Een piccolo stond met een envelop in zijn hand te wachten.

'Voor Sarah Jensen, dringend,' zei hij terwijl hij de envelop overhandigde. Sarah gaf hem haar laatste muntstuk en deed de deur dicht. Met een vingernagel scheurde ze de envelop open. Er viel een enkel blaadje papier uit. Er stonden een paar simpele getypte woorden op:

Voor Sarah Jensen.
Ga zo door en je bent dood.

Ze liet zich op de sofa zakken, het briefje in haar hand. Haar hart bonkte, ze kreeg kippenvel en voelde zich misselijk worden. Ze had het briefje het liefst verfrommeld en in de prullenmand gegooid zonder er nog over na te denken. Laat ze de pest maar krijgen. Maar ze kon het niet opbrengen. Ze was te bang. Ze wachtte tot de angst iets minder werd en plaats maakte voor woede over het stukje papier en over de laffe afzender die haar in zo'n geestestoestand hadden gebracht. Wie kon er in 's hemelsnaam achter zitten? Allerlei mogelijkheden kwamen bij haar op: een of andere halve gare die niets beters te doen had, een halve gare die wist hoe ze heette en haar bedreigde. Maar waarom? Omdat ze met een onderzoek bezig was? Maar buiten Goldsteins wist niemand daar iets vanaf, behalve Jacob en die zou nooit zijn mond opendoen over haar werkelijke missie. Binnen Goldsteins waren alleen Savage, Zamaroh en Breden op de hoogte en geen van de drie had een reden om haar te verraden.

Maar gesteld dat ze toch verraden was, wie bedreigde haar dan en waarom? Redford kon het niet zijn. Het was een vreemd briefje dat eerder aan een kwajongensstreek deed denken. Als Redford iets te verbergen had zou zo'n waarschuwing haar er alleen maar toe aanzetten nog dieper te graven. Bovendien wilde hij de emissie zelf, hij had het geld nodig en daarom had hij ook Sarah nodig. Als er iets verborgen moest blijven zou hij een andere manier bedenken dan intimidatie, en zo'n briefje was niets voor hem. Ze kon zich niet voorstellen dat hij zich tot anonieme bedreigingen zou verlagen.

Ze gooide het briefje op de tafel en wreef over haar ogen. Jezus, ze was gewoon helemaal van slag. Het probleem met haar werk was dat het menselijk gedrag zo absurd grillig en onvoorspelbaar was dat je gek kon worden als je het probeerde te analyseren. Soms bedacht je steeds ingewikkelder verklaringen terwijl het eenvoudigste en meest voor de hand liggende antwoord het juiste was. Overal zag je spoken, altijd wilde je het slechtste in mensen zien. Ze staarde naar het briefje. Misschien was het een gestoorde fan die haar en Redford samen had gezien. Ze dacht aan Ray Waters. Hij dacht dat zij Redfords speeltje was. Wie dacht er nog meer zo over haar? De hele entourage moest haar gisterenmiddag samen met Strone in het Beacon hebben gezien. In het losbandige gezelschap zou zo'n nieuwtje snel genoeg de ronde doen. Het kon een van die mensen zijn, of een jaloerse groupie. Zou het Strone zelf kunnen zijn die zijn ster in bescherming wilde nemen? Dat was hoogst onwaarschijnlijk. Ten eerste strookte dat niet met het karakter van de manager zoals ze dat langzaam maar zeker had leren kennen, en ten tweede zou Strone als Redfords manager tien procent van de opbrengst van de emissie krijgen.

Dat kon oplopen tot niet minder dan tien miljoen dollar. Plotseling kreeg ze een vreemde ingeving. Misschien was het dezelfde man of vrouw die bij Goldsteins vertrouwelijke informatie liet uitlekken. Per slot van rekening waren er veel handelaars die om de paar weken wel een keer naar New York vlogen. Misschien was hij of zij achter haar opdracht gekomen. Shit, het kon iedereen wel zijn.

Ze moest denken aan wat Strone had gezegd: *Wie mist je als je er niet meer bent?*

Ze moest een rilling onderdrukken.

34

Sarah telde vierduizend en vijfendertig dollar in contanten uit. De kassier keek haar afkeurend aan. Ze had alleen briefjes van twintig, die Sarah een halfuur geleden bij de Citibank om de hoek had opgenomen, om haar rekening te betalen.

John Redford daagde uit het niets achter haar op en fluisterde iets in haar oor. 'Ben je drugsgeld aan het witwassen?'

Ze draaide zich met een ruk om en keek hem woedend aan. Zoals hij hier voor haar stond, met zijn handen in de zakken van een versleten leren jack, was hij plotseling weer menselijk, niet de goddelijke artiest die ze op het podium had gezien.

'Doe dat toch niet,' siste ze. 'Ik krijg bijna een rolberoerte. Wat mankeert jullie? Strone flikte me gisteren hetzelfde.'

Redford glimlachte. 'Betaal je altijd contant?'

'Mijn portemonnee is gestolen,' snauwde ze.

Redford werd ineens ernstig. 'Wanneer? Waar?'

'Een gehaaide zakkenrolster gooide mijn tas op de grond in het toilet van het restaurant waar wij hebben gegeten.'

'Hoe weet je dat zij het was?'

'Ik weet het niet zeker, het is maar een idee. Ik laat mijn tas nooit slingeren, dus ik weet wel dat het niet in het hotel kan zijn gebeurd,' fluisterde ze, want ze wilde geen onschuldige kamermeisjes in de problemen brengen. De pinnige kassier keek inmiddels heel wat vriendelijker naar Sarah en spitste zijn oren om het gesprek te kunnen volgen.

'Wat ben je kwijt?'

Sarah keek hem onderzoekend aan en vroeg zich af waarom Redford er zo op doorging.

'Ongeveer vijfhonderd pond contant geld, duizend dollar, mijn rijbewijs en mijn creditcards. Het ergste vind ik nog de foto's van mijn...' Jezus. Ze kon de woorden nog net op tijd inslikken.

'Wat voor foto's?' vroeg Redford met een frons.

'Naaktfoto's van al mijn vriendjes,' antwoordde Sarah op een ingeving.

'Ja, dat zal wel.'

'Het was in elk geval knap vervelend, maar ik heb geld laten overmaken en ik kan weer vooruit, dus laten we het maar vergeten.'

Een groepje nieuwsgierige hotelgasten had blijkbaar ineens reden om dicht bij de kassa te komen staan. Sarah knikte in hun richting.

'Zullen we?'

'Zullen we wat?' vroeg Redford schalks.

'Maken dat we hier wegkomen,' zei Sarah boos.

De limousine stond voor de ingang te wachten. Strone was al ingestapt en voerde een gesprek via zijn mobiel. Hij knikte naar Sarah en wierp een blik naar Redford voordat hij de conversatie voortzette.

'Voor- of achteruit?' vroeg Redford beleefd met een gebaar naar de auto.

'Vooruit, graag,' antwoordde Sarah uit de hoogte.

'Heb je last van wagenziekte?'

'Nee, maar ik hou er niet van om achteruit te rijden.'

'Aha.'

'Wat "aha"?'

'Je hebt alles graag zelf in de hand.'

'Wie zegt dat?'

'Een beetje psychiater zou er geen moeite mee hebben.'

'En wat weet jij van psychiaters af?'

'Ja, dat ga ik jou niet aan je neus hangen.'

Sarah glimlachte en gunde hem het punt. Een deel van haar werd getroffen door het absurde van haar situatie: ze zat in een limousine, samen met de vader van haar kind die ze nog moest leren kennen. Ze bestudeerde zijn gezicht. Hij zag er moe maar ook opgelucht uit, alsof hij blij was dat hij kon vertrekken.

Ze boog zich naar hem toe. 'Je hebt het natuurlijk al duizend keer gehoord, maar je was geweldig gisteren.'

'Dank je.' Hij leek werkelijk in zijn nopjes te zijn met haar lof.

'Het was onbeschrijflijk om je zo te zien, net alsof ik een deel van je songs was.'

'Had je echt het gevoel dat je er deel van uitmaakte?'

'Nou en of, net als iedereen daar. De muziek leek dwars door ons heen te stromen. Het was net of ik erin dreef, een zee van geluid en emoties.'

Redford knikte bedachtzaam.

'Hoe is het,' vroeg Sarah, 'om zo in het middelpunt te staan?'

Redford glimlachte en zijn ogen kregen een sensuele en peinzende uitdrukking. 'Het is de grootste kick die je je kunt voorstellen.' Zijn blik werd harder. 'En tegelijk de grootste valkuil die er is.'

'Hoezo?'

'Wat moet je als er niets beters meer is? Het is afschuwelijk om weer met beide benen op de grond te moeten staan.'

'Hoe ga je daar dan mee om?'

Hij keek haar vluchtig aan en sloeg zijn ogen neer zonder antwoord te geven.

Hij opende een vak in de rugleuning van de bank en haalde een fles Evian te voorschijn. Sarah zag nu pas dat zijn rechterhand in het verband zat.

'Wat is er gebeurd?' vroeg Sarah met een knikje naar zijn hand.

Redford kreeg een tamelijk verlegen uitdrukking op zijn gezicht. Hij scheen ergens over na te denken voordat hij antwoord gaf.

'Ik ben met een muur in botsing gekomen,' zei hij bijna fluisterend.

'Je bent wat?' riep Sarah uit.

'Je hebt me wel gehoord.'

'Hoe kan dat in 's hemelsnaam?'

Strone schakelde plotseling zijn mobiel uit en bemoeide zich met hun gesprek.

'Laat nou maar zitten,' zei hij met veel nadruk.

'Het was maar een vraag,' zei Sarah. Ze keek van Strone naar Redford. 'Het is toch zeker geen staatsgeheim? En sorry dat ik het zeg,

maar het gebeurt mij niet elke dag dat ik op een muur bots.'
Strone leunde naar voren. 'Maar jij bent ook geen popster, of wel
soms? Jij weet niet wat het is om na een optreden te moeten af-
kicken. Je hebt geen idee hoe het voelt om zo opgefokt te zijn
zonder je te kunnen afreageren. Dus laat hem nou maar met rust.'
Sarah stak verontschuldigend haar handen op. 'Het spijt me. Ik
heb niets gezegd.' Ze keek even naar Redford, die haar met een
verwarde blik in zijn ogen zat op te nemen. Ze draaide haar hoofd
opzij en keek uit het raam, maar ze slaagde er niet in de gedachte van zich af te zetten van Redford die zijn vuist keihard tegen
de muur ramde, met alles wat dat over zijn stabiliteit zei.

35

Redford zat naast Sarah in het vliegtuig naar Parijs. Strone zat
twee plaatsen achter hen en leek nogal verdiept in de miljoen kleinigheden die de trip naar Europa met zich meebracht. Sarah keek
rond. De andere passagiers hadden kennelijk al heel vaak eerste-
klas gevlogen. Ze zagen er uitgeput uit. Dat moest de reden zijn,
meende Sarah, dat ze John Redford slechts vanuit hun ooghoeken bekeken. Misschien waren ze in deze kleine ruimte bang van
hem, alsof ze ieder moment een uitbarsting van rockgeweld vrees-
den als ze hem er aanleiding toe gaven. Naarmate het vliegtuig
aan hoogte won, kwam ze in een betere stemming. De dreigbrief
scheen onbelangrijk, een onbenullige practical joke.
De stewardess kwam langs zodra ze kruissnelheid hadden bereikt
op een hoogte van negen kilometer. Ze bracht Redford kaviaar,
blauwe druiven en mineraalwater. Sarah vroeg om hetzelfde en
at met smaak. Redford was niet spraakzaam en werd het grootste deel van de reis in beslag genomen door een boek over wolven. Hij maakte een dodelijk vermoeide maar tegelijkertijd aler-
te indruk op Sarah. Ze was verrast toen hij eindelijk wat zei.
'Wat was er nou met je tasje?'
'Mijn portemonnee, bedoel je,' zei Sarah, met een schok uit haar
dagdromen gerukt. 'Daar valt niet veel over te zeggen.'
'Heb je het niet aangegeven?'
'Dat had ik misschien wel moeten doen, maar ik vond het de

moeite niet waard. Ik was een paar uur vrij en die wilde ik rustig alleen doorbrengen zonder in een of ander armoedig politiebureau mijn beurt af te moeten wachten om vijfduizend formulieren in te mogen vullen. Begrijp me niet verkeerd, ik vind het heel lief dat je zo bezorgd bent en ik ben je zeker dankbaar, maar wat maakt het jou uit? Zoveel is er toch niet aan de hand.'

'Nee, dat niet. Maar er hoeft toch niet altijd wat ergs te gebeuren?'

'Jawel.'

'Ik ben nogal gestresst, denk ik.'

'Waardoor?' vroeg Sarah scherp. Ze voelde nattigheid.

Redford streek met zijn vingers door zijn haar, keek naar het plafond en zuchtte.

'Jim O'Cleary, ons hoofd beveiliging is verdwenen.'

'Verdwenen?'

'Hij heeft een uur geleden zijn vliegtuig naar Parijs gemist.'

'Misschien is hij in slaap gevallen.'

Redford schudde het hoofd. 'Dat is niet zijn stijl.'

'Iedereen maakt fouten. Misschien heeft hij vergeten zijn wekker te zetten.'

'Nou...'

'Je zit er nogal bovenop,' zei Sarah. 'Ik had niet gedacht dat je je met details zou bezighouden.'

'Het hoofd beveiliging is geen detail. Ons leven kan van hem afhangen.'

Sarah keek Redford verbaasd aan. 'Hoe bedoel je?'

'Heb je nooit van doorgedraaide fans gehoord, maffiatoestanden, ontvoeringen?'

Sarah dacht aan het dreigbriefje en kon zich dit allemaal ineens levendig voorstellen. 'Ja, ik begrijp wat je bedoelt. Maar dat zijn allemaal theoretische gevaren, toch? Ik bedoel, er is toch niet echt iemand die je bedreigt?'

'Nee, dat niet,' antwoordde Redford bijna vijandig. 'Maar het is O'Cleary's taak om te voorkomen dat theorie praktijk wordt. Daarom is het zo irritant dat hij verdwenen is.'

Zonder nog iets te zeggen verdiepte hij zich weer in zijn boek. Sarah vroeg om een kopje thee. Ze nam een grote slok. De thee verwarmde haar.

'Vind je het leuk om op tournee te gaan?' vroeg ze plotseling.

Hij keek haar geïnteresseerd aan. 'Waarom vraag je dat?'

'Omdat ik het wil weten. Het lijkt me een vreemde manier van leven.'

'Inderdaad. Ik haat het.'

'Echt waar? De optredens ook?'

'Nee, die vind ik geweldig, maar zoals ik al zei, het is een gevaarlijke verslaving. Iedereen die het heeft meegemaakt en die sensatie heeft ervaren, die pure verafgoding, dat publiek van wie zich zovelen de kleren van het lijf rukken, is er doodsbenauwd van. Het is net zoiets als corruptie, het vreet aan je ziel.'

'Wat heeft het met corruptie te maken?'

'Omdat je zo'n verschrikkelijke macht over mensen hebt als je niet uitkijkt; je moet het zuiver zien te houden.'

Sarah keek naar hem en probeerde het te begrijpen.

'Je kunt je publiek elke emotionele kant op krijgen die je wilt. Het is net een hersenspoeling. Als je het met kwade bedoelingen doet, kun je hun geest vergiftigen met haat en woede.'

'Ik word alleen maar vrolijk en melancholiek van je. En hartstochtelijk,' merkte ze rustig op.

Redford keek Sarah lang en strak aan. Ze deed haar best om die alziende blik gelijkmoedig te beantwoorden. Ze zag haar herinneringen in zijn ogen gespiegeld.

'Daar zing ik over,' antwoordde hij traag. 'Dat is wat ik doe. Maar begrijp je wat ik bedoel, snap je dat het verkeerd kan gaan?'

'Ja. Maar er is toch niet echt een reden voor?' Sarah voelde dat ze naar iets zocht wat diep binnen in hem verborgen was en er dichtbij kwam.

'Maar het zou kunnen.'

'Ik zou naar de top van een berg kunnen klimmen en mezelf naar beneden gooien, maar dat ik dat zou kunnen betekent nog niet dat ik het doe,' zei Sarah.

'Maar het zou in je kunnen opkomen, die gedachte zou kunnen postvatten en als dat eenmaal gebeurt, wat doe je dan?'

'Snel naar beneden klimmen,' antwoordde Sarah. Ze wachtte even voordat ze voorzichtig verder vroeg. 'Draag je daarom dat verband?'

Redford ontweek haar blik. 'Het heeft met frustratie te maken en met het gevoel dat je klem zit.'

'Je zou ermee willen stoppen,' zei Sarah, die het ineens begreep. Redford zag er ontzet uit, alsof ze de meest godslasterlijke taal had uitgeslagen.

'Voor mij zijn dat geen ketterse woorden,' zei ze alsof ze zijn gedachten kon lezen. 'Je hebt het gemaakt, je bent al meer dan twintig jaar aan de top. Waarom stop je er niet mee?'

'Zo simpel ligt het niet. Ik houd van zingen, ik houd van optredens, ik houd van muziek schrijven.'

'Haat, liefde,' zei Sarah.

'Precies.'

'Vroeger of later word je opzijgeschoven of je bezwijkt aan de spanning.'

Er gleed een schaduw over Redfords gezicht.

'Daarom wil je de emissie. Je wilt er nu uitstappen, voordat het misgaat.' Sarah wist dat ze zich op glad ijs bewoog, maar ze voelde een soort opluchting bij Redford en ze moest het risico dat hij dicht zou klappen op de koop toe nemen.

'Wat zou er kunnen gebeuren? Geef eens een voorbeeld,' vroeg hij gespannen.

'Dat weet jij beter dan ik.'

'Nee, zeg op. Jij bent er vol van.'

'Ik weet het niet. Een zenuwinzinking?'

'Heb ik al gehad. Die kom je te boven,' zei hij uitdagend.

'Drugsverslaving?'

'Ik ben aan de drugs geweest. Ik zat zo onder de dope dat ik niet meer wist wat ik deed, maar die tijd heb ik allang achter me. Ook dat heb ik overleefd.'

'Seksverslaving?' probeerde Sarah met een glimlach.

'Ik leef tegenwoordig celibatair, als een monnik.'

'O, ja?'

'Met al dat groupiegedoe heb ik het gehad, al lang geleden.' Hij keek haar priemend aan.

'Je hoeft niet altijd seks met groupies te hebben,' merkte Sarah op, die nu volledig het zicht op de scheidslijn tussen persoonlijk en zakelijk kwijt was.

'Ja, de ware ontmoeten en haar zien te houden schijnt mij niet gegeven te zijn.' Hij wierp Sarah een zure blik toe.

'Geldverslaving?' Ze speelden nu een spel en wisten het beiden.

'Waarom doe jij wat je doet?' vroeg Redford. 'Je schijnt er zelf niet helemaal achter te staan.'

'Dat is waar. Maar ik kan niets anders. Ik doe het en ik ben er goed in. Het is prettig om ergens goed in te zijn, gewaardeerd te worden en ervoor betaald te krijgen.'

'Maar je zei dat je zelf kon kiezen wat je doet, dat je geen verarmde bankier bent.'

'Ik zit niet zonder geld, maar ik moet wel werken.'

'Hoezo? Waarvoor? Soms kijk ik naar je en krijg het gevoel alsof je een speciale missie hebt.'

Ik wil jouw zoon het beste geven, dacht ze. Ze speelde een gevaarlijk spel met de waarheid.

Sarah glimlachte. 'Ze noemen het *vakantiegeld*. Geld waarmee je vrijheid kan kopen.'

'Ja, ja. Ik weet waar je het over hebt. Verder geen ambitie?'

Sarah dacht even na. 'Ja, vroeger wel. Behalve geld wilde ik succes.'

'En wat is er gebeurd?'

'Ik kreeg wat ik dacht dat ik wilde.'

'En dat was niet genoeg?'

'Het was goed, verdomd veel beter dan mislukking en armoede. Ik heb die twee beter gekend dan me lief was. Naar die tijd verlang ik niet bepaald terug.'

'Wat is dan het probleem?'

'Moet er echt een probleem zijn?'

'Ik lees het in je ogen, Sarah.'

'We hadden het over jou,' zei ze, alsof ze moeite had zich van bepaalde gedachten los te rukken.

'We hebben voorlopig genoeg gepraat. Ik ben moe,' zei Redford met heel even de blik van een rockster in zijn ogen voor hij ze sloot.

36

Een zwarte taxi bracht hen naar Hotel Costes op de Rue St. Honoré, vlakbij de Place Vendôme. Rockmuziek dreunde hen tegemoet toen ze de donkere, weelderig ingerichte foyer in liepen. Sarah ontwaarde palmen, wierook, lampjes met kwastjes, rood fluweel, goudbrokaat en een schitterend binnenterras, verlicht

door de zon en bevolkt met Griekse beelden die als goden neer-
keken op hun spelende onderdanen. Het voerde haar spontaan
terug naar haar jeugd in New Orleans. Ze raakte bijna in vervoering, zo werd ze overvallen door de herinneringen. Redford
keek afwachtend toe, vermeed oogcontact te maken met de andere hotelgasten die heimelijk naar hem keken.
'Het is hier leuk.'
Strone stond bij de receptie en scheen in zijn vloeiend Frans opnieuw te moeten onderhandelen over de kamerprijzen. Met groot
vertoon werden Sarah en Redford naar hun kamers gebracht. Ze
kwamen langs vazen met rode, roze en witte rozen, tweezits-
bankjes en parasols. Ze gingen tergend langzaam omhoog in een
intiem kleine lift, snoven de wierook op en keken naar schilde-
rijen met verwelkte, losbandige schonen, bezweken onder hun eigen triestheid.
Sarahs suite had een eigen balkon, overwoekerd door rozen, cle-
matis en blauweregen. Ze keek verrukt uit over de daken. Er was
een hemelbed met prachtige gordijnen. De badkamer was extravagant betegeld. Hij had veel weg van de troonzaal van een pas-
ja met zijn gouden kranen en een luxe, diep ligbad dat groot genoeg was voor twee. De doordringende geur van wierook wekte
de exotische suggestie van zwoele, hete nachten in een harem. Geamuseerd bedacht ze dat ze deel uitmaakte van een harem van
één. Ze nam een lange, hete douche, droogde zich af en wreef de
bodylotion van het hotel in haar huid. Ze trok een zijden jurk
aan. De stof streelde haar naakte huid. Er werd zacht op de deur
geroffeld. Ze wilde al opendoen zonder te vragen wie het was
toen ze aan het briefje dacht. Ze wist bijna zeker dat de idioot
die het stuurde in New York was achtergebleven, maar toch. Er
was geen kijkgaatje.
'Ja?'
'Roomservice,' zei een melodieuze stem, 'kwam vragen of u iets
wilde eten.'
'Dat is heel attent van roomservice,' zei Sarah terwijl ze met een
glimlach de deur opendeed. Redford stond voor haar in jeans,
een wit T-shirt en op blote voeten. Sarah voelde haar hart sa-
mentrekken. Shit. Ze zou nu met hem willen neuken, hem op het
hotelkleed duwen en hem beklimmen.

'Waar wil roomservice opdienen?

'In mijn kamers, beneden. Ze hebben een tafeltje gedekt op het balkon.'

Redford zag haar aarzelende blik, want hij grinnikte en stelde haar gerust. 'Heel Parijs hoort het als je schreeuwt.'

'Loop ik dan gevaar?'

'Alleen als je dat wilt.'

Sarah draaide zich om. 'Geef me een paar seconden.'

Ze liet Redford achter in de deuropening. In de badkamer borstelde ze haar haar, streek het achter haar oren en spoot een luchtje op. Ze bekeek zichzelf in de spiegel. Haar ogen verraadden haar opwinding. Ze ademde zwaar zodat haar borsten in haar decolleté steeds half zichtbaar werden. Ze wierp nog een laatste blik en voegde zich toen bij Redford.

'Ga jij maar voor.'

Ze stonden naast elkaar op het terras en zagen de zon ondergaan achter de heuvels.

'Niet slecht, hè?' zei Redford.

'Zeker niet.'

'Voor die kleine jongen uit Wyoming.'

'Voor het kleine meisje uit New Orleans.'

'New Orleans is zoveel spannender,' zei Redford. 'Armoedig, smerig en exotisch.'

'Ja, maar Wyoming is goed, puur en mooi.'

Redford draaide zich naar haar toe. Op dat moment flitste er iets in de directe omgeving. Sarah keek naar het licht maar vervolgens weer naar Redford die niets opgevallen scheen te zijn. Hij bestudeerde Sarahs gezicht en leek verzonken in zijn eigen gedachten. Sarah wreef over haar armen.

'Ik heb honger,' zei ze.

Hij lachte. 'Dan moeten we gaan eten.'

De tafel was gedekt met het mooiste zilver en kristal. Het servet was langer dan een van Sarahs rokken. Ze aten asperges en dronken een tintelende witte wijn die zo soepel was dat Sarah bijna in vervoering raakte. Tegen de laatste stralen van de avondzon begonnen de lichten van Parijs af te steken. Al gauw verspreidde de maan zijn glans over hun gezicht. Het was zo'n perfecte avond die je altijd bijbleef, een geschenk van de hemel.

'Vertel me over jezelf, Sarah Jensen.'

'Er valt niet veel te vertellen. Jouw leven is veel interessanter.'

'Dat betwijfel ik.'

'Ik ben niet zo goed in zelfontboezemingen.'

'Dat wil ik geloven.'

'En wat wil je daarmee zeggen?'

'Iemand die dingen verborgen houdt, geeft ze niet graag prijs.'

'En ik verberg dingen?' vroeg Sarah.

'Dat weten we allebei.'

'Jij ook.'

'Dat ontken ik niet.'

'Hoe is dan de stand van zaken?'

'Wat vind je van een gelijke inzet?'

'Wat wilde je inzetten?'

'Doe niet zo nerveus, jij bent toch een handelaar? Dat heb je mezelf gezegd, een gokker.'

'Dus?'

'Een vraag voor een vraag. Ik vraag jou wat en jij mij. De enige voorwaarde is dat het antwoord waar moet zijn.'

'Zonder limiet?'

'Zonder limiet?'

'Hoe weet ik dat ik je kan vertrouwen? Je kunt gemakkelijk liegen.'

'Denk je? Kun jij goed liegen?'

'Dat moet jij uitmaken.'

'Hmm. Goed, Sarah. Doen we het? De dood of de gladiolen.'

Dit is gekkenwerk, dacht ze, een soort van Russische roulette. Ze hadden allebei te veel geheimen. Haar enige hoop was dat die van haar te goed voor hem verborgen waren om op de juiste vragen te komen.

'Hoeveel vragen?'

'We kunnen het ieder moment afblazen.'

'Nee,' zei Sarah. 'Drie vragen, niet meer en niet minder. Zorg maar dat je de goede stelt.'

Redford stak zijn hand uit. 'Afgesproken.'

Sarah bezegelde de afspraak. 'Ik begin. Waarom heb je het geld voor die emissie nodig?'

'Zodat ik kan stoppen, *als* ik dat wil. Laat me de keus.' Hij nam een slok water. 'Wat is het ergste dat je ooit gedaan hebt?'
'Sarah woelde met haar handen door het haar. 'Christus.'
'De waarheid, Sarah.'
Ze staarde lange tijd uit het raam in de Parijse nacht. Eindelijk richtte ze zich weer tot Redford.
'Wraak nemen,' zei ze op rustige toon. Met haar hand wuifde ze een opkomende vraag weg. 'Wat is het ergste dat jij ooit hebt gedaan?'
'Misbruik maken van mijn macht.' Dan: 'Wat heeft je het meest pijn gedaan?' vroeg hij.
'Dat is niet moeilijk. De dood van mijn ouders. En jou?'
'Hetzelfde. Waar ben je bang voor?' vroeg hij snel. Hij kreeg het ritme te pakken.
'O.' Sarah nam even bedenktijd. 'Geweld, tegen de mensen van wie ik houd.'
'Niet als het om jou gaat?'
'Je speelt vals. Het is mijn beurt,' zei Sarah, die de limiet van drie vragen had losgelaten. 'Waar ben jij bang voor?'
'Een geflipte moordenaar. Als ik morgen in een ochtendzonnetje dit hotel uit zou lopen om op mijn gemak in een bistro een café au lait te drinken en de een of andere gek aan dit alles een eind zou maken door me een kogel door het hoofd te jagen. Zoals John Lennon is overkomen.'
'Jezus.' Het beeld dat hij schetste was zo krachtig dat Sarah zijn angst kon voelen.
'Verwacht je zoiets?' vroeg ze.
'Mijn beurt,' zei hij afgemeten. 'Wat windt je op?'
'Snelheid. In volle vaart een helling af skiën, snelle auto's, speedboten, renpaarden, surfen op een enorme golf. Alles niet helemaal in de hand hebben.'
Hij lachte alsof hij het herkende.
'Wat maakt je gelukkig?' vroeg Sarah.
'Mijn paarden in Wyoming berijden. Trektochten door de Tetons, kamperen onder een sterrenhemel.' Hij keek haar aan. 'En jou?'
'Leven.'
Hij keek haar aandachtig aan. 'Ben jij zo dicht bij de dood ge-

weest, heb je zoveel mensen verloren?'
'Dat zijn twee vragen en je bent niet aan de beurt. Wat windt jou op?'
'Optreden.' Hij lachte dubbelzinnig.
Sarah kreeg het gevoel dat ze nu moest stoppen. Ze waren de limiet van drie vragen allang gepasseerd. Ze had niet hoeven liegen. De hele tijd vreesde ze een vraag naar de ware reden van haar komst. Ze was verbaasd dat die nog niet gesteld was.
'Goed,' zei ze. 'De laatste vraag. Zorg dat het een goede is.'
Hij nam een flinke slok water, leunde over de tafel en keek haar in haar ogen zodat ze hem niet kon ontwijken. 'Waarom ben je weggelopen?'

37

Het heldere zonlicht viel glinsterend op het witte terras toen Sarah voor het ontbijt naar beneden kwam. Ze nam een tafeltje in de rococo eetzaal met zijn lage, met fluweel beklede sofa's en zijn donkere hoeken. Een kelner bracht haar café americain terwijl ze het menu bekeek. Ze bestelde gebakken eieren met bacon, leunde naar achteren en keek om zich heen. Met een half oor luisterde ze naar de gesprekken die aan naburige tafels werden gevoerd. Elke conversatie leek over de uitspattingen van de afgelopen nacht te gaan. Het hotel had met zijn overdadige sensuele inrichting en zijn aantrekkelijke bediening wel iets van een bordeel, maar het was toch meer dan dat. Er hing een stijlvolle sfeer, ondanks de erotische ondertoon die overal merkbaar was. Dit was geen hotel voor dure en tegelijk goedkope afspraakjes. Het had een zekere distinctie zonder daar al te veel moeite of te opvallend voor te doen. Het had ook uitstraling waardoor het een wereldwijs, swingend publiek aantrok.
Sarahs ontbijt werd gebracht. Ze schrok op uit haar dagdroom en merkte voor het eerst dat ze meer dan normaal de aandacht trok, een mengsel van belangstelling, bewondering en afgunst. Ze kon zich voorstellen wat er werd gefluisterd. John Redford logeerde in het hotel en deze vrouw met haar glanzende, lange donkere haar, zwarte laarzen, strakke t-shirt en intelligente ogen was de vrien-

din van de popster. Ze had rustig willen ontbijten maar ze zat in een glazen huis, en daar had ze een hartgrondige hekel aan.

Ze at snel haar ontbijt op en ging terug naar haar kamer. De telefoon rinkelde toen ze binnenkwam. Ze nam haastig op.

'Hallo?'

'Sarah, James hier.' Hij klonk boos.

'Wat is er?'

'Word eens wakker,' zei hij bars. 'Je klinkt alsof je nog half in slaap bent.'

Ze haalde diep adem. 'Vertel me liever wat je dwarszit en waarom.'

'Een zekere Roddy Clark, die persmuskiet van *The Word*.'

'Aha.' Savage stond bekend om zijn afkeer van de pers. 'Je bent toch al eens eerder met hem in aanvaring gekomen? Ik heb geloof ik een rectificatie gelezen die ze moesten publiceren na zijn artikel over Goldsteins vorig jaar. Het stuk ging over Helen Jenks, een derivatenhandelaar.'

'Ja, een aardig meisje, je zou best met haar kunnen opschieten. Ze diende tegelijk met ons een aanklacht in. De smeerlappen moesten hun fout toegeven, maar sindsdien heeft die verwenste Roddy Clark iets tegen de City en vooral tegen ons. Hij schijnt in zijn club voortdurend te roepen dat hij een bank te gronde wil richten, als het even kan Goldsteins.'

'Alsjeblieft, zeg. En dat moet een serieuze journalist voorstellen?'

'*The Word* is niet zo'n slecht blad en zelfs na die veroordeling heeft hij zijn baan gehouden. Vraag me niet waarom.'

'En wat heeft hij geschreven?'

'Dat wij Redford vertegenwoordigen en dat er binnenkort een emissie met zijn albums als onderpand te verwachten is. Het verbaast me nog dat hij geen datum en lijst met geïnteresseerde beleggers wist te noemen.'

'Shit!'

'Wat je zegt.'

'Kun je het artikel doorfaxen?'

'Het is al onderweg.'

'Hoe is hij erachter gekomen?'

'Dat is nou net de vraag. Ik heb geen idee. Jij hebt toch niets losgelaten?'

Savage kreeg alleen maar stilte ten antwoord.

'Sarah?'

'Dat je me dat durft te vragen.'

'Doe nou niet zo aangebrand, Sarah. Natuurlijk denk ik niet dat jij iets zou zeggen, maar...'

'Bespaar me dan die losse flodders van je.'

'Sarah, ik kan misschien geduld met je opbrengen, andere mensen niet.'

'Dat is hun zaak.'

'Je helpt jezelf er niet mee, liefje.'

'Dat zal wel, maar zo ben ik nu eenmaal. En dat weet je heel goed, dus laat me met rust.'

'Ik kan je niet goed meer volgen. Vind je niet dat je er iets aan moet gaan doen?'

'Wat dan?'

'Haal er iemand bij.'

'Hoe bedoel je?'

'Therapie.'

'*Therapie?*'

'Waarom niet?'

'Ik geloof mijn eigen oren niet. Je bent toch niet gek geworden?'

Jezus, dacht Sarah, Machiavelli in therapie.

'Het is een aardige suggestie.'

'Ik hoef niet zo nodig te weten wat er in mijn onderbewuste omgaat.'

'Dan loop je de rest van je leven achter de feiten aan.'

'God, je bent een echte freak geworden. Jij houdt toch helemaal niet van therapeuten?'

'Mensen worden ouder en wijzer.'

'Maar niet milder. Jij hebt nog altijd een bloedhekel aan de pers en als ik me niet vergis was dat het onderwerp van gesprek. Om je vraag heel kalm en rationeel te beantwoorden, ik heb niet met de pers gesproken en zoals je weet doe ik mijn werk het liefst in alle rust, dus ik voel er ook niets voor om met een journalist te praten.'

'Denk je dat Strone of Redford hun mond voorbij hebben gepraat?'

'Redford houdt niet van tijdverspilling, maar het is mogelijk dat hij zich iets heeft laten ontvallen. Strone zou wel met de pers willen praten. Ik zal hem ernaar vragen.'

'Zo snel mogelijk graag, en geef hem de wind van voren als hij iets heeft gezegd. Wel beleefd.'

'Zou het ons lek kunnen zijn?' vroeg Sarah.

'Het is mogelijk, maar het ligt niet in zijn lijn om naar de pers te gaan.'

'Tot nu toe niet. Zijn Bredens camera's nog actief?'

'Ja. Zamaroh begint er een beetje genoeg van te krijgen; ze vindt het een inbreuk op haar privacy en zo.'

'Blijf doorgaan. We moeten het lek opsporen.'

'Ja. Heb jij nog nieuws?'

'Het begint te komen, maar ik heb nog niets tastbaars. Alleen maar aanwijzingen, vage vermoedens. Ik wil eerst iets concreets hebben voor ik jou ermee lastig val.'

'Toch niets ergs?'

'Nee, James, dat denk ik niet.'

'Niets waar die vervloekte Roddy Clark een leugenverhaal over kan schrijven?'

'Nee.'

'Niets wat de transactie op het spel kan zetten?'

'Tot nu toe niet.'

'Verzwijg je iets voor me?'

'Laat me nu maar gewoon mijn werk doen, James. Ik kan je geen harde garanties geven, die zul je nooit van me krijgen, maar ik heb nog geen bewijzen gevonden dat er iets vreselijks aan de hand is, akkoord? Ik begin Redford net een beetje te kennen. Ik stuit op kleinigheden waar we allemaal last van hebben, zijn verwachtingen en angsten en zwakheden. Niemand ziet graag dat zijn persoonlijke problemen en ambities breed in *The Word* worden uitgemeten. Het probleem met onze cliënt is dat hij in principe geen geheimen voor de pers heeft.'

'Daar hoef je mij niet van te overtuigen, maar wat dit contract betreft zijn Redfords privéaangelegenheden ook de onze.'

'Nee, James, voor ons zijn alleen zaken van belang die het contract in gevaar kunnen brengen. Er zijn verdomd veel privékwesties die wat dat betreft irrelevant zijn. Ik ben niet van plan die met iemand te delen.'

'Je loopt toch niet over, hoop ik?'

'Geloof me, James, ik weet hoe ik mijn werk moet doen.'

'Speel toch niet voor God. Ik wil het weten als je iets bijzonders ontdekt.'

'Als het de transactie in gevaar brengt, James, dan laat ik het je weten.'

'Dat is aan mij om te beoordelen, niet aan jou. Ik wil dat je morgen terug bent, Sarah.'

Savage had opgehangen voordat ze iets kon zeggen.

Sarah smeet de hoorn op de haak en begon door de kamer te ijsberen. Er was een briefje onder de deur geschoven. Ze bleef geschrokken staan en keek er een ogenblik naar voordat ze zich bukte om het op te rapen. Het zat niet in een envelop; op de achterkant van het blaadje stond alleen haar naam getypt. Ze vouwde het briefje open en las:

> Leer je het dan nooit? De klok tikt, kutwijf. Als je niet ophoudt ben je dood.'

Ik trek me er niets van aan, dacht ze. Ik doe net wat ik elke ochtend doe. Ik laat me niet door zo'n idioot beïnvloeden. Ze rilde plotseling toen ze eraan dacht hoe koel Redford zijn eigen angst onder woorden had gebracht. *Een geflipte moordenaar die je op een zonnige dag opwacht.* Een dag als vandaag.

Ze nam de hoorn van de haak en probeerde Redford te bellen. De telefoniste zei dat er op zijn nummer geen gesprekken werden aangenomen. Sarah belde Strone.

'Ja?'

'Strone, met Sarah. Ik wilde John spreken.'

'Dat zal niet gaan, hij moet vanavond optreden.'

'Het is belangrijk.'

'Voor een concert moet alles wijken.'

Sarah zuchtte geërgerd.

'Zeg het dan tegen mij,' zei Strone.

'Nee. Het is alleen voor John bestemd.'

Strone was ineens vol aandacht. 'Zo werkt dat niet. Wij zijn een team, Redford en Strone. Wij hebben geen geheimen voor elkaar.'

'Hou toch alsjeblieft op. Het is iets persoonlijks.'

Sarah hoorde even alleen gekraak op de lijn.

'Hoe persoonlijk?'

'Heb je daar dan gradaties in? Wat voert hij de hele dag uit? Hij heeft toch wel eens vijf minuten vrij? Ik moet hem iets vertellen.' Sarah besefte dat ze net zo klonk als een radeloze groupie, een gedachte die haar met weerzin vervulde.

'Hij is met yoga bezig, ademhalingsoefeningen. Dat duurt uren. Als je nu met een of ander verhaal komt aanzetten haal je hem uit zijn concentratie, dus vergeet het maar. Vandaag krijg je hem niet te spreken.'

De agressieve toon die Strone aansloeg zou Sarah normaal tot opperste razernij hebben gedreven, maar na de opmerking van Savage over therapie hield ze zich in, al was het alleen maar om te bewijzen dat ze daartoe in staat was. Strone had eigenlijk nog gelijk ook. Als Redford net bezig was zijn leven op orde te stellen moest ze hem al helemaal niet confronteren met zijn grootste angst, een doorgedraaide fan, zelfs als die niet hem maar Sarah bedreigde. Ze schrok van het idee. Savage met zijn nieuwe hobby zou waarschijnlijk zeggen dat ze hysterisch gedrag vertoonde.

'Goed,' zei Sarah, 'dan moet ik meteen met je praten. Wanneer kunnen we afspreken?'

'Toe nou, Sarah, je bent toch niet doof? Vanavond is er een optreden, ik heb het tamelijk druk.'

'Vijf minuten, nu meteen.' Sarah gooide de hoorn op de haak. Haar vingers trilden. *Zul je het nooit leren? Je bent toch niet doof?*

'Wie denk je eigenlijk dat je bent?' Strone gooide de deur open en beende de kamer in.

Hij kan het niet zijn, dacht ze terwijl ze naar hem keek. Hij was veel te slim om zo'n fout te maken, zelfs al zou hij er een reden voor hebben. En ze kon zich geen reden voorstellen, al was het alleen maar vanwege de tien miljoen dollar die hij zou krijgen als het contract werd getekend. Ze keek hem aan.

'Sorry dat ik zo uitviel. Het is besmettelijk, want ik was net zelf uitgekafferd door James Savage.' Ze ging naar de faxmachine en haalde er een enkel vel papier uit. Ze gaf het aan Strone.

'Weet jij hier iets van?'

Hij las het artikel uit *The Word* en keek naar Sarah alsof hij haar nu pas voor het eerst zag.

'Waarom zou ik daar iets van afweten?'

'Jij hebt toch niet toevallig met die journalist gesproken?'

'Ik praat zo vaak met journalisten, dat is niets bijzonders.'

'Maar het gaat om déze journalist en óns contract.'

Strone kreeg een ongemakkelijke uitdrukking op zijn gezicht.

'Dus jij was het,' zei Sarah.

'Ik zie het probleem niet.'

'Het is een kwestie van vertrouwen, de hele manier waarop zo'n overeenkomst tot stand komt. Alles gaat volgens een zorgvuldig opgesteld plan. Er komt geen improvisatie bij kijken, geen praatje met de pers of welke buitenstaander dan ook. Het is een zaak tussen mij, Savage, Zamaroh, Breden, jou en Redford, plus de paar mensen van jullie kant die beslist moeten weten wat er aan de hand is, namelijk jullie advocaten.'

'Alsjeblieft zeg, we hebben het toch zeker niet over staatsgeheimen?'

'Zo kun je het maar beter wel zien, want anders gaat de hele zaak niet door. En zal ik je eens wat vertellen? Dan heb jij het gedaan. Om te beginnen zijn er een heleboel wettelijke voorschriften waaraan zo'n emissie moet voldoen en daar moeten zowel Goldsteins als jullie, onze cliënten, zich aan houden. Verder zijn er twee manieren om zo'n transactie onder de aandacht van potentiële beleggers te brengen, een goede en een foute. Beleggers zijn van nature achterdochtig. Ze willen dat alles vlotjes verloopt, volgens de bekende patronen. Alles wat daarvan afwijkt maakt ze ongerust. Als er iets misgaat moeten ze tegen hun bazen kunnen zeggen dat het niet te voorzien was, dat er geen voortekenen of bijzondere dingen waren die erop wezen dat het helemaal spaak zou lopen. Ze houden van een overzichtelijke transactie en die moeten we ze geven. Dat kweekt vertrouwen, het is geen onbeduidend detail. De choreografie ligt helemaal vast. Dat zijn financiële wetten en die verander je niet zomaar, net zomin als James Savage, Zaha Zamaroh of ik het zouden wagen ons met Redford te bemoeien en een kwartet met hem te zingen.'

Strone had haar zwijgend aangehoord. 'Goed dan,' zei hij stijfjes, 'ik zal niet meer met de pers praten. Tevreden?'

'Tevreden,' zei Sarah. 'Maar ik wil wel graag weten wat je precies tegen die journalist hebt gezegd en hoe het contact tot stand is gekomen.'

'De man belde me zomaar op, hij had iets opgevangen over een emissie die door Goldsteins geregeld zou worden.'

'En verder?'

'Ik zei dat het klopte, dat het de grootste obligatielening zou worden die ooit door een rockster was uitgegeven en...'

'Shit,' zei Sarah.

'Wat is daarmee?'

'We weten nog niet hoe hoog het bedrag zal worden, we zijn nog met de financiële details bezig. Het is veel te voorbarig om al bedragen te noemen. Het gaat er toch niet om wie de grootste is? Als de opbrengst tegenvalt staan we voor gek, of niet soms?'

Strone lachte smalend.

'Dat zou jou eens moeten gebeuren,' zei Sarah.

'Gebeurt het jou dan vaak? Volgens mij zijn de meeste mensen doodsbang van je.'

Sarah deed een stap naar voren tot ze vlak voor Strone stond.

'Nou moet je eens goed luisteren, makker. Jij en je ster zullen lelijk door de mand vallen als je niet gauw je hersens gaat gebruiken en je vervloekte ego in toom leert te houden.'

Strone liep naar de deur. 'Dat humeur van je is niet normaal. Als ik jou was zou ik...'

Sarah viel hem in de rede. 'Zeg alsjeblieft niet dat ik in therapie moet.'

'Hoe weet je dat ik dat wou zeggen?'

'Omdat je al de tweede vandaag bent.'

'Dat is misschien niet voor niets.'

'Nee. Ik zit zeker in het verkeerde vak.'

Strone lachte. 'Kom je vanavond nog naar het optreden kijken?'

'Ik zou het voor geen geld willen missen.'

38

Sarah trok een andere broek aan en een wit katoenen T-shirt. Ze sloeg een lavendelkleurige kasjmier sjaal over haar schouders en wilde net de deur uitgaan toen ze zag dat er weer een envelop onder de deur was geschoven. Ze rukte de deur open en keek de gang in, maar er was niemand te zien. De envelop was dichtgeplakt, haar naam was op de buitenkant getypt. Ze scheurde hem open. Er gleed een foto uit. Sarah stond naast Redford op het balkon van zijn suite, hun gezichten goudgetint door de ondergaande zon terwijl ze elkaar aankeken, Sarah met een vragende uitdrukking op haar gezicht. Ze kon zich het moment herinneren, een flitsende beweging, snel als een adder. Haar gezicht was besmeurd met een rode veeg die kleverig aanvoelde, bloed of lippenstift. Ze huiverde, tegelijkertijd doodsbang en kwaad. Ze herkende het lettertype van de boodschap:

Je zult ervoor boeten als je Redford niet met rust laat.
Je bent zo goed als dood.

Ze staarde naar het briefje en vervolgens naar de foto alsof ze die allebei met haar indringende blik kon laten verdwijnen, maar de haatdragende boodschap ging niet weg. Ze kon het niet langer negeren. Ze hield er niet van dingen niet af te maken of zich aan anderen over te leveren, vooral niet aan onzichtbare belagers, maar haar verstand zei haar dat ze geen andere keus had. Ze wilde Redford niet achterlaten, ook met hem had ze nog iets af te maken en dat zou wel zo blijven ook, maar haar liefde voor Georgie dreef haar met een verbazingwekkende kracht naar huis. Toen ze nog geen moeder was had ze de gevaarlijkste spelletjes gespeeld. Ze had ze misschien niet opgezocht, maar als het toeval haar ermee in aanraking bracht was ze ze ook niet uit de weg gegaan. Nu leidden alle wegen naar haar zoon. Het was ondenkbaar dat ze hem in de steek zou laten. Ze moest het dreigement wel ernstig nemen. Ze dacht weer aan de vorige avond en aan de laatste vraag die Redford haar had gesteld. Ze had lang en serieus over haar antwoord nagedacht terwijl haar ogen over zijn lichaam dwaalden en ze zich een genot herinnerde dat ze nooit eerder had meegemaakt. Daarna had ze geglimlacht en alleen maar gezegd: *Omdat ik wel moest.* Voordat ze had kunnen toegeven was ze van de sofa opgestaan en de deur uitgelopen. Later had ze in bed liggen dagdromen over hoe het geweest had kunnen zijn als ze bij deze man was gebleven, de vader van haar kind, als ze zijn geest had leren kennen, zijn gebruinde huid had gevoeld, oog in oog met hem had gelegen, als ze zijn macht en zijn extase had gevoeld.

Ze staarde naar het briefje en probeerde de gedachten van de afzender te doorgronden. *Je denkt dat hij van jou is, je bent vol haat, vol woede, en je wilt mij vernietigen.* Ze legde het op een bijzettafel en liep de gang op. Ik zal je vanavond in al je glorie zien optreden, John Redford, besloot ze, en morgen laat ik je alleen met je doorgeslagen fan.

Ze zat in een eigen loge in het Parc des Princes en luisterde naar het gebrul van de menigte. Strone had haar naar de loge gebracht en was daarna weggegaan. Ze was er blij om. Ze had geen behoefte aan zijn aanwezigheid nu ze Redford voor de laatste keer zou zien.

Ze zag hem het podium oprennen. Ze kon zijn glimlach zien en zijn stralende ogen, ze voelde de opwinding die hij tegelijkertijd liefhad en vreesde. Ze voelde hoe de toeschouwers hem in hun harten sloten, individueel en collectief. Er was ook iemand onder het publiek die een wrok koesterde, maar die was voor het ogenblik vergeten. Ze keek naar hem terwijl hij danste, energiek en soepel, ze keek naar hem terwijl hij zijn microfoon streelde en ze luisterde naar hem terwijl hij zong 'Come to me'.

> '*Walk away now, or come to me,*
> *Turn your face, or kiss me,*
> *Button your coat, or let it fall,*
> *Come to me and let me love you,*
> *Let it begin, let me look at you,*
> *And see you, let me kiss you,*
> *And taste you, let me love you,*
> *With all of me, every sinew, every breath,*
> *Every heartbeat.*
>
> *I want to talk to you,*
> *I want to walk with you,*
> *I want to know you,*
> *I want to love you.*'

Ze merkte hoe zijn woorden haar door merg en been gingen. Ze wilde zijn stem helemaal voor haarzelf hebben. Ze wilde zien hoe hij zich opende, ze wilde zien hoe hij zich aan haar toonde en ze wilde hem uitlokken en zijn behoefte voelen. Ze wilde die eerste, bewuste aanraking voelen, niet de toevallige beroering of de ondersteunende hand op haar jas maar een liefkozing, een streling, een hand als een vraag, en ze verlangde ernaar zijn vraag te beantwoorden. Ze verafschuwde het idee dat ze de controle verloor, maar de begeerte had haar in zijn greep. Ze moest deze man opnieuw krijgen. Ze verlangde naar hem met een heftigheid die haar beangstigde. Ze beloofde zichzelf dat ze hem opnieuw zou hebben, hem zou liefhebben, hem één nacht zou bezitten en door hem bezeten zou worden. Nog één volmaakte nacht, maar niet nu, niet onder deze omstandigheden waarin ze tot taak had hem in de val te lokken, om zijn ziel bloot te leggen en zijn gebreken en geheimen te ontsluieren. Als het gebeurde zou het in de toekomst moeten zijn, besloot ze. Het lot had hen twee keer bij elkaar gebracht, als ze voor elkaar bestemd waren zou het ook een derde keer kunnen. Ze keek naar hem en ze droomde, terwijl hij 'Breathe no more' zong.

'You bring me the taste of faraway places,
Your looks unknowable,
You keep your fears and hopes like private dancers,
Dressed up in the dark.
You never show wat moves or tears you, but baby,
I can feel your despair.
The touch of other lovers lingers on your skin,
You will never be theirs, nor mine to have,
And to hold, and the saddest thing, baby,
You will never be yours.

You are the mystery to my prayer,
You are my fourteen-year-old's dream.
I saw you when I ate dust, when I couldn't sleep,
When the summer nights were so hot,
You came to me like a genie, and you touched my temple
With your cool hand.

Now your hand is on fire and not even
All my tears can put it out.
I can't drown your pain,
I can't be your breath,
But I can love you
Till I breathe no more.'

39

Sarah zat in haar eentje op een houten stoel op haar terras en keek uit over de stille daken. Ze zou niet kunnen slapen en dat had ze niet eens geprobeerd. Ze besloot hier in het donker te blijven zitten terwijl de geur van wierook als een streling haar huid beroerde, en te kijken naar het aanbreken van de dageraad. Ze hield ervan wakker te zijn als de hele wereld leek te slapen. Ze voelde zich veilig in het donker. Als er iemand was die haar haatte kon die haar nu niet bedreigen, ze had nu geen last van de pijn die haar misschien te wachten stond, het verdriet van de nieuwe dag wierp nu geen schaduw over haar. Ze voelde zich bevrijd. Redford had haar hoop, angst en verdriet onder woorden gebracht, het verdriet dat ze samen deelden. Ze had de schoonheid van zijn ziel gezien, zij en vijftigduizend anderen, en ondanks zijn angsten gingen ze allemaal in hogere sferen naar huis. Misschien bezat hij het vermogen om hun geest te vergiftigen, maar dat had hij ditmaal niet gebruikt. Sarah keek op haar horloge. Het was drie uur en stikdonker, de dageraad nog uren verwijderd. Ze wilde haar glas whisky pakken toen er op de deur werd geklopt. Ze stond geruisloos op en liep de kamer door. Het kloppen werd herhaald.
'Wie is daar?' fluisterde ze.
'Ik ben het, John.'
Ze voelde haar hart een slag overslaan en sneller kloppen. Haar mond werd droog.
Langzaam trok ze de deur open. Hij stond voor haar in zijn spijkerbroek en wit T-shirt, weer op blote voeten. Hij zag er moe, bijna uitgeput uit, alsof hij alle pijn en verdriet van zijn songs opnieuw had beleefd, alsof elk akkoord herinneringen bij hem had opgeroepen en hem van elke mogelijke schuilplaats had beroofd.

Hij keek haar aan en ze ging zwijgend opzij om hem binnen te laten.

'Ik zat op mijn terras naar de nacht te kijken,' zei ze. 'Wil jij erbij komen?'

Hij knikte glimlachend en volgde haar door de kamer naar het balkon. Hij trok een stoel bij en ging naast haar zitten.

'Heb je dorst?' vroeg Sarah.

'Ik kan de halve Seine wel leegdrinken. Ik heb al het mineraalwater in mijn kamer al op.'

'Ik zal wat voor je halen.' Ze stond op en kwam even later terug met vier flesjes Evian. Redford dronk er drie achter elkaar op.

'Ik heb nog nooit zo'n fantastisch concert meegemaakt,' zei ze terwijl ze een hand op zijn pols legde. 'Het was zo mooi, ik kon er niet van slapen. Ik wilde de hele nacht opblijven om de zon te zien opkomen.'

'Kan ik je gezelschap houden? De hele nacht, tot de ochtend?'

'Dat zou ik fijn vinden.' Ze keek hem aan, lang en intens. Ze kon haar ogen niet van hem afhouden. Zonder zijn blik af te wenden boog hij naar voren en legde een hand tegen haar wang. Zijn vingers gleden over haar oogleden, langs haar wang naar haar lippen. Al haar vaste voornemens smolten weg. Ze zoende zijn vingers, leunde naar hem toe en kuste hem op zijn mond.

Het was net een droom, een herleefde herinnering, met al haar zintuigen scherper dan ooit. Hij smaakte zoals ze zich herinnerde, maar dan nog beter. Hij zoende haar zoals ze zich herinnerde, maar dan met nog meer hartstocht. Hij trok haar tegen zich aan, nam haar in zijn armen, en de droom werd werkelijkheid in zijn omhelzing. Hij nam haar zwijgend mee naar bed, keek toe terwijl ze ging liggen. Hij ging naast haar liggen en liet zijn vingers met toenemende passie over haar lichaam glijden. Hij schoof haar rok omhoog, streelde de naakte huid van haar dijen. Ze drukte zich tegen hem aan, trok hem over haar heen, spreidde haar benen tot ze hem tegen haar buik voelde. Ze rukte zijn broek los, schoof hem naar beneden. Hij nam haar en ze gaf zich volledig aan hem over.

Naderhand lagen ze in elkaars armen, samen in onuitgesproken liefde. Er was te veel te zeggen om te weten waar ze moesten beginnen en dus zwegen ze, want ze wilden geen van beiden de betovering verbreken. Sarah moest ten slotte in slaap zijn gevallen, want toen ze wakker werd zag ze Redford met een strak gezicht naast het bed staan. Haar blik viel op de foto en het briefje die hij in zijn hand geklemd hield.

'O.'

'Is dat alles wat je te zeggen hebt?' Zijn stem trilde van ingehouden woede.

'Wat zou ik anders moeten zeggen?'

'Was je van plan mij erover te vertellen?'

Ze stapte uit het bed en trok haar badjas aan. Ze sloeg hem strak om zich heen en ging met opgetrokken benen in een leunstoel zitten. 'Dat had ik vanmorgen willen doen. Strone zei dat je niet gestoord kon worden.'

'Heb je iets tegen hem gezegd?'

'Nee, ik wilde eerst met jou praten. Wat is er aan de hand, John? Jij krijgt zeker ook zulke briefjes?'

Hij liet zich op het bed zakken. 'Al zes weken bijna elke dag. De woorden verschillen, maar de strekking is steeds hetzelfde. *Geniet er maar van zolang het nog kan, je bent niet onsterfelijk.*'

'Enig idee wie erachter kan zitten?'

Redford schudde zijn hoofd. 'Tja, het kan iedereen wel zijn. Een of andere idioot die iets denkt te bereiken door mij te vermoorden. De kortste weg naar de roem.'

'Het is een jaloerse vrouw, dat lijkt me duidelijk.'

'Dat kunnen er nog steeds heel veel zijn.'

'Ja, dat kan ik me voorstellen.'

'Hoeveel briefjes heb jij gehad?'

'Drie. Een in New York, de dag nadat we uit eten waren geweest, daarna vanmorgen een en later het briefje met de foto, net voordat ik naar je optreden ging.'

'Heb je Goldsteins ingelicht?'

'Nog niet.'

'Ga je dat wel doen?'

'Ik moet wel.'

'Wat zullen ze doen?'

'Zeggen dat ik vriendelijk afscheid van je moet nemen.'

'En doe je dat?'

'Dat wil ik niet. Ik weet het niet,' antwoordde ze wezenloos.

'Wat gebeurt er met de emissie als je het vertelt?'

'Ik weet het echt niet.' Ze probeerde de verwarring uit haar hoofd te verdrijven. Ze stond op en schonk een stevig glas whisky in. Ze nam drie flinke slokken en voelde haar geest weer een beetje helder worden. 'Misschien kan ik ze ervan overtuigen dat de stalker geen consequenties voor de emissie hoeft te hebben, maar dat zal niet meevallen. Ze houden niet van zulke dingen. Een stalker levert slechte publiciteit op als het naar buiten komt. En misschien zijn ze bang dat Goldsteins straks ook wordt bedreigd.' Ze pauzeerde een ogenblik. 'Ik neem aan dat je de politie niet hebt ingeschakeld?'

Hij schudde zijn hoofd alsof het een onmogelijke gedachte was. 'Waarom niet?'

'Omdat het dan uitlekt. De pers zal er zich op storten en dan komen allerlei gekken op een idee.'

'Er moet een manier zijn om het discreet uit te zoeken,' zei Sarah.

'Zeg het maar.'

Ze stond op het punt het hem te vertellen, maar ze hield nog net op tijd haar mond. 'Ik weet het niet, dat is niet mijn terrein. Je zou een expert moeten raadplegen. Luister, ik moet morgen terug naar Londen om Goldsteins op de hoogte te stellen. Ik kan het hun vragen, zij weten wel iemand. Ik weet zeker dat zij je kunnen helpen.'

'Dat is mijn stijl niet. Is het niet mogelijk om Goldsteins erbuiten te laten, Sarah?'

'Waarom?'

'Ik wil me niet in een wespennest steken, dan ga ik net zo lief terug naar Wyoming.'

'Je laten verjagen, bedoel je?'

Redford trok zijn schouders op.

'Je mag je leven niet door zo iemand laten bepalen.' Sarah stond geërgerd op en begon heen en weer te lopen.

'Dat doe ik ook niet. Het wordt toch al tijd om ermee op te houden.'

'Hoezo?'

'Je moet op het hoogtepunt stoppen.'

'Jij kunt nog jaren aan de top blijven.'

'Misschien.'

'Het draait allemaal om die stalker, of niet soms?' Bij Sarah was een lichtje opgegaan. 'Daarom wil je die obligatielening, dan kun je aan haar ontsnappen. Daarom wil je niet dat ik iets tegen Goldsteins zeg, je bent bang dat ze de hele zaak dan afblazen en je geen kant meer op kunt.'

Ze zag de bevestiging in zijn ogen. 'Maar waar heb je die lening eigenlijk voor nodig? Je moet al heel wat geld achter de hand hebben, meer dan genoeg om je te kunnen terugtrekken. Ik weet dat we het er al eerder over hebben gehad, maar ik kan niet goed geloven dat je niet genoeg geld hebt om nu te stoppen.'

'Dat zou je verbazen. Mijn albums en mijn tournees hebben honderden miljoenen opgeleverd, maar daar gaat zo ontzettend veel vanaf aan allerlei kosten, nog afgezien van alle bloedzuigers die van me willen profiteren.' De gedachte scheen hem uit te putten. 'Het is voor een deel ook mijn eigen schuld. Ik heb heel wat geld over de balk gesmeten toen ik jonger was.'

'Waarmee?'

'O, je weet wel. Seks, drugs en allerlei soorten uitspattingen, dat oude cliché. Ik deelde motorboten uit, gaf feesten waar alles te halen viel. Ik heb het allemaal gezien en gedaan.'

'En daar straf je jezelf nu voor.'

Redford keek haar verbaasd aan. 'Hoe bedoel je?'

'Je laat je door een stalker opjagen en een van de belangrijkste stappen in je carrière door haar nemen. Is het een soort quid pro quo? Je hebt je schuldig gemaakt aan uitspattingen en daar moet je nu voor boeten?'

'Zo eenvoudig is het niet, Sarah. Ik ben het zat om altijd maar een rol op het toneel te moeten spelen. En ik geef het toe, ik ben ook bang. Dat iemand je dood wenst, gaat aan je vreten.'

'Dat heb ik ook, terwijl ik er toch pas een paar dagen mee te maken heb.' Ze nam weer een slok whisky. 'Waarom komt ze niet te voorschijn om er een eerlijk gevecht van te maken?'

'Je bent er wel erg zeker van dat het een vrouw is.'

'Het is achterbaks en gemeen en hekserig. Bezitterig ook. Denk je niet dat het een ex-vriendin van je kan zijn?

Redford keek haar even verrast aan. 'Voor zover ik weet hebben die geen rancune. Misschien zijn ze boos op me, maar niet genoeg om me zes weken lang op een tournee te volgen en briefjes te typen.'

'Ze moet aardig wat geld hebben om van de ene plaats naar de andere te kunnen vliegen. Ze werkt niet, of ze heeft een baan waarbij ze zes weken vrijaf kan nemen. Misschien werkt ze voor eigen rekening. Ze is in elk geval maniakaal, doelgericht en niet goed bij haar stomme hoofdje.'

Redford stond op en pakte Sarahs hand. 'Het spijt me, ik zou bijna vergeten dat ze jou ook heeft bedreigd. Ben je bang?'

'Natuurlijk ben ik bang en daar heb ik de pest aan. Ik haat het idee dat er iemand achter me aanzit. Het is precies zoals je zei, je loopt naar buiten en in het vizier van een gestoorde sluipschutter. Pang-pang en je bent dood.'

40

Sarah nam het eerste vliegtuig terug naar Londen en ging rechtstreeks naar Carlyle Square. Jacob stond met Georgie in zijn armen op de stoep te wachten toen haar taxi arriveerde. Sarah holde naar hen toe.

'O Georgie, Jacob, schatten van me. Hoe is het met jullie?'

Jacob lachte en de baby kraaide van plezier toen hij zijn moeder zag en strekte zijn armpjes naar haar uit. Ze nam hem in haar armen, drukte haar gezicht tegen zijn hals, rook aan zijn huid en zoende hem telkens weer. Ten slotte haalde ze diep adem en nam hem mee naar de keuken beneden. Ze ging in haar makkelijke stoel zitten en hield Georgie op schoot terwijl ze met Jacob praatte.

'Hoe is het gegaan?'

'Heel goed, meisje. Hij is een heel makkelijke baby, zo lief en vrolijk. We hebben ons prima vermaakt met z'n tweetjes.'

'O Jacob, ik weet niet hoe ik je moet bedanken. Zonder jou zou ik me geen raad weten.'

Hij glimlachte verlegen. Zijn ogen straalden van vreugde en Sarah besefte dat de omgang met de baby hem had verjongd. 'Je hoeft het maar te zeggen als je me nog eens nodig hebt, en dat meen ik. Maar hoe gaat het met jou? Je ziet er goed uit,' merkte hij op, enigszins wantrouwend, vond Sarah.

'O ja?' zei ze luchtig. 'Dat zal wel meevallen, want door de vroege vlucht heb ik weinig slaap gehad,' voegde ze er snel aan toe. 'Maar het gaat goed. Misschien hoef ik zelfs helemaal niet meer op reis als die hele kwestie kan worden afgerond.'

'Dat zou goed nieuws zijn.'

'Ja, inderdaad. Het hangt er helemaal vanaf wat ze vandaag bij Goldsteins te zeggen hebben, of ze tevreden zijn met mijn onderzoek naar John Redford of niet.'

'Wat heb je ontdekt?'

'Niets bijzonders. Die man is bijna brandschoon. Ik heb geen schandalen aan het licht gebracht.'

'Iedereen heeft wel iets te verbergen, dat weet je.'

'Dat is wel zo, maar zolang niemand iets tegen hem kan inbrengen loopt het contract geen gevaar. Dus uiteindelijk is het resultaat hetzelfde.'

'En dat is?'

'Dat mijn opdracht is voltooid en Goldsteins de emissie laat doorgaan.'

'Waarom heb ik dan het gevoel dat het toch niet zo eenvoudig zal zijn?'

Sarah bleef nog een uur voordat ze naar King's Road holde om een taxi aan te houden.

'Naar de City,' zei ze. 'Broadgate Circle. Zo snel mogelijk, graag. Ik ben laat.'

'Ja, wat denkt u wel?' vroeg de chauffeur opgewekt. 'Ik kan niet toveren.'

Sarah grinnikte, haalde een stel papieren uit haar koffertje en boog zich eroverheen voordat de chauffeur een gesprek kon aanknopen.

Ze was nog bijna op tijd voor de vergadering. Ze gaf de chauffeur een dikke fooi en ging naar haar tijdelijke kantoor om te zien of er berichten voor haar waren binnengekomen. Jezza stond haar op te wachten. Sarah bleef verrast en geërgerd op de drempel staan.

Ze glimlachte geforceerd. 'Hallo, Jezza. Wat is er?'

'Ik vroeg me alleen af waar je zat. Ik heb je een tijdje niet gezien.'

'Tja, ik weet soms zelf niet waar ik ben. Onderzoek, heen en weer reizen, je weet hoe het gaat.'

'Nee, dat weet ik niet,' zei hij terwijl hij plaatsnam. 'Vertel eens.'

'Ik zou wel willen, maar ik heb nu geen tijd. Ik heb een bespreking met Savage en ik ben al acht minuten te laat.'

Jezza stond langzaam op. 'God, dat kunnen we natuurlijk niet hebben. Stel je voor, de grote baas zelf laten wachten.' Hij krabde bedachtzaam aan zijn neus. 'Niet alleen mensen van de beursvloer hebben toegang tot Savage en zijn omgeving. Je mag wel op je tellen passen.'

Sarah verstrakte. 'Wat bedoel je daarmee?' vroeg ze scherp.

'Hé, rustig aan. Ik zeg het in je eigen belang, ik geef het alleen maar door.'

'Jezza, hou alsjeblieft op met die stomme raadseltjes. Ik heb niet de hele dag.'

Jezza keek om zich heen en wenkte Sarah dichterbij. 'De muren hebben oren,' zei hij. Sarah besloot daar niet op in te gaan.

'Wat?'

Hij wenkte opnieuw. Sarah ging met een diepe zucht naar hem toe.

'Laat ik het zo zeggen,' zei hij op de theatrale toon van een samenzweerder, 'ik geloof niet dat het aan het thuisfront allemaal koek en ei is.'

'Wat moet dat betekenen?'

'Ik denk dat Mrs. Savage een verhouding heeft.'

'Waarom denk je dat?'

'Omdat ik haar een keer ben tegengekomen. Ik had vrijaf genomen en zag haar op straat met een playboy.'

Ze herinnerde zich wat P.J. over Fiona Savage en haar theepartijtjes had verteld. Ze voelde zich geroepen haar te verdedigen, al was het alleen maar vanwege haar man. 'O, kom nou toch. Dat zal haar zoon wel zijn geweest.'

'In dat geval heeft ze een ongezonde fysieke relatie met haar zoon, want ze stond aan zijn oorlelletje te knabbelen.'

Ze voelde een golf van afkeer. 'Luister eens, Jezza, eigenlijk zijn dit onze zaken niet. Waarom vertel je me dit?'

Jezza liet zijn theatrale houding varen en keek haar geïrriteerd aan.

'Allemachtig, word nou eens wakker, Sarah. Savage zal wel ergens troost willen zoeken, en waarom niet bij een aantrekkelijke nieuwe werkneemster?'

Sarah deed een stap naar achteren en keek hem verontwaardigd aan.

'Donder toch op, zuiplap. Ik heb al genoeg tijd aan je verspild.'

Ze stormde langs hem heen en ging naar de achtertrap. Toen ze alleen was bleef ze een ogenblik staan om haar gedachten te verzamelen en de vieze stank te vergeten die altijd rond Jezza scheen te hangen, net als op heel de beursvloer.

41

'Vertel eens,' zei Zaha Zamaroh, die door de vergaderkamer sloop en zich over de stoel van Dick Breden heen boog, half ondervraagster, half verleidster. 'Wat weet je van Sarah Jensen af?'

Breden glimlachte samenzweerderig. 'Wat gaat jou dat aan?'

'Ik ben alleen maar nieuwsgierig.' Zamaroh ging rechtop staan en rekte zich loom uit, waardoor haar borsten tegen haar vuurrode zijden blouse drukten. 'En jij ook, geef het maar toe.'

Breden trok zijn schouders op alsof hij net zo onverschillig was als zij. 'Ik wil weten met welk resultaat ze komt, hoe ze haar werk aanpakt.'

'Ben je niet geïnteresseerd in haar verleden?'

'Welk verleden?'

'Ach,' zei Zamaroh terwijl ze zich over de vergadertafel naar voren boog. 'Zoals je ongetwijfeld weet, heeft ze vier jaar in de City gewerkt, al die tijd bij Findlays. Zij werd de beste handelaar, alleen onderbetaald omdat al die Britse banken zo krenterig zijn en omdat ze een vrouw is, wat nooit helpt. Daarna sprong ze ineens in het tamelijk troebele water van de InterContinental Bank. Binnen een paar weken waren de floormanager en de directeur vermoord en nam Sarah ontslag. Ze ging weg bij ICB, ze ging weg uit de City, ze verdween lange tijd uit beeld. Na drie jaar komt ze weer boven water als privédetective van James Savage. Een nogal spectaculair leven, vind je niet?'

Breden glimlachte. 'Wat wil je nou, Zaha?'

Zamaroh kneep haar ogen half dicht. Waarom moest hij zo bot en doorzichtig zijn? Snapte hij dan niets van het ritueel van de handel met zijn verleidingsdans die er onvermijdelijk bij hoorde, zelfs voor de snel opererende handelaars die binnen één dag een positie innamen en onveranderlijk weer opgaven?

'Ik wil weten wat er is gebeurd, wat haar rol is geweest. Ze moet er iets mee te maken hebben gehad. Dat moet zelfs jij kunnen begrijpen.'

'En waarom zou ik dat moeten uitzoeken of er jou iets over vertellen?'

'Als je nog niet over die informatie beschikt zoek je het uit omdat je wilt dat Sarah Jensen een toontje lager gaat zingen. Ze heeft geen ervaring op jouw terrein, ze heeft als geen ander toegang tot Savage en ze is onverdraaglijk arrogant in een wereld waarin vrouwen nog altijd worden geacht zich bescheiden op te stellen. En die informatie speel je aan mij door omdat je soms door mij wordt betaald. Het is geen moeilijk concept, Dick. Het heet handel.'

Breden dacht er een tijdje over na. 'Waarom wil jij het weten?'

'Kennis is macht.'

Ze schrokken allebei toen de deur openzwaaide.

'Sarah, wat leuk,' zei Zamaroh poeslief.

Sarah nam haar achterdochtig op, alsof ze door de zware, mahoniehouten deur iets van het gesprek had opgevangen.

'Je bent laat,' voegde ze eraan toe. Ze kon zich nu eenmaal niet inhouden.

'Nou je het zegt.'

Sarah zag er prachtig uit, vond Zaha. Ze droeg een van haar nieuwe pakken die een soort uniform voor haar waren geworden, naaldhakken, een simpel wit T-shirt en een ketting met dikke, glanzende en zo te zien echte parels. Ook haar oorbellen waren met parels afgezet.

'Mooie parels,' zei Zamaroh onwillekeurig. 'Uit de Pacific?'

Sarah knikte. Ze wist dat Zaha net zo onder de indruk was van het prijskaartje als van de schoonheid van de parels zelf. Ze waren ook een vermogen waard, al wist ze zelf niet precies hoeveel. Ze had ze van Jacob gekregen ter gelegenheid van de geboorte van Georgie. Misschien had hij ze toen pas gekocht of ze ooit uit een kluis gejat. Sarah had er nooit naar gevraagd, ze wilde het ook niet weten, maar zelfs als ze van diefstal afkomstig waren zou ze de ketting nog altijd mooi vinden.

Zamaroh was blijkbaar een liefhebster van echte juwelen. Ze droeg een ring met een enorme diamant aan de middelvinger van haar linkerhand, plus een paar glinsterende oorbellen, maar ze leek er toch niet helemaal tevreden mee, alsof ze ze zelf had gekocht en dat hun werkelijke of gevoelsmatige waarde daardoor minder was geworden.

De spanning was te snijden toen James Savage binnenkwam.

'Sarah, Dick, Zaha.' Hij knikte als een koning naar zijn hofhouding. Fred kwam geruisloos achter hem aan en gaf hem een porseleinen kopje met koffie, die hij achteroversloeg alsof het een borrel was.

'Is deze kamer veilig?' vroeg hij kortaf aan Breden.

'Jawel.'

'Weet je al waar het lek zit?'

Breden schudde zijn hoofd. 'Hij gaat erg subtiel te werk. Het onderzoek schiet helemaal niet op. Ik snap het niet. Ik weet dat we iets over het hoofd zien, een aanwijzing die ons zou kunnen helpen een doorbraak te forceren.'

Savage trok misnoegd zijn wenkbrauwen op en richtte zich tot Sarah.

'Heb jij iets voor me?'

'Inderdaad.' Ze voelde de anderen naar haar kijken. 'Om te beginnen was het Strone Cawdor die met Roddy Clark heeft gesproken.'

'De idioot!' riep Zamaroh.

'Wat denkt die stommeling wel?' siste Savage.

'Zoiets heb ik ook tegen hem gezegd als dat jullie geruststelt,' antwoordde Sarah, wat haar een lach van Savage opleverde.

'Het is een zekere troost voor me, als je tenminste je gebruikelijke gebrek aan tact aan de dag hebt gelegd.'

'Van wie is het initiatief uitgegaan?' vroeg Breden.

'Strone zei dat Clark hem had opgebeld en ik heb geen reden om hem niet te geloven. De vraag is dus wie Clark in vredesnaam op het spoor heeft gezet.'

'Dat heb jij gedaan,' antwoordde Zamaroh met een voldaan lachje.

Sarah keek haar ongelovig aan, alsof de Iraanse een psychopaat was die haar op straat obsceniteiten naar het hoofd slingerde. 'Wat zei je?'

'Het komt door die stunt van je om hem op de beursvloer rond te leiden. Je had net zo goed meteen een advertentie in *The Times* kunnen zetten.'

Sarah glimlachte bedaard. 'Zonder toestemming van boven is het praten met journalisten streng verboden, Zaha. Het is jouw taak om dat je mensen duidelijk te maken. Jammer genoeg ben je daar niet in geslaagd, want het is wel zeker dat een van hen Roddy Clark heeft getipt. Hij zal echt niet elke avond op de stoep staan om iedereen van Goldsteins te vragen wie er die dag op bezoek is geweest.'

'Ja, en?' vroeg Zamaroh. 'Ik snap dat je mij de schuld in de schoenen wilt schuiven, maar wil je er verder nog iets mee zeggen?'

'Ik zal het simpel houden,' antwoordde Sarah. 'Degene die Clark heeft ingelicht is waarschijnlijk niemand anders dan het lek zelf.'

Zamaroh keek met een strak gezicht naar het plafond alsof ze wachtte tot Sarah haar optreden had beëindigd. Haar ogen glansden toen ze weer naar Sarah keek. 'En nu je dat weet, hoe stel je je voor zijn identiteit te achterhalen? Ben je van plan Clark vierentwintig uur per dag in de gaten te houden? Voor zulke dingen word je toch betaald? Dan krijg je de kans eindelijk eens iets voor je geld te doen, dat lijkt me heel bevredigend voor je.'

'O, hou toch op met dat gekijf,' zei Savage. 'De hemel behoede ons voor vrouwen.' Hij schudde zijn hoofd. 'Wat ben je van plan eraan te doen, Sarah?'

'We hebben nu een spoor. We blijven spitten tot we meer aanwijzingen vinden.'

'Dat klinkt een beetje vaag.' Hij richtte zich tot Breden. 'Heb jij nog ideeën, Dick?'

Breden trok elegant zijn schouders op. 'Net wat Sarah zegt, we moeten volhouden. In elk geval hebben we nu iets om mee aan de slag te gaan.'

Sarah keek hem aan. 'Vind jij dat we Clark moeten doorlichten?'

Hij wreef over zijn kin. 'Ik denk het wel. Je weet nooit wie hij aan de telefoon heeft gehad. Trek jij je vuile regenjas aan of ik?'

Savage en Zamaroh luisterden met ongenoegen naar hun jargon.
'Laat mij maar,' antwoordde Sarah met een glimlach.
'En schiet een beetje op,' zei Savage met de ontstemming van een buitenstaander. 'Jullie verdienen allebei genoeg.' Hij stond op.
'Wacht even,' zei Sarah. Savage keek haar aan.
'Wat is er? Ik heb over vijf minuten een andere vergadering.'
Sarah pakte de koffiepot die op de tafel stond, schonk een half kopje espresso in en nam een slok.
'Heb je nog meer?'
Haar gehoor wachtte.
Ze zette het kopje rinkelend op de schotel en keek Savage aan.
'Er zit een stalker achter Redford aan.'
Iedereen hield de adem in.
'Dat is al zes weken aan de gang. Waar hij ook op tournee is, de stalker volgt hem en stuurt dreigbrieven. "*Geniet er maar van zolang het nog kan. Je bent niet onsterfelijk.*" Van die hoogdravende, theatrale woorden waar psychopaten van houden. Hij heeft geen idee wie het is.'
'Shit!' zei Zamaroh.
Breden leunde fronsend over de tafel heen.
'Verdomme,' zei Savage. 'Dat is zo'n vervloekte spaak in het wiel die niemand kan voorzien. Wat doen we daar verdomme aan?'
'Is hij bang?' vroeg Breden, de enige die zijn kalmte bewaarde.
'Doodsbang. Hij heeft telkens een nachtmerrie waarin hij vanuit zijn hotel de zon inloopt en een gek hem met een pistool staat op te wachten.'
'En jij?' vroeg Breden. 'Heb jij enige idee wie het kan zijn?'
'Volgens mij is het een jaloerse vrouw.'
'Waarom? Hoe weet je dat?' vroeg hij.
'Omdat ik ook briefjes krijg.'

42

Savage liet zich voor zijn volgende vergadering excuseren en begon met een verhoor dat een uur lang zou duren. Na afloop was Sarah doodmoe en wilde ze niets liever dan terug naar Georgie.

Ze had alle saillante details verteld en honderd keer hetzelfde antwoord op dezelfde vragen moeten geven.

'Wat ik nog steeds niet snap, en wat je ook nog niet afdoende hebt verklaard,' zei Savage met nauw verholen ongeduld, 'is waaróm jij eigenlijk wordt lastig gevallen.'

'Jezus, dat weet ik niet,' snauwde Sarah. 'Dat moet je aan dat mens vragen.'

'Eerst een lek en nu een stalker, we trekken wel een hoop krankzinnigen aan,' merkte Zamaroh op. Het leek haar plezier te doen dat Sarah zo op de pijnbank werd gelegd.

'Ik wil het van jou weten, Sarah,' drong Savage aan terwijl hij Zamaroh een boze blik toewierp. 'Al sla je er maar een slag naar, dan doe je tenminste iets voor je geld.'

Sarah zuchtte theatraal. 'Goed dan. Twee theorieën. De eerste gaat uit van een jaloerse vrouw, zoals ik al zei. Ze is jaloers op mij omdat ze denkt dat Redford en ik iets met elkaar hebben. Sommige bandleden denken dat blijkbaar ook. Ik ben ineens bij het gezelschap gekomen en logeer in hetzelfde hotel als Redford, iets wat niemand anders uit zijn entourage is toegestaan, afgezien van Strone. Ik kan moeilijk vertellen wat ik echt aan het doen ben, dus zien ze mij als zijn *speeltje*, om een van die gasten te citeren.'

Haar gezicht betrok toen ze het woord uitsprak. Zamaroh probeerde tevergeefs een lach te verbergen. Savage had het fatsoen een meelevend gezicht te zetten en Breden zat alleen maar onbewogen naar haar te kijken.

'Er is maar één manco aan die theorie. Waarom zou ze jaloers op me zijn als ze zo'n gloeiende hekel aan Redford heeft?' ging Sarah verder.

'Een haat-liefdeverhouding?' suggereerde Zamaroh. 'Of ze is te ver heen om te weten wat ze doet.'

'Dat is mogelijk,' zei Sarah.

'Wat is de tweede theorie?' vroeg Breden.

'Dat het iemand is die van mijn werkelijke taak op de hoogte is en niet wil dat ik iets ontdek waardoor de emissie in gevaar kan komen. Maar dat is ook niet logisch, want zulke dreigementen zijn juist een bewijs dat er iets bijzonders te ontdekken valt. Bovendien, wie kan er op de hoogte zijn? Bijna niemand hoort er vanaf te weten, tenzij het lek weer aan het werk is geweest.'

'Het begint een verdomd ingewikkelde doolhof te worden,' zei Savage.

'Wie heeft er baat bij als de emissie wordt afgeblazen?' vroeg Breden.

'Je bedoelt dat iemand ons probeert weg te jagen?' vroeg Sarah.

'Dat zou kunnen,' opperde Breden.

'Ik kan niemand bedenken, tenzij er iemand is die een wrok koestert. Wij krijgen allemaal provisie en Strone heeft als manager recht op een deel van Redfords inkomen, dus hij wordt alleen maar beter van de emissie. Misschien voelt de rest van de band er niets voor. Een van de gitaristen, Ray Waters, lijkt me een echte hufter.' Sarah dacht een ogenblik na. 'Nee, de stalker is veel te heftig, te intiem. Ik ben er zeker van dat het een vrouw is. Ik zou zeggen dat het om een haat-liefdeverhouding gaat.'

Savage keek haar onderzoekend aan. 'Je begint je toch niet te veel aan Redford te hechten?'

'Wat bedoel je daarmee?'

'Nou ja, je weet wel.' Savage schoof onrustig heen en weer. 'Je loopt toch niet over?'

Sarah keek hem woedend aan. 'Ik breng zoveel mogelijk tijd met hem door om van alles over hem aan de weet te komen. Dat is precies waarom een gestoorde fan op het idee zou kunnen komen dat er iets aan de hand is.'

'En is dat zo?' hield Savage aan.

'Nee, dat is niet zo,' zei Sarah zachtjes en naar ze hoopte bedaard. Ze probeerde niet aan de afgelopen nacht te denken, noch aan die nacht van anderhalf jaar geleden, om Savage geen reden tot achterdocht te geven.

'En wat doen we nu?' vroeg Savage. 'Dit is een lelijke spaak in het wiel.'

Sarah stond op. 'Ik ga naar huis.'

'Wat bedoel je?' vroeg Savage.

'Net wat ik zeg. We kunnen op het ogenblik toch niets beginnen en ik heb nog iets te doen.'

'Wat dan?'

'Dat is privé, James. Ik heb ook nog mijn eigen leven. Ik weet dat het in deze kringen niet op prijs wordt gesteld, maar het is niet anders.' Sarah ging op weg naar de deur.

'Je laat je door die stalker toch niet afschrikken?' vroeg Savage verrast.

Sarah bleef staan. 'Zou jij dat niet doen?'

'Natuurlijk wel, maar ik ben jou niet. Jij zou je vroeger nooit bang hebben laten maken.'

'Misschien ben ik ouder en wijzer geworden. Trouwens, wie zegt dat ik bang ben?'

'Je hebt zo'n vage en koppige blik in je ogen, alsof je al afstand van de hele zaak hebt genomen.'

'Misschien is dat zo. Ik weet het niet. Ik moet een tijdje nadenken.' Sarah draaide zich om, liep de kamer uit en ging op weg naar huis.

'Vreemd,' merkte Breden op toen de deur dichtviel. 'Ik heb haar nog nooit zo meegemaakt. Bang en kwetsbaar.'

Sarah stapte snel in een taxi met een gevoel alsof haar leven uit elkaar begon te vallen. Er waren te veel losse stukjes en de moeite die ze moest doen om ze allemaal bij elkaar te houden begon haar uit te putten. Ze dwong zichzelf zich op mechanische handelingen te richten en besloot een lijstje op te stellen van dingen die ze achter elkaar kon afwerken. Ze pakte haar mobiel en belde Freddie Skelton op. De jurist was in bespreking, maar ze lokte hem naar buiten met de mededeling dat het dringend was.

'Sarah, hallo.'

'Dag, Freddie. Sorry dat ik je moet storen.'

'Ik ben niet anders van je gewend, schat. Geeft helemaal niks. Onder ons gezegd en gezwegen, ik heb net een headhunter annex cokesnuiver bij me die een handelsbank wil aanklagen omdat ze zijn mannetje niet willen betalen. Na een week kwamen ze erachter dat hun spiksplinternieuwe werknemer zelf ook aan de coke was.'

'Ik zou denken dat sommige firma's daar juist prijs op stellen,' merkte Sarah op.

'Niet als ze over het bureau van hun baas pissen omdat hij niet meteen hun handelslimiet wil verhogen.'

'Ja, dat is wel een beetje asociaal, zelfs voor de beursvloer.'

'En wat voor geweldig dringende zaak heb je nu weer voor me?'

'Ik heb maar een bescheiden profiel nodig.'

'Zullen we ergens afspreken?'

'Dat zou leuk zijn, maar het moet snel gebeuren. Wat is het nummer van je eigen fax?'

Skelton gaf haar het nummer. Enkele seconden later kwam er een blad papier uit het apparaat met daarop slechts twee woorden: Roddy Clark.

'Aha,' zei Skelton.

'Je weet wie ik bedoel?'

'De mooischrijver die het niet erg op jullie heeft begrepen, als mijn geheugen me niet bedriegt.'

'Dat is hem.'

'Kosten geen bezwaar?'

'Zo ver wil ik niet gaan. Laten we met een korte schets beginnen, daarna zien we wel verder.'

Skelton glimlachte. 'Het is me een genoegen.'

Sarah kon verder niets bedenken voor haar lijstje. Ze leunde tegen het gebarsten vinyl van de zitting en deed haar ogen dicht.

'O, lieve jongen van me.' Ze drukte Georgie tegen haar aan en zoende zijn zachte, mollige wang. Daarna hield ze hem een eindje van zich af om eens goed naar hem te kijken. Hij stak zijn handjes uit naar haar gezicht. God, hij leek als twee druppels op zijn vader. Ze knuffelde hem weer.

'Wat is hij toch een schat,' zei Sarah tegen Jacob. 'Ik was bang dat hij boos zou zijn omdat ik hem in de steek heb gelaten.'

'Dat gebeurt wel eens,' zei Mrs. V terwijl ze met een berg strijkgoed binnenkwam. 'Je hebt geluk gehad.'

'Ja, dat is waar,' zei Sarah. Ze drukte haar neus tegen Georgies hals, gaf hem een zoen en kietelde hem.

'Hoe was de vergadering?' vroeg Jacob.

'Ik weet het niet,' antwoordde Sarah. 'Er was zoveel te bespreken. Savage en ik moeten het een en ander uitzoeken. Op het ogenblik denk ik er liever niet aan.'

'Waarom niet? Is er iets gebeurd?' vroeg Jacob. 'Zijn ze er niet van overtuigd dat Redford betrouwbaar is?'

'Niet helemaal. Ik ook niet, nog afgezien van het feit dat ik Georgie niet weer alleen wil laten.'

'Savage zal het niet leuk vinden als je hem laat zitten terwijl hij je nodig heeft.'

'Nou ja, dat is dan pech voor Savage als het zover komt,' antwoordde Sarah. 'Ik ga een eindje met Georgie wandelen,' zei ze voordat Jacob nog meer vervelende vragen kon stellen. 'Hij heeft toch al gegeten?' vroeg ze voor de zekerheid.

'Ja. Gestoomde zoete aardappelen, zalm en broccoli.'

'Lekker.'

'Heb jij gegeten?' vroeg Jacob.

'Ik neem onderweg wel een broodje.'

'Daar kun je niet van leven.'

Sarah glimlachte. 'Ik heb nog genoeg vet over, maak je maar geen zorgen.'

Twee uur later kwam ze terug, gaf Georgie de borst en stopte hem in bed. Ze was net thee aan het zetten toen de telefoon ging. Jacob nam op.

'Een zekere John,' zei hij met een afkeurende blik in zijn ogen. Hij gaf Sarah de hoorn en bekommerde zich verder om de thee, een proces dat plotseling net zo'n tijdrovend ritueel was geworden alsof hij een Japanse geisha was.

'Hoe is het met je, schoonheid?' vroeg Redford.

Sarah glimlachte. 'Uitstekend, meneer Redford. Hoe maakt u het?'

'Wat zijn we formeel vandaag. Kun je niet praten?'

'Dat is het.'

'Wie luistert er mee?'

'Een heel publiek.'

'Aha, laat mij het woord dan maar doen. Dan kan ik je meteen vertellen hoe verrukkelijk je...'

'Meent u dat?' onderbrak Sarah met een blik in de richting van Jacob. Hij keek op van zijn theeceremonie en probeerde onschuldig te glimlachen.

Uitgerekend op dat moment begon Georgie te huilen, een gejammer dat luid uit de babyfoon in de keuken klonk.

'Wat was dat?' vroeg Redford.

'Mijn oom stapt net op de staart van de kat,' zei Sarah. Ze zette snel de babyfoon uit, terwijl Jacob op zijn tenen de trap opging om naar Georgie te kijken.

'Moet je horen,' zei Redford ineens ernstig. 'Ik wilde je iets laten weten. Ik heb weer een brief gekregen. Per fax deze keer, via Kall Kwik uit Londen verstuurd. De brief was onder mijn deur geschoven.'

'Jezus. Wat staat erin?'

'Er staat in dat ik jou moet waarschuwen. Als je niet bij me uit de buurt blijft zullen Georgie en Jacob sterven.'

Ze slaagde er met moeite in iets te zeggen.

'Ik moet ophangen.'

'Wie zijn Georgie en Jacob?'

'Sorry, ik moet echt ophangen.' Ze legde neer.

Ze was nog nooit zo woedend geweest. De stalker was er in elk geval in geslaagd haar volledige aandacht te krijgen. Met dat laffe dreigement had ze Sarahs moederinstinct in volle hevigheid losgemaakt, nog gevoegd bij haar kinderlijke liefde voor Jacob. Deze, samen met haar band met Alex, waren de puurste, sterkste emoties die Sarah ooit had gevoeld. Sarah was in staat die vrouw aan stukken te scheuren. Ze moest denken aan een dichtregel van Kipling: *het wijfje van een soort is dodelijker dan het mannetje, gemaakt om te overleven.* Dat was maar al te waar. Ze zou zonder blikken of blozen een moord doen om haar geliefden te beschermen. Hoe kon de dader op de hoogte zijn van het bestaan van Georgie en Jacob? Hoe was dat in 's hemelsnaam mogelijk? Plotseling drong het antwoord tot Sarah door, afschuwelijk helder. De vrouw moest haar gevolgd hebben, helemaal van Parijs naar Carlyle Square, en bij de deur hebben rondgehangen tot ze Sarah de naam van haar kind en van haar oom had horen roepen.

Sarah klemde haar handen rond de spijlen voor het keukenraam en keek omhoog naar de straat. Ze was niet van plan in angst te leven. Ze weigerde haar eigen leven en dat van Georgie en Jacob erdoor te laten verzieken. Ze begon door de keuken te ijsberen en probeerde rustig te ademen, en kalm na te denken over wat haar te doen stond. Haar instinct werkte, maar ze moest er ook met haar verstand achter staan.

Haar besluit, in kille woede genomen, stond vast toen Jacob vijf minuten later naar beneden kwam met haar glimlachende zoontje in zijn armen. Ze nam Georgie over, drukte hem stevig tegen haar aan en snoof zijn geur op. Veel later pas gaf ze hem weer aan Jacob en belde Eva Cunningham op.

'Eva, met Sarah. Ik moet dringend iets met je bespreken. Kun je bij mij komen? O ja, en zou je net willen doen alsof het iets onbelangrijks is?'

Eva arriveerde een kwartier later. Sarah liet haar binnen. Jacob stak zijn hoofd om de deur van de zitkamer.

'Hallo, Eva,' zei hij hartelijk. 'Hoe is het met je?'

'Dag, Jacob.' Ze ging naar hem toe en drukte een stevige zoen op zijn wang. 'Goed, dank je. En met jou?'

'Ik mag niet klagen. Wil je thee?'

'Dat zou ik wel willen, maar ik ben bang dat ik vandaag erg ongezellig moet zijn. Die fijne nicht van je wil iets van me en aangezien ze daar flink voor moet betalen kan ik me maar beter in haar werkkamer opsluiten en haar waar voor haar geld geven.'

'Druk, druk, druk,' zei hij lachend. 'Ik kom je zo wel een kop thee brengen.'

Jacob zette even later een grote theepot met twee koppen en een schaal koekjes voor hen neer en liet zich uitgebreid bedanken voordat hij discreet verdween.

Eva schroeide bijna haar tong aan de gloeiende thee, deed of er niets aan de hand was en keek Sarah scherp aan. 'Wat is er aan de hand?'

Sarah wierp haar vriendin een gespannen blik toe.

'Ik moet morgenochtend voor twee dagen op reis. Ik wil dat Georgie en Jacob dag en nacht bewaakt worden, maar wel onzichtbaar.'

Eva maakte een blazend geluid. 'Jezus, Sarah. Dat is ook niet veel gevraagd, hè? Misschien moet je maar vertellen wat er is gebeurd.'

Sarah vertelde haar over de stalker en over de dreigbrieven. Ze vertelde haar over de contacten met Redford. Dat was niet te vermijden, want de rockster was op de een of andere manier bij de zaak betrokken. Ze legde uit dat diverse leden van Redfords entourage dachten dat zij zijn speeltje was – onterecht, zei ze er met nadruk bij – en dat de dreigementen daarom misschien afkomstig waren van een jaloerse vrouw.

'Shit, je zoon en je oom,' zei Eva met een diepe zucht nadat ze een halfuur had geluisterd. 'Maar waarom ga je dan naar Venetië? Ik hoop niet dat het is wat ik denk dat je gaat doen.'

Sarah keek al net zo ernstig als Eva. 'Zou jij niet precies hetzelfde doen?'

Eva glimlachte op een eigenaardige manier. Even was het alsof ze aan een ander leven terugdacht, maar alles wat ze zei was: 'Als je in godsnaam maar voorzichtig bent.'

Sarah aarzelde. 'Dus jij zorgt ervoor dat ze vanaf morgenochtend bewaakt worden?'

Eva trok haar schouders op. 'Ik heb toch zeker geen keus?'

Sarah schrok toen er zacht op de deur werd geklopt. Jacob stak zijn hoofd om de hoek.

'Ik ga boodschappen doen. Er moet weer van alles worden ingeslagen.'

Sarah glimlachte. 'Sorry, Jacob, ik had het echt zelf willen doen.'

'En waar moeten we in de tussentijd van leven?' vroeg hij opgewekt. Hij wierp de twee vrouwen een luchtzoen toe en verdween geruisloos.

'Ik kan maar beter Savage bellen,' zei Sarah, 'voordat jij je mensen inschakelt. Ik moet hem ervan zien te overtuigen dat het toch niet zo gevaarlijk is om naar Venetië te gaan.'

De directeur kwam net uit een vergadering en ze kreeg hem aan de lijn.

'Ik heb erover nagedacht en ik vind dat we het risico van die stalker niet moeten overdrijven,' zei ze op een nuchtere toon. 'Iedere popster krijgt zakken vol met dreigbrieven. Het is bijna een sport, het is goed voor je prestige als je veel gestoorde fans hebt. Ik neem morgenochtend het vliegtuig naar Venetië.'

Hij reageerde geschokt en er ontspon zich een furieuze discussie.

'Ik wil niet hebben dat je ermee doorgaat,' zei Savage, die vijf minuten na Sarahs mededeling nog steeds woest was. 'Ik heb over de hele zaak nagedacht en met Breden gesproken nadat jij vanmorgen zo plotseling was opgestapt. Denk eens aan wat er met John Lennon is gebeurd, of met George Harrison.'

'Ik weet heel goed wat er met hem is gebeurd.'

'Dan wordt het tijd dat je die stalker serieus neemt.'

'Maak je geen zorgen, James. Ze krijgt alle respect die ze verdient.'

Savage zweeg even. 'Wat bedoel je daarmee?' vroeg hij achterdochtig.

'Ik zal me aanpassen aan de dreigementen die ik ontvang.'

'Die stalker kan jou of Redford wel overhoop schieten. Heb je nog niet genoeg ellende gehad in je leven?' vroeg Savage, bijna buiten zichzelf.

'Geloof me, James, ik zal al het mogelijke doen om in leven te blijven.'

'Daar twijfel ik niet aan,' zei Savage, die weer bij zinnen kwam door de nuchtere vastberadenheid van haar stem, 'maar je bent niet almachtig.'

'Nee, maar ik heb een goede wapenrusting.' *En dat noemen ze moederliefde*, voegde ze er in gedachten aan toe.

'Goed dan, Sarah, ik heb niet genoeg tijd en energie om met je te bekvechten. Mijn vrouw hangt op de andere lijn, ik moet gaan. Doe wat je moet doen, maar verwacht niet dat ik een traan om je zal laten op je begrafenis.'

Sarah streek vermoeid het haar uit haar gezicht.

'Ik ga,' zei ze tegen Eva.

'Dat heb ik begrepen. Ik zal maar aan het werk gaan en een paar mensen optrommelen.' Eva ging staan. Op hetzelfde moment ging de telefoon. De stem van Savage klonk uit de luidspreker, somber en sentimenteel.

'Sarah, ben je daar?'

'Sorry, Eva. Mag ik even?' Sarah griste de hoorn van de haak. 'Ja, ik ben er.'

'Moet je horen, ik wilde alleen maar zeggen dat ik dat laatste niet meende. Het spijt me, ik...'

Hij begon te hakkelen en Sarah kwam hem te hulp.

'Het geeft niet, James. Mensen zeggen soms het tegendeel van wat ze bedoelen. Denk er maar niet meer aan.'

Het bleef een ogenblik stil en zijn stem klonk opgewekter toen hij antwoord gaf. 'Dank je, Sarah. Ik voel me een stuk beter.'

'Ik ga heus niet dood, dus je hoeft geen vrede met me te sluiten.

We zullen elkaar de komende jaren nog vaak genoeg naar de strot vliegen.'

Hij lachte. 'Er gaat niets boven een beetje vastigheid in het leven.'

'Hoe bedoel je?'

'Sorry, Sarah, Fiona wacht nog steeds.'

'Heb je hem vergeven?' vroeg Eva.

'Zo is het,' antwoordde Sarah.

'Zou je het erg vinden als ik het huis eens bekeek?'

'Ga je gang.'

Sarah keek Eva na toen die de kamer uitging. Eva had geen belangstelling voor de inrichting, dacht ze met een bitter lachje. Ze zou op zoek gaan naar inbraakgevoelige plekken in het huis, naar zwakke punten. Ze ging wel heel rustig te werk. Georgie lag nog te slapen en het was doodstil in huis.

Sarah zakte onderuit in haar leunstoel. Ze zou blij moeten zijn dat ze haar zin had gekregen, maar de reactie van Savage had haar bang gemaakt. Ze wilde niets liever dan zich een week opsluiten en in haar eigen bed slapen met Georgie veilig en wel bij zich, niets meer te maken hebben met het waanzinnige leven van een rockster, met stalkers en verraders. Ze wilde geen drama's, geen angst, geen begeerte of liefde die haar onrustig konden maken, alleen maar rust en vrede samen met Georgie en Jacob, zonder bang te hoeven zijn.

Ze voelde zich niet op haar gemak. Ze stond op en begon heen en weer te lopen door haar werkkamer terwijl ze koortsachtig nadacht. Ze herinnerde zich het gesprek met Savage. Thee. Savage had gezegd dat zijn vrouw aan de telefoon was en er was iets met zijn vrouw en thee. Sarah slaakte bijna een kreet. Het was P.J. Op haar slinkse, insinuerende manier had ze een opmerking gemaakt over de vrouw van Savage die gasten op de thee ontving. En Jezza had iets gezegd over een vriendje. Ze keek op haar horloge. Half vier. Haar befaamde intuïtie werkte op volle toeren. Ze moest er nu meteen achteraan.

Ze ging op zoek naar Eva en vond haar in de keuken, waar ze de tralies voor het raam inspecteerde.

Eva keek vragend om.

'Je moet iets voor me doen,' zei Sarah snel. 'Nu meteen. Zou je een uurtje op Georgie willen passen? Hij zal trouwens toch wel doorslapen tot Jacob thuiskomt.'

Eva trok haar wenkbrauwen op.

'Je kunt gerust mijn telefoon gebruiken als je moet bellen,' ging Sarah verder. 'Als ik je ophoud stel ik het wel uit.'

'Dat geeft niet, ik heb altijd mijn adresboekje bij me. Ik neem de telefoon in je werkkamer wel. Dáár maak ik me geen zorgen om.'

'Over Georgie dan? Maak je niet dik. Als hij wakker wordt, geef je hem een knuffel en een schone luier, daarna hoef je alleen maar met hem te spelen. Je redt je wel.'

Sarah holde de deur uit alsof ze de geur van een onzichtbare prooi had gesnoven.

Vijftien minuten later zat Sarah achter het stuur van haar oude BMW te wachten in een stille straat, niet ver van Holland Park. Ze wist niet hoelang ze zou moeten wachten, alleen dat ze vroeg of laat vanzelf antwoord op haar vraag zou krijgen.

Na een halfuur kwam een man de straat door en bleef voor nummer drieënveertig staan. Hij glipte met zijn magere gestalte langs het klemmende hek en liep snel de treden op naar de voordeur. Hij belde aan en keek om zich heen terwijl hij op de stoep wachtte. Enkele ogenblikken later zag Sarah de deur opengaan en ving ze een glimp op van blonde haren. De man ging naar binnen. Sarah voelde een hevige afkeer opkomen. Met een grimmig gezicht bleef ze bijna een uur in de auto wachten tot de man weer naar buiten kwam.

Ze stapte uit de wagen, deed het portier zachtjes dicht en volgde de man. Zijn haar zat netjes in model, er was geen kreukje in zijn smetteloze zakenkostuum te ontdekken en toen hij op de stoeprand bleef staan en naar links en naar rechts keek voordat hij overstak lag er een afschuwelijk zelfvoldane grijns op zijn gezicht. Sarah schaduwde hem terwijl hij elegant de trap van het metrostation Holland Park afdaalde, klakkend met de zolen van zijn fraaie schoenen.

Hij kocht de *Evening Standard*, stapte in en verborg zich achter zijn krant. Ze ging een eindje verderop zitten en hield hem bij elke halte scherp in de gaten. Zoals ze had verwacht stapte hij in de City uit, bij Bank-station. Ze volgde hem over de trap naar

Threadneedle Street, langs het gebouw van de centrale bank. Hij sloeg Throgmorton Street in. Sarah versnelde haar pas om hem in te halen. Ze was vlak achter hem toen hij het portiek van Uriah's bereikte, een van de meest succesvolle investeringsbanken van de City, een verklaarde concurrent van Goldsteins en tevens de bank die de drie contracten had binnengehaald die Goldsteins onlangs was kwijtgeraakt. Sarah toverde een brede glimlach te voorschijn, stak haar hand uit en tikte hem op zijn schouder.

'Mark, was het toch?'

De man draaide zich om. Een jong gezicht, een slank lichaam. Rond de dertig. Jong genoeg om voor de middelbare Mrs. Savage de gigolo te spelen. Zwart haar, blauwe ogen met een koele, maar geamuseerde uitdrukking. Hij nam Sarah van top tot teen op voordat hij antwoord gaf. Ze weerstond de verleiding om hem een knietje in zijn kruis te geven.

'Nee, dat moet een misverstand zijn,' antwoordde hij langzaam en met een waarderende blik naar Sarah.

'Dan moet je een tweelingbroer hebben,' zei Sarah bedeesd. 'Ik kan niet geloven dat jij Mark niet bent.'

'Sorry dat ik je teleurstel,' zei hij vlot, 'maar ik heb geen tweelingbroer en ik heet ook niet Mark.'

'Wie ben je dan wel?' vroeg ze uitdagend.

'Richard Deane. En wie ben jij?'

Sarah ging pal voor zijn neus staan. 'Als je dat wilt weten, zorg dan dat je vanavond om acht uur hier op de trap bent.' Voordat hij iets kon zeggen had ze zich snel omgedraaid en was ze weggelopen.

Ze haalde haar mobiel te voorschijn en voerde een kort gesprek. Ze was bang dat ze moest overgeven toen haar vraag werd beantwoord.

43

Sarah zat in het kantoor van Savage te wachten tot hij klaar was met een bespreking. Hij scheen verbaasd te zijn toen hij tien minuten later binnenkwam en haar zag zitten.

'Hallo, Sarah. Wat is er?'

Ze knikte naar de deur. Hij deed hem dicht.

'Breden laat deze kamer toch niet afluisteren?'

Savage schudde zijn hoofd. 'Wat is er aan de hand?'

'Ik denk dat ik het lek heb gevonden.'

'Dat is snel.'

Sarah schudde haar hoofd. 'Het heeft helemaal niets met Roddy Clark te maken.'

Savage keek haar met een verwarde frons aan.

'Wie is het?' vroeg hij snel.

'Het spijt me, James, maar het antwoord zal je niet bevallen.'

'Zeg het nou maar, de rest is niet belangrijk.'

Sarah keek hem bijna verontschuldigend aan. 'Het is je vrouw.'

Hij protesteerde niet. Hij werd niet kwaad, hij wees het idee niet onmiddellijk van de hand. Hij toonde zich alleen maar beschaamd. Savage liet zijn hoofd hangen. Hij had Sarah één keer aangekeken, nu hield hij zijn blik afgewend. Het duurde lange tijd voordat hij iets zei. Hij bleef voor het raam staan en staarde naar buiten. Eindelijk draaide hij zich om.

'Weet je het zeker? Kun je je niet vergissen?'

'Ik heb het niet zwart op wit, James, maar alles wijst in die richting. Je kunt het zelf nagaan.'

'Goed, laat dan maar horen.'

Ze was niet van plan de naam van Jezza te laten vallen of Savage te laten weten wat er op de beursvloer over hem werd geroddeld. 'Ik kwam op het idee door iets wat jij had gezegd, over vastigheid in je leven. Je liet je ontvallen dat het niet allemaal koek en ei is tussen jou en je vrouw, en plotseling zag ik dat het profiel klopte: de ontevreden echtgenote die haar man wil kwetsen of zich op hem wil wreken. Het was een ingeving, maar ik ben naar je huis gegaan en heb aan de overkant in mijn auto gewacht. Ik had niet gedacht al zo snel beet te hebben, maar na een half-uur kreeg ze bezoek van een man. Hij bleef een uur bij haar. Toen hij wegging heb ik hem gevolgd. Hij heet Richard Deane. Ik heb naar Uriah's gebeld en naar zijn functie geïnformeerd. Hij is manager van de kapitaalmarkt. Hij geeft leiding aan de afdeling die alle contracten van Goldsteins heeft afgesnoept.'

Savage sloeg zijn handen voor zijn gezicht. Hij wreef driftig in zijn ogen voordat hij zich weer tot Sarah richtte. Zijn ontzetting begon plaats te maken voor woede.

'Mij zul je er niet meer over horen,' zei ze. 'Breden, Zamaroh, niemand hoeft er iets van te weten.'

'Ik kan die schoft wel vermoorden,' fluisterde Savage.

'Misschien interesseert het je,' zei Sarah achteloos, 'dat ik vanavond om acht uur met hem heb afgesproken bij de ingang van Uriah's. Natuurlijk zal ik me niet in de buurt vertonen, maar als je hem zou zien zou je weten dat het de moeite niet waard is. Hij is een gigolo, een echte profiteur.'

Ze wist dat Savage zijn rivaal heel graag eens zou zien en dat Deane op de afspraak zou ingaan, dat was wel duidelijk aan de manier waarop hij haar had bekeken. Savage zou zich misschien gesterkt voelen door de wetenschap dat de playboy een blauwtje had gelopen voordat hij naar huis ging om met zijn vrouw te praten.

Sarah kwam om acht uur thuis. In de keuken trof ze een aangename warboel aan. Georgie zat op de grond, omringd door een hele verzameling sauspannetjes, slabakken en houten kommen, bijna de hele inhoud van een flinke keukenkast. Tegenover hem zat Eva Cunningham, met haar blonde haar achter haar oren gestoken en een radeloze uitdrukking op haar gezicht.

Eva stond op toen Sarah binnenkwam.

'Ha, je bent terug. Moet je horen...'

Sarah barstte in lachen uit. Ze liep door het mijnenveld van potten en pannen en nam Georgie in haar armen.

'Wat is er verdorie zo grappig?' vroeg Eva met haar handen op haar heupen.

'Jij,' antwoordde Sarah nog nahikkend van het lachen. 'Ik heb nog nooit meegemaakt dat jij je ergens door van je stuk liet brengen.'

'Nou, in mijn plaats zou je het ook niet erg makkelijk hebben gehad.'

'Waar is Jacob?' vroeg Sarah.

'Hij heeft gebeld en ik hoorde het toevallig op je antwoordapparaat,' zei Eva met een onschuldig gezicht. 'Hij zei dat hij een paar oude maten was tegengekomen en dat hij een pilsje met ze ging drinken.'

Sarah glimlachte verontschuldigend. 'Het spijt me, Eva, hij kon niet weten dat ik je hier alleen had gelaten. Is alles goed gegaan? Je hebt het nummer van mijn mobiel, je had moeten bellen.'

Nu was het Eva die glimlachte. 'Het is gelukt, al moet je me niet vragen hoe. Dat schatje van je werd na ongeveer een uur wakker en sindsdien hebben we samen gespeeld. Ik heb al zijn speelgoed te voorschijn gehaald, maar het laatste halfuur begon hij opstandig te worden en daarom heb ik die pannen maar geprobeerd.' Ze trok onzeker haar schouders op.

'Dat was zo te zien een goede vondst.'

'Geloof me, het begint hem al aardig te vervelen,' antwoordde Eva. 'Ik ben verdomd blij dat je thuis bent.' Ze wachtte even. 'Ik heb hem een banaan en een Liga gegeven. Ik hoopte dat het goed was.'

'Je bent geweldig, Eva.'

'Ik heb lelijk in de rats gezeten. Ik had geen idee dat baby's zo angstaanjagend konden zijn.'

Sarah keek haar zuur aan. 'Daar zeg je wat. Ik begin hem zelf nog maar net een beetje door te krijgen. De eerste zes maanden dacht ik echt dat ik alles verkeerd deed.'

'Nou ja, jullie hebben het allebei overleefd.'

Sarah gaf Georgie een zoen op zijn wang. 'Ik weet gewoon niet hoe ik je moet bedanken.'

Eva glimlachte. 'Graag gedaan. Maar reken niet meer op mij als babysit, hoogstens in noodgevallen.' Ze pauzeerde een ogenblik. 'Hoe is het trouwens gegaan?'

'Ik ben op mijn intuïtie afgegaan. Jammer genoeg had ik het bij het rechte eind.'

'Slecht nieuws?'

'Heel slecht.'

Eva trok haar schouders op. 'Iedereen heeft wat.'

Sarah zuchtte diep. 'Daar zeg je iets. Heb jij nog iets kunnen doen?'

'Het begint te komen. Het belangrijkste is geregeld, de rest is morgenochtend klaar. Je hoeft je geen zorgen te maken.'

Sarah gaf Georgie de borst, stopte hem in bad en bracht hem naar bed. Jacob bleek stevig herinneringen te hebben opgehaald toen hij thuiskwam en hij had de auto op de parkeerplaats van Sainsbury's laten staan. Hij bestelde kip-curry bij het afhaalrestaurant en samen met Sarah maakte hij er een feestelijk maal van.

De nacht ging veel te snel voorbij. Sarah was net klaar met ontbijten toen er werd aangebeld. Eva stond met een weekendtas op de stoep. Ze gaf Sarah uitbundig een zoen.

'Kun jij me een paar dagen uit de brand helpen?' vroeg ze, overtuigend onschuldig. 'De boiler heeft het gisteravond begeven. Andrew is weg en die stomme loodgieter kan morgen pas komen.' Ze trok haar schouders op. 'Je weet hoe zeer ik op mijn comfort gesteld ben.'

Jacob was in de gang verschenen en had het grootste deel van Eva's verhaal opgevangen. 'Natuurlijk kun je hier logeren,' zei hij met een opgetogen glimlach. 'Georgie en ik zijn blij met wat gezelschap.'

Eva glimlachte. 'Maar je nicht niet?'

'Die moet naar Venetië, het kan niet op.'

'Tegen de middag,' zei Sarah. 'Ik ben pas over twee dagen terug.' Ze nam de tas van Eva over. 'Kom, dan krijg je de kamer van Alex. Hé,' zei ze luid over haar schouder terwijl ze de trap opliep, 'je kunt Jacob mooi helpen met babysitten.'

Eva trok een gezicht. 'Laat me eerst bijkomen van gisteren!'

Sarah bracht haar naar de derde verdieping, haar gezicht geplooid in een opgeluchte lach.

De taxi arriveerde kort na de middag en bleef langs de stoeprand staan, de dieselmotor flink pruttelend. Sarah nam Georgie in haar armen en probeerde niet te huilen. Jacob keek met een bewogen gezicht naar haar.

'Ik hou van je, lieverd.' Ze zoende de donzige wang van haar zoon voordat ze hem aan Jacob gaf. 'En ook van jou,' zei ze met een verlegen glimlach naar het gezicht van de oude man. 'Ik ben gauw weer thuis.' Ze gaf hun allebei een laatste zoen en bad dat het waar mocht zijn.

Ze draaide zich om naar Eva, die zich bescheiden op de achtergrond hield terwijl ze afscheid nam. De twee vrouwen wisselden een veelzeggende blik. Eva glipte langs Jacob en Georgie heen en bracht Sarah naar de taxi.

'Pas goed op ze,' zei Sarah met haperende stem. 'Zonder hen...'

Eva gaf een kneepje in haar hand. 'Ik heb vier mensen ingeschakeld en ik ben er zelf ook nog. Ik zal ze met mijn leven verdedigen.'

Sarah wist dat het zo was.

44

Sarah zat in Garfunkel's koffieshop op de luchthaven van Heathrow cappuccino te drinken en zich af te vragen wat ze hier in vredesnaam aan het doen was. Ze dacht aan Georgie die nu tegen Jacob glimlachte, spelletjes met hem speelde en heen en weer rolde zonder dat ze het kon zien. Alles wat ze wilde, was bij hem zijn in zijn dagelijkse ritme, wakker worden, spelen, eten, slapen, alles ondergedompeld in vreugde en zekerheid. Sarah duwde een haarlok naar achteren. Zekerheid, daaraan ontbrak het haar. Het was begonnen met die vuile stalker die zich aan haar leven had opgedrongen met haar dreigementen tegen haarzelf, Jacob en Georgie, die haar helemaal vanuit Parijs had gevolgd en met haar psychotische ogen naar haar kind had gekeken. Het was een obsessie, een extreme obsessie waarin waanzin tot werkelijkheid was geworden.

Het had geen zin om de hele zaak te ontkennen nu haar kind erbij betrokken was. Ze konden zich niet in huis opsluiten, maar Sarah wist ook dat elk uitstapje met haar zoon door haar eigen angst bedorven zou worden en dat ze serieus gevaar zou lopen. Daarom wilde ze naar Venetië, om de zaak aan het rollen te houden en liefst nog een beetje te versnellen. Haar enige troost was Eva. Eva zou ervoor zorgen dat ze dag en nacht bij Georgie en Jacob in de buurt bleef en haar mensen zaten buiten in verduisterde bestelwagens of stonden op straat. Samen zouden ze al het mogelijke doen om ervoor te zorgen dat Georgie en Jacob niets overkwam zonder de aandacht op zichzelf te vestigen en Jacob te verontrusten. Niet dat Jacob bang voor zijn eigen hachje zou zijn, maar net als zij gaf hij meer om de kleine jongen dan om zijn eigen leven.

Ze vlogen over het Alpenmassief. Blauwe bergkammen strekten

zich uit als golven van een woelige zee en vermengden zich met de eindeloze lucht. Mistbanken onttrokken de dalen aan het gezicht, meren van kwikzilver lagen koud en sereen onder Sarahs sombere blik.

Het kostte haar tien minuten om haar echte leven te vergeten en zich op de maskerade voor te bereiden. Ze glimlachte treurig bij het idee. Venetië was per slot van rekening de stad van de carnavalsmaskers. Ze keek vluchtig in de gids die ze op het vliegveld had gekocht. Gemaskerde witte gezichten staarden haar aan vanaf de glanzende foto's, met kattenogen uitgesneden in het fijne gips. Lange, snavelachtige neuzen werden spottend de lucht ingestoken. Die laatste waren de maskers die artsen tijdens een pestepidemie hadden gedragen, las ze. Ze waren in zwang gekomen tijdens de epidemie die Venetië in 1630 had getroffen. De lange neuzen waren gevuld met geneeskrachtige kruiden die de drager bescherming moesten bieden. Sarah kon zich de vrees voorstellen waarmee de dokters de zieken hadden behandeld.

Na de landing ging Sarah van boord en liep over de luchthaven naar de kade waar de watertaxi's lagen te wachten en kersenbomen in de zon glansden. Ze nam de uitgestoken hand van een Venetiaanse gondelier, stapte soepel van de kade en liep over het trapje naar de boot. Ze moest diep bukken om onder de overkapping door op het kleine achterdek te komen. Ze leunde tegen de gesloten deuren van de hut terwijl de boot een eindje achteruitvoer, keerde en met brullende motor over de lagune voer.

Ze hield zich vast aan de zijreling en keek naar het schuimende water dat door de boot werd opgeworpen. Ze passeerden het eind van de landingsbaan, waar felle lampen als reusachtige diamanten fonkelden. Aan weerskanten waren driepotige standaards van eeuwenoud hout te zien, als toortsen langs een brede boulevard. De boot scheurde langs een klein eiland met terracottakleurige gebouwen, cipressen en palmbomen.

Sarah begon opgewonden te raken. Ze was nog nooit in Venetië geweest, dat had ze bewaard voor de man van haar dromen. Nu ging ze naar de man toe die die rol in haar dromen zou kunnen spelen. Het is niet John Redford, dacht ze voordat haar fantasie met haar op de loop kon gaan. Hij staat er zover vanaf, het is gewoon niet leuk meer. De man van haar dromen was geen popster, geen openbaar bezit. Hij zou van haar zijn, van haar alleen. Hij zou niet miljoenen mensen in zijn ban brengen. Hij zou een bedaarde man zijn, wild, dapper en gesteld op zijn rust.

Maar o god, dit was wel de ideale plek. De boot voer langzamer en zonk dieper in het water toen ze de binnendeuren van de stad naderden. De pracht van de omgeving trof haar als een vuistslag. De aanblik van het San Marcoplein vanaf de lagune was onmiddellijk overweldigend. De grandeur, de symmetrie, de ligging, dat alles vergrootte de macht van de basiliek en van het dogenpaleis. Ze dacht aan alle zee-expedities die hier waren begonnen, aan de doge die zelf op kruistocht was gegaan, aan de met oosterse specerijen en kostbaarheden volgestouwde schepen die hun vracht in naam van de grote vorst van de Verheven Republiek hadden uitgeladen. Ze stelde zich alle hoge buitenlandse gasten voor die hier waren ontvangen en ongetwijfeld net als zij nu de adem hadden ingehouden bij het zien van de San Marco. Het bewoog tot lofprijzing van oog en hart. De boot voer langzaam over het Canal Grande, aangestaard door de paleizen die al zoveel bezoekers in hun waterige domein hadden zien komen.

Hier bestonden schoonheid en alledaagsheid zij aan zij. Boven een van de zijkanalen zag Sarah grote witte onderbroeken aan waslijnen in de roerloze lucht hangen.

Ze passeerden een brug die zo laag was dat Sarah onwillekeurig haar hoofd introk. Het zonlicht werd door het water weerkaatst en viel op de onderkant van de brug die daardoor tot leven scheen te komen.

De boot meerde af aan de steiger bij het Hotel Principe, tussen twee rood en zwart gestreepte palen die haar aan een kapperszaak deden denken en ruim twee meter boven het water uitstaken. Sarah betaalde een exorbitant bedrag van honderdvijftigduizend lire, bijna vijftig pond, voor de tocht met de watertaxi en droeg haar kleine koffer over de trap naar het terras van het hotel. Ze bleef een moment staan om de fraaie gevel te bewonderen die in de middagzon met een helroze tint gloeide. Ze liet zich inschrijven en ging terug naar het terras. Ze bestelde een glas whisky en zat aan een sierlijke tafel van wit metaal te drinken en naar het kanaal te kijken. Een afgeladen passagiersboot kwam voorbij. Ze moest lachen toen ze de in het Engels geschreven tekst op de zijkant van de boot zag: *Een mens hoopt alleen dat er hoop is.* Een cryptische, existentialistische boodschap die voor haar persoonlijk bedoeld leek te zijn.

Ze kon nog niet helemaal geloven dat ze hier was. Het was net alsof ze in een tot leven gekomen schilderij was beland. Venetië was spannend en opwindend op een heel basale manier. Misschien kwam het door het water dat de gebouwen als de tong van een minnaar beroerde. Ze had altijd van water gehouden. Ze kon nooit naar een wateroppervlakte kijken zonder de neiging te krijgen zich erin te storten. Ze stelde zich voor hoe het donkerblauwe meer haar zou omvatten terwijl ze erin wegzakte en met de kabbelende bewegingen werd meegevoerd. Lange slierten van algen groeiden op de treden aan de waterkant en deinden op en neer in het kanaal. Het was net haar eigen haar. Plotseling voelde ze ogen in haar rug en ze draaide zich met een ruk om, maar er was niemand te zien.

45

Het was een heel aardig hotel, dacht ze terwijl de piccolo haar naar haar kamer bracht, maar het leek haar niet geschikt voor John Redford om zich op een concert voor te bereiden en trouwens ook niet om er zomaar te logeren. Vier sterren, hoewel het Danieli en het Cipriani er vijf hadden. Ze stond nog over Redfords keuze na te denken toen hij in eigen persoon opdook.

'Hoe wist je dat ik er was? Laat je me soms in de gaten houden?' vroeg ze.

Hij glimlachte. 'Overal.' De lach verdween uit zijn ogen. 'Ik wist niet of ik je nog wel te zien zou krijgen.'

Ze trok hem mee de kamer in, deed de deur dicht en ging naar het raam. Ze schoof het netgordijn opzij en keek uit over de Lista di Spagna.

'Ik ook niet.'

'Waarom ben je hier dan toch?'

'Nou, laat ik het zo zeggen: ik wil niet dat die vuile stalker mijn leven bepaalt.'

Redford keek haar bezorgd aan. 'Kun je het niet negeren, net doen alsof ze niet bestaat?'

'Wat, net als jij, bedoel je?' vroeg ze boos. 'Je ziet overal spoken, je zit niet eens in hetzelfde hotel als de rest van de band.'

'Ik wil niet leven, slapen en naar de plee gaan op mijn werkplek. Het heeft niets met die stalker te maken.'

'Misschien niet, maar het is meer dan alleen je privacy. Je vertrouwt je eigen mensen niet, denk ik. De stalker kan heel makkelijk een van hen zijn, per slot van rekening reizen ze overal met je mee. Je moet wel erg fanatiek zijn om van je eigen geld de wereld rond te vliegen.'

'Of rijk. Shit, ik weet het niet. Laten we het alsjeblieft niet meer over haar hebben, Sarah.'

'Waarom niet?'

'Dan kan ik mijn illusies in stand houden. Ik wil niet dat zij een schaduw over ons werpt.'

'Je sluit je ogen ervoor.'

'Is dat zo erg? Ik durf te wedden dat jij ook wel eens ergens je ogen voor sluit.'

'Zo vaak,' zei ze met een droge lach, 'maar ik sta ook niet model voor jouw leven.'

'Zo gek doe je het anders niet, geloof ik. Kom op, laten we dat kreng vergeten en op onderzoek uitgaan.'

Ze verlieten het hotel en volgden de Lista di Spagna in de richting van een van de weinige bruggen die over het Canal Grande lagen. Ze staken de brug over tussen hele groepen toeristen en drukke Venetianen die op weg naar huis waren door. Halverwege bleven ze staan om rond te kijken. Gondels voeren onder de brug door, de boeg verlicht door lampen. De schepen leken al net zo druk en doelgericht als de mensen.

Sarah zag dat de Venetianen een soort uniform droegen met rode, blauwe of groene jasjes, een soort gevoerde ruiterjacks die in een Engelse manege niet zouden misstaan. Ze maakte een vriendelijke indruk. Gondeliers, bestuurders van postboten, arbeiders, managers, ze keken je allemaal aan met een blik die tegelijk hartelijk, nieuwsgierig en trots was. Een stelletje kwam voorbij, druk in gesprek gewikkeld en als zeemeeuwen met hun armen zwaaiend. Sarah voelde een steek van jaloezie bij het zien van het gewone paartje. Redford had een honkbalpet laag over zijn voorhoofd getrokken en tot nu toe scheen niemand hem te herkennen, maar ze wist dat ze met hem nooit een normaal leven zou kunnen leiden.

Het begon donker te worden toen ze het Canal Grande links lieten liggen en een wirwar van kleine straatjes binnendrongen. Het water van de kanalen die ze hier zagen was glad, inktzwart, en weerkaatste licht alsof het de paintbrush van een impressionist was. Het werd zeven uur en de lucht weergalmde van het klokgelui, lang of kort, indringend. Het was net of er in de hele stad luchtalarm klonk. De echo bleef nog lang in Sarah's oren naklinken nadat het geluid was weggestorven. De hernieuwde stilte duurde niet lang. Terwijl ze door de smalle straatjes liepen hoorde Sarah flarden van een lied. Toen ze dichterbij kwamen hoorde ze dat het een langgerekt, telkens herhaald klaaglied was. Ze bleven op een brug staan om ernaar te luisteren. Redford sloeg een arm om Sarah heen en trok haar met een glimlach tegen zich aan. Sarah bleef een ogenblik stokstijf staan voordat haar lichaam het van haar geest won en ze zich tegen hem aan vlijde. Een gondelier kwam in zicht, druk in de weer met zijn enkele vaarboom. Hij zong niet meer en plotseling was het weer stil terwijl de boot hun richting opvoer. Zijn enige passagier was een vrouw. Ze had een donkere hoed op haar hoofd en haar kin rustte op haar borst alsof ze zat te slapen. Sarah en Redford liepen gearmd verder. Sarah keek onwillekeurig over haar schouder en zag dat de vrouw omhoog keek, recht naar haar, maar de gondel was net op een donkere plek gekomen en ze kon alleen de ogen van de vrouw onderscheiden. Ze liet zich door Redford meetrekken, maar het beeld van lang haar, een breedgerande hoed en glanzende ogen in een donker gezicht bleef haar bij.

Redford bleef opeens staan, haalde een plattegrond uit zijn broekzak en tuurde er in het donker naar. Nadat hij zich blijkbaar van de juiste weg had overtuigd nam hij Sarah bij de arm en liep door. Ze was inwendig onder de indruk van de zelfverzekerde manier waarop hij hen door de doolhof leidde. Ze vroeg zich af waar ze naartoe gingen, maar ze zei niets. Het had geen belang op zo'n heerlijke tocht. Overal waren doorkijkjes, de belofte van verborgen verrukkingen en mysteries om elke volgende hoek.

Nog meer smalle straten brachten hen uiteindelijk terug bij het Canal Grande. Een boot voer voorbij met aan dek een foxterriër die zich moeiteloos in evenwicht hield. Het hondje tilde zijn kop op en blafte naar de hemel, drie keer even luidruchtig als vrolijk, alsof hij een goede vriend begroette. Het was vreemd dat er nergens auto's te zien waren. Sarah had het gevoel alsof ze in de tijd werd teruggeworpen. De enige moderne inbreuk was de stank van dieselolie die de lucht verpestte. Op de oever zat een visser hoopvol naar zijn hengel boven het troebele water te kijken.

'Ik zou zo'n vis niet graag eten,' zei Sarah tegen Redford. 'Jij wel?'

'Wees niet te snel met je oordeel. Straks krijg je hem op je bord.'

Ze staken de Rialtobrug over. Een hele rij boten passeerde als een meute opgewonden jachthonden. Ze deden Sarah denken aan de massa's fietsers in Vietnam die alle kanten opschoten en op wonderbaarlijke wijze telkens een botsing wisten te voorkomen. Sarah liet haar hand over de witmarmeren balustrade van de brug glijden. De steen voelde ongelofelijk glad aan, als een koele huid die door de strelende aanraking van eeuwen was fijngeslepen. Ze moest aan Redfords huid denken, zijdezacht op de harde steen van zijn spieren. Ze keek hem aan. Hij lachte droog, alsof hij haar gedachten kon lezen. Ze wendde haar blik af en vond een toevlucht bij de prachtig verlichte paleizen, geheimzinnig en koninklijk in de nacht. Ze ving een glimp op van een kroonluchter en van een robijnrode muur, en ze stelde zich een bed voor met een brokaten sprei waarop ze samen met Redford lag.

'Ik vraag me af wie daar tegenwoordig woont,' zei ze peinzend. 'Het moet heel bijzonder zijn geweest om tot de adel te hebben behoord die deze paleizen heeft gebouwd.'

'Zou jij in die tijd hebben willen leven?' vroeg Redford.

'O nee,' zei Sarah hoofdschuddend. 'Ik ben heel gelukkig met wat ik heb.' Ze zou niet in een andere tijd of op een andere plaats willen zijn als ze Georgie daarvoor moest achterlaten. Ze voelde de warme arm van zijn vader die haar naar zich toe trok. Ze vroeg zich af hoe het zou zijn als ze allemaal samen waren, om Redfords gezicht te zien als hij naar zijn zoon keek. Ze zette de droom onmiddellijk uit haar hoofd. *Hij zou het verschrikkelijk vinden.* En erger nog, hij zou misschien wel proberen Georgie van haar af te nemen. Redford moest de omslag van haar stemming hebben aangevoeld. Hij keek haar aan. 'Gaat het?'

'Ja, ja,' zei ze. Ze maakte zich los van zijn arm, zogenaamd om het haar uit haar gezicht te strijken. 'Ik moest alleen aan thuis denken.'

De zachte uitdrukking verdween van Redfords gezicht. 'Mis je iemand?'

'Wie niet?'

'Georgie en Jacob,' zei hij. Het was een constatering en geen vraag. Sarah hulde zich in stilzwijgen.

Redford brak de stilte niet. Plotseling bleef hij staan voor een winkeletalage vol maskers. Sarah bleef naast hem staan. Hij pakte haar hand.

'Kom, dan gaan we naar binnen.'

Het was een piepklein winkeltje. Letterlijk overal lagen maskers en er hingen er zelfs een paar aan het plafond. Sarah kreeg bijna het gevoel dat ze naar haar staarden. De bejaarde winkelier keek vriendelijk en afwachtend naar haar en Redford. Sarah zag Redford een masker van een plank oppakken en voor zijn gezicht houden. De neus was lang en spits, een pestmasker. Het ding deed haar aan de dood denken, niet aan genezing. De zieken moesten doodsbang zijn geweest als ze dat witte gelaat zagen naderen. Sarah onderdrukte een huivering. Ze draaide zich om en ging naar buiten. Een ogenblik later voelde ze zijn hand op haar schouder. 'Weet je zeker dat het gaat? Je bent vanavond een beetje schichtig.'

Sarah keek naar zijn open gezicht. De angst die het masker had opgeroepen was verdwenen.

'Het komt door die stalker. Het vreet aan me, denk ik.'

Redford nam haar bij een arm. 'Kom, laten we niet meer aan haar denken.'

Ze kwamen op het San Marcoplein en bleven staan voor het Dogenpaleis. Van dichtbij waren de kathedraal en het paleis nog magnifieker dan uit de verte. De basiliek leek op een sprookjeskasteel met zijn schilderingen van heroïsche taferelen, van Christus die van het kruis werd gehaald. Hier zagen ze een gespierde soldaat die op het punt stond een smekende burger te doorboren, daar een monster met een vreeswekkend uiterlijk of een waterspuwer die bijna vrolijk de boze geesten verdreef. Ze liepen in de drukte terug naar het water. Redford bleef staan en keek naar een zijkanaal. Hij gebaarde naar een overdekte brug.

'De Brug der Zuchten.' Hij keek naar Sarah. 'Weet je hoe hij aan die naam komt?'

'Zeg het maar.'

'Niet dankzij de verliefde stelletjes die hier kwamen om van het uitzicht te genieten en samen te zuchten van plezier. De brug verbond de oude gevangenis met de rechtszaal in het Dogenpaleis. De gevangenen werden over die brug naar het paleis gebracht.'

'Dus ze keken door die tralievensters naar buiten en moesten zuchten als ze het vrije Venetië zagen,' zei Sarah. 'Heb jij wel eens in de gevangenis gezeten?'

Redford schrok op uit zijn mijmering. Hij nam Sarah onderzoekend op. 'Waarom vraag je dat? Jij wel?'

'Nee.'

'Ik heb ooit twee dagen in de cel gezeten toen ik een tiener was.'

'Waarvoor?'

'Openbare dronkenschap. Ik was niet meer te houden, begrijp je.'

'Nee, dat begrijp ik niet. Hoezo niet te houden?'

'Ik liep in Main Street te zingen, om vier uur 's nachts. Ik kan je wel vertellen dat de brave burgers van Cook County niet op een serenade gesteld waren.'

Sarah glimlachte. 'Ze hadden eens moeten weten wat een ster je zou worden.' Ze pauzeerde even. 'Vond je het erg?'

Redford zweeg een tijdje. Sarah zag zijn gezicht betrekken. 'Ik heb last van claustrofobie, dus wat denk je?'

'Dat wist ik niet,' zei Sarah alleen maar, geschrokken van de verbittering die zelfs na al die jaren niet was verdwenen. 'Het moet afschuwelijk zijn geweest.'

Redford knikte langzaam. 'Laat ik het zo zeggen, dat gebeurt me geen tweede keer.'

'Geen dronkenschap en ordeverstoring meer,' zei ze in een poging om de stemming op te vrolijken.

'Welnee, je moet alleen zorgen dat je niet wordt betrapt.' Hij liet zijn schalkse lach zien die zoals altijd ergens tussen waarheid en ironie in zweefde. Hij pakte haar arm en ze liepen verder.

Ze volgden de Riva deglia Shiavoni en gingen naar het Danieli

Hotel. In de bar was het licht gedempt, de wanden waren behangen met rood brokaat en een pianist speelde langzame, sensuele jazznummers. Ze bestelden caipirinas, coctails bestaande uit een, wellicht hallucinerend, mengsel van Braziliaanse suikerrietrum en vers limoensap. Het zou heel gemakkelijk, heel verleidelijk zijn geweest om aan de stemming toe te geven en het onvermijdelijke te laten gebeuren, maar Sarah zag de briefjes voor zich met hun kale, verwarde en angstaanjagende inhoud, ze zag het gezicht van Georgie, ze zag de stalker met haar onherkenbare gezicht, wreed en even kwaadaardig als de dwerg uit een sprookje. Daarna keek ze naar de door kaarsen verlichte gezichten in de bar en ze wenste dat het kwaad in het echte leven ook zo gemakkelijk te herkennen was.

Ze at alleen het ijs op zonder haar glas aan te raken en nam maar af en toe een kleine slok van het tweede drankje. Redford dronk langzaam maar stevig door. Later gingen ze naar het restaurant op het dak en aten op het terras, uitkijkend over Venetië bij avond.

Sarahs blik werd getrokken door een koepel die zacht glansde in het maanlicht, versierd met balustrades en fraai gesneden beelden die over het Canal Grande naar hen keken.

'God, wat mooi.'

'De Santa Maria della Salute,' antwoordde Redford. 'Voor de Venetianen zelf de mooiste van alle kerken. Hij is in 1631 gebouwd als dankbetuiging aan de Heilige Maagd voor haar hulp tijdens de pestepidemie, die overigens de helft van de bevolking het leven had gekost.'

'Je bent cynisch, John Redford.'

'Vind je?'

'Niet echt. Ik denk dat je hopeloos romantisch bent.'

Hij lachte. 'Ja, misschien wel. En hoe zit het met jou? De ongrijpbare Sarah Jensen. Van wie verwacht jij de redding?'

Ze dacht aan de stalker, ze dacht aan Georgie en Jacob. 'Van mezelf,' antwoordde ze op besliste toon.

'Zonder bijstand van de goden?'

'Met alle bijstand die ze mij kunnen geven.'

46

Ze keerden rond middernacht terug in het hotel. Er hing een broei-
erige sfeer. Sarah wilde graag bij hem blijven, de nacht in zijn ar-
men doorbrengen. Ze zag het verlangen in zijn ogen en wist dat
het ook in de hare te lezen was. Ze draaide zich abrupt om.
'Ik moet gaan.'
Hij leek verbaasd, maar maskeerde zijn gekwetstheid snel. 'Echt?'
Ze knikte.
Hij keek haar even aan voordat hij reageerde, boog zich naar haar
toe en kuste haar.
'Welterusten dan.'
Ze kuste hem terug en maakte zich daarna snel van hem los voordat ze zo overweldigd werd door de passie die ze kwijt was ge-
weest.
Zwaar ademend opende ze de deur van haar suite. Zoals ze ge-
hoopt had, en gevreesd, lag er een briefje op de deurmat.

Je leven zit er bijna op. Daarna sterft je zoon.
Begin maar af te tellen.
Tien...

Ze was ziedend. Ze stormde heen en weer door het vertrek met
ogen die in haar hoofd brandden. Ze zag alleen maar een verborgen gezicht voor zich. Het ging schuil achter het witte Venetiaanse masker dat alleen maar de glans van gestoorde ogen doorliet.
Hoeveel had ze nog, tien uur, tien dagen, tien minuten? Ze liep
naar het raam en keek naar de Lista di Spagna. Ze schopte haar
halfhoge laarsjes uit, trok de nylons van haar benen, trok haar legerbroek en veterschoenen met rubberen zolen aan en een donkere parka. Ze pakte een klein flesje whisky uit de minibar en nog
voor haar woede ook maar een greintje was bekoeld verliet ze haar
kamer. Ze liep de lege trap af naar de foyer. Ze keek rond. Er zaten een paar stelletjes aan de ronde tafeltjes, de hoofden dichtbij
of juist ver van elkaar af, gelukkig of triest, en een eenzame man
van in de vijftig die een spelletje deed met de cognac in zijn enorme glas. Een ongelooflijk mooie vrouw die vast model was kwam
binnen met een oudere vrouw die zo te zien haar moeder was. Sa-

rah liet de sleutel achter bij de receptie en liep naar buiten.

Ze sloeg rechtsaf om aan de menigte te ontsnappenen die nog steeds de drukke promenade bevolkte. Ze liep de Calle dela Misericordia in. De straat was zo smal dat ze met uitgestrekte armen bijna de bloedrode muren aan weerskanten zou kunnen raken. Het rumoer van de Lista di Spagna ebde snel weg. Ze luisterde aandachtig maar hoorde alleen het heel vage geluid van een vogel, een nachtegaal die in de verte zong. Ze liep langs het Atlantide, een hotel met twee sterren, dan langs het Casa Hilbert dat er maar een had. Dit was de buurt van de goedkope hotels waar niemand vragen stelde, waar geen kwaad werd gezien of gesproken. Ze was niet meer dan tweehonderd meter van de Lista di Spagna verwijderd, maar ze had evengoed midden op een begraafplaats kunnen staan. Het enige dat ze hoorde was het zachte ploffen van haar laarzen op het maanovergoten plaveisel. Ze wilde stoppen, omkeren, ten minste over haar schouder kijken, maar ze dwong zichzelf om door te slenteren, licht slingerend alsof ze alleen maar een uitstapje maakte en genoot van de avondlucht en de stilte.

Ze schrok bij het zien van haar eigen schaduw die zich als een slang voor haar uit wierp. Ze stopte, pakte een tissue uit haar zak, snoot voorzichtig haar neus en wachtte tot het suizen in haar oren afnam. Ze dacht dat ze voetstappen hoorde, daarna niets meer, alsof de persoon stil was blijven staan. Stop je zakdoek weg, loop door, kijk vooral niet achterom. Blijf soepel bewegen, ook al tril je op je benen. De nachtelijke hemel was zwart als asfalt. Er was hier en daar avondverlichting, maar die leek alleen bestemd om het duister te accentueren. Ze kwam langs afgesloten poorten waarachter donkere tuinen lagen. Links van haar was een groot flatgebouw. Lakens hingen van een balkon, staken spookachtig af tegen de bruinrode muren. Het filigreinwerk van de poorten die haar afsneden van de veilige woningen wierp schaduwen als kanten haakwerkjes.

Toen ze de nauwe straatjes en de inktzwarte kanalenbuurt achter zich had gelaten, voelde ze opluchting, nu ze weer deel uitmaakte van een verlichte wereld vol met mensen, waar ze weer om zich heen kon kijken. De voetstappen die ze gehoord had waren waarschijnlijk van een late restaurantgast. Ze passeerde rode lantaarns, die uit de gevel van een Chinees restaurant staken. Het zag er gezellig en warm uit en de geuren die naar buiten kwamen waren weldadig. Ze zag de uitnodigende lichten van de Lista di Spagna en liep snel in die richting, maar voor heel even. Voor ze kon toegeven aan de verleiding om terug te gaan naar het hotel, dwong ze zichzelf door te lopen, de Calle Vergola in.

Hier was een bordje dat de richting aangaf naar een park. Ze volgde de aanwijzing en verwijderde zich van de lichten en het lawaai zodat ze al snel weer omgeven was door duisternis en stilte. Ze kwam bij het park. De toegang werd versperd door een groot, afgesloten ijzeren hek. Ze ging linksaf een straat in zonder naambordje. Ze liep door tot ze bij een groene deur kwam. Vlak daarvoor was er een inham en instinctief dook Sarah erin. Deze keer was het geluid van voetstappen onmiskenbaar. Ze drukte zich plat tegen de muur van de inham en bleef als bevroren staan terwijl de voetstappen dichterbij kwamen en langzaam stopten. Een schaduw die bleef groeien tekende zich af tegen de groene deur en langzaam werd de gemaskerde figuur die van links naar rechts keek helemaal zichtbaar. Doodsangst maakte zich van haar meester. Ze sprong met een onderdrukte kreet te voorschijn.

Er werd teruggeschreeuwd. Zwarte haren raakten haar vuisten. Nagels krabden haar in het gezicht. Hun lichamen vielen op de grond. Sarah wist boven op haar tegenstander te komen, sloeg venijnig in het gezicht en zag bloed uit de neus spuiten. De vrouw gilde en kronkelde onder haar. Sarah greep haar vuisten, met door woede ingegeven kracht en hield haar in bedwang. Ze hing voorover tot haar gezicht maar een paar centimeter van dat van de vrouw verwijderd was.

'Zo, kreng. Geef me eens één reden waarom ik je nek niet zou breken.'

De vrouw spuwde haar in het gezicht. Sarah schreeuwde, liet de handen los en veegde het spuug van haar gezicht. In één vloeiende beweging greep ze de vrouw bij de rechterarm, trok haar overeind en ramde haar tegen de muur. Toen de vrouw ineenzakte hield ze haar overeind.

'Je hebt me bedreigd, ziekelijke trut, maar wat erger is, je hebt mijn zoon bedreigd en mijn oom.' Sarah snakte naar adem, zo woedend werd ze weer. 'Daarvoor zou ik je moeten vermoorden.'

Ze dreunde haar gevangene weer tegen de muur.

De vrouw werd slap en zakte kreunend weer op de grond. Ze krulde zich in de foetushouding en begon tot Sarahs ontsteltenis te huilen.

Sarah liep heen en weer. Haar woede maakte plotseling plaats voor medelijden. 'Jezus, hou op met dat gegrien.' Het zachte, klaaglijke gesnik hield aan. Het had iets gekwelds. Sarah boog over de vrouw heen. 'Kom, sta op.'

Na nog een minuut zwijgend gesnik, keek de vrouw Sarah aan. Ze leek midden in de dertig en was mager als een spreeuw. In het betraande, breekbare gezicht waren sporen van vroegere schoonheid te zien. De vrouw was volledig gebroken en trilde als een riet. Shit, wat moest ze doen? dacht Sarah. Ze kon haar niet zomaar hier achterlaten. Ze haakte haar arm door die van de andere vrouw en trok haar overeind.

'Kom. Ik breng je naar mijn hotel. Ik wil weten wat dit verdomme allemaal te betekenen heeft.' De vrouw keek haar aan met de ogen van een gestrikt konijn, maar zei niets. Ze liet zich zonder tegenstand leiden.

In het hotel gaf Sarah de portier een korte verklaring over een ongeluk en de herhaalde verzekering dat de politie noch het ziekenhuis ingeschakeld hoefde te worden. Toen de vrouw zo naast haar strompelde, met een neus die maar niet wilde stoppen met bloeden, bad Sarah dat ze gelijk had wat betreft het ziekenhuis. Ze zette de vrouw in een gemakkelijke stoel en haalde koud water en twee handdoeken uit de badkamer. Ze veegde de bloedresten weg en gaf haar een nat washandje.

'Hier, hou dit tegen je neus,' zei ze ruw. 'Het bloeden zal zo wel ophouden.' De vrouw pakte het aan en keek Sarah terloops aan. In haar ogen waren angst, verdriet en een soort waanzin te lezen. Ze bracht het naar haar neus met een wit geballde vuist en begon weer te snikken.

Godallemachtig. Sarah liet zich onderuit op het bed zakken, begon te trillen toen de recente gebeurtenissen tot haar doordrongen. Zo had ze het zich niet voorgesteld. Ze had gedacht de stalker te pakken, haar woede z'n beloop te laten hebben, haar half bewusteloos te slaan, maar dan? Daar had ze nooit over nagedacht, zo woedend was ze geweest over wat haar als moeder was aangedaan. Nu de vrouw zo voor haar zat maakte ze een zielige indruk, niet iemand die werkelijk een bedreiging vormde. Waarschijnlijk was het met de helft van alle gevangen moordenaars net zo gesteld, het waren papieren tijgers, maar daarom niet minder dodelijk. Ze vermande zichzelf. Ze pakte een whisky uit haar minibar en begon de kamer op en neer te lopen, zonder de vrouw uit het oog te verliezen. Ze had iets bekends. Sarah wist zeker dat ze haar eerder gezien had.

'Hoe heet je?'

Het snikken hield op. 'Carla. Carla Parton.' Ze had een Amerikaans accent, het zachte lijzige uit het zuiden. De angstige ogen die de hare zochten als een gevangen dier hadden een intelligente uitstraling.

Sarah bleef voor haar staan en boog zich over haar heen. 'Waarom volgde je mij? Waarom bedreigde je mij en mijn gezin?' Sarah voelde zich weer overspoeld door een golf van woede. Ze wist waar ze toe in staat was. Een tijdje had ze gedacht, gehoopt, dat haar vermogen om uit wraak tot geweld over te gaan, was afgenomen. Nu merkte ze dat het niet het geval was. Het moederschap had haar nog gevaarlijker gemaakt, had nog onzuiverder instincten in haar wakker gemaakt. Ze wist dat deze combinatie dodelijk zou kunnen zijn. En aan haar blik te zien wist Carla dat ook. Ze was sprakeloos van angst.

Sarah draaide zich om en greep het briefje van de schoorsteen. Ze hield het Carla voor.

'Jij hebt dit geschreven, kreng. Ik wil weten waarom.'

'Wat ga je met me doen?' vroeg ze benauwd.

'Weet ik niet. Heb ik nog niet besloten, maar ondertussen wil ik antwoord op mijn vragen, dus vertel op.'

Carla's gezicht betrok weer, toen ze begon te huilen. Dit was niet het rustige snikken van daarnet. Ze huilde nu met hevige uithalen, alsof ze een onzegbare pijn leed. Sarah sloeg haar met afgrijzen gade.

Het huilen hield zo lang aan en klonk zo onmenselijk triest dat het Sarah door merg en been ging. Ten slotte ging het over in een serie heftige, droge snikken.

'Zeg wat tegen me,' zei Sarah die een glas cognac aanreikte en daarna een beker water.

Carla nam een grote slok water, wreef zich over het gezicht en begon te praten.

47

'Het begon allemaal meer dan dertig jaar geleden, toen mijn ouders en ik van Georgia naar Wyoming verhuisden, waar ik John Redford voor het eerst ontmoette. God, hij was een heel knappe jongen, maar zo gekwetst dat het gewoon van zijn gezicht afdroop. Het was net nadat zijn moeder was overleden. We waren allemaal verliefd op hem, ik en de andere meisjes, hun moeders trouwens ook. Hoe dan ook, hij wilde niets met ons te maken hebben en bleef altijd op zichzelf. Hij ging er in zijn eentje op uit met zijn paard en speelde gitaar.'

Carla kreeg een wazige blik in haar ogen en haar stem klonk afwezig, bijna kinderlijk, alsof ze naar een andere tijd was teruggegaan. 'We zaten op dezelfde school, in dezelfde klas. Ik gaf hem altijd snoep en vaak ook mijn brood, omdat hij nooit iets bij zich had. Zijn vader had het te druk met zijn eigen verdriet om veel voor hem te doen. John kwam niet zo vaak naar school en nadat hij een keer was blijven zitten verloor ik hem min of meer uit het oog, tot vijftien jaar later. Ik was toen vijfentwintig en woonde in New York, echt het type van de aankomende actrice die als serveerster moet werken om het hoofd boven water te houden.' Ze glimlachte zuur.

'Ik werkte niet eens in een goede zaak, maar in een verlopen tent aan de Upper West Side. Toen ik op een avond naar mijn werk ging zag ik de posters hangen. John Redford was in de stad en zou een concert geven in Madison Square Gardens. Ik moest natuurlijk werken, maar als ik opschoot zou ik het slot van het optreden nog kunnen meemaken. Ik ging zo vroeg mogelijk weg, zonder zelfs mijn uniform uit te trekken, en haastte me naar Madison Square. Maar het concert was al afgelopen. Ik was zo teleurgesteld dat ik gewoon in snikken uitbarstte. Ik zei tegen een bewaker dat ik een oude vriendin van John was en blijkbaar geloofde hij me, want ik mocht langs de achteringang naar binnen. Ik zweefde bijna van geluk,' zei ze op een bittere toon.

'In elk geval stuurden ze me naar zijn kleedkamer en zeiden dat ik moest aankloppen en mijn naam noemen. Na een tijdje zoeken vond ik de kamer en klopte op de deur. Hij riep dat ik binnen kon komen, maar toen ik dat deed stond hij achter een soort scherm. Ik hoorde hem bewegen. Ik ging op een stoel zitten wachten, maar het was net of er iemand naar me keek. Je kent het gevoel wel. En ik begon bang te worden. Er klopte iets niet. Ik wilde net opstaan en weggaan toen het licht uitging. Voordat ik mijn mond kon opendoen om te gillen had hij me beetgepakt en op de grond gegooid. Hij sprong boven op me.' Haar stem haperde en ze wreef de tranen uit haar ogen. Haar lippen trilden. 'Ik probeerde hem weg te duwen en hem te slaan. Ik krabde hem in zijn gezicht. Hij greep mijn polsen en drukte me tegen de vloer.' Ze sloeg haar ogen op en keek Sarah aan. 'Hij zei dat hij me zou vermoorden als ik een kik gaf. Ik geloofde hem. En daarna verkrachtte hij me.'

Sarah keek haar aan. Ze wist niets te zeggen.

'Ten slotte ging hij weg. Ik hoorde stemmen op de gang, alsof er een discussie aan de gang was, daarna kwam er iemand de kamer in. Het was niet Redford, dit was een andere man, zwaarder. Hij trok me overeind, bond me vast op een stoel, deed een soort sjaal voor mijn ogen en stopte een prop in mijn mond. Ik weet nog hoe ik daar in het donker zat. Het leek uren te duren. Het bleef heel lang stil, tot dezelfde man me beetpakte en letterlijk de kamer uitdroeg, een heleboel trappen af. Ik werd in een auto gegooid. Hij sloot de portieren af en ik kreeg zo'n harde stomp in mijn gezicht dat ik bewusteloos raakte. Toen ik bijkwam merkte ik dat de auto optrok. Het portier ging open en hij duwde me naar buiten.' Carla keek weer even naar Sarah voordat ze haar blik afwendde. 'De volgende ochtend werd ik door een bouwvakker gevonden in een achterafstraatje in Harlem. Hij bracht me naar het ziekenhuis. Ik had tien gebroken ribben, een gebroken neus en kaak, en ik kreeg ook nog longontsteking. Ik heb zes weken in het ziekenhuis gelegen. Na drie weken kwamen ze erachter dat ik zwanger was. Ik heb het laten weghalen. Ik heb het vermoord.' Haar stem stierf.

'O jezus.' Sarah moest zich inhouden om niet in tranen uit te barsten. Ze dwong zichzelf een vraag te stellen, een strohalm om zich aan vast te klampen en om Carla aan de praat te houden.

'Ben je naar de politie gegaan?'

'Die kwam naar mij toe. Ik heb niets verteld. Ze probeerden me uit te horen, maar ik heb geen woord gezegd, nog geen hallo.'

'Waarom niet?'

'Ik wilde een einde aan de nachtmerrie maken. Ik wilde dat het voorbij was.'

'En verder?'

'Nou, ik moest naar de plastisch chirurg. Mijn gezicht was één grote troep. Ik ben in anderhalf jaar vier keer geopereerd. Ik hoefde niet zo nodig meer actrice te worden. De verzekering dekte de behandeling en ik kreeg ook nog een schadevergoeding, want ik had mijn gezicht verzekerd. Vier miljoen dollar voor mijn gezicht, hoe vind je dat?' Ze probeerde te glimlachen, een poging die bijna Sarahs hart brak. Sarah stond op om de fles cognac te halen. Ze schonk hun glazen bij, zette het hare neer en wreef in haar ogen.

'Dat was vijftien jaar geleden. Wat heb je sindsdien allemaal gedaan?'

'Ik ben drie jaar in therapie geweest, dat heeft me echt geholpen. Ik leerde een man kennen en ik ben met hem getrouwd. We hebben het zes jaar goed gehad samen, tot we een kind wilden.' De tranen begonnen te vloeien. 'We hebben het jaren geprobeerd, zonder resultaat. Ten slotte ging ik naar een dokter om me te laten onderzoeken.' Haar stem sloeg over en ze pauzeerde even om bij te komen. 'De abortus was niet goed gegaan, er waren littekens achtergebleven. Ik ben onvruchtbaar. Ik zal nooit een kind krijgen.'

Sarah kon zich niet langer beheersen. De tranen rolden over haar wangen.

Carla ging verder. 'Toen de dokter dat tegen me zei stortte ik in. Ik vertelde mijn man dat ik was verkracht, maar niet door wie. Ik zei dat het een vreemde was geweest.' Ze keek Sarah weer aan. 'Weet je wat hij deed?'

Sarah schudde haar hoofd.

'Hij ging bij me weg.'

Sarah knikte alsof alles nu duidelijk werd. 'En jij vond het tijd worden om John Redford te laten boeten, net als iedereen met wie hij een verhouding leek te hebben,' zei ze grimmig.

'Wat zou jij gedaan hebben?'

Sarah stopte haar verontwaardiging weg in haar hart, samen met al haar opgekropte woede. Bijna beter dan wie ook begreep ze de macht van de wraakzucht, de aantrekkingskracht die groter was dan van enig ander verdovend middel. Net als alle drugs beloofde het de hemel en was het niet meer dan een grote leugen. Wraak kon de oorspronkelijke misdaad niet ongedaan maken. Er was geen remedie tegen de pijn, behalve de bittere pil van de aanvaarding. Zet de beker aan je lippen en drink hem tot op de bodem leeg. De herinnering vulde haar nog steeds met afschuw. Toen ze tweeëntwintig was had ze de man doodgeschoten die dertien jaar eerder haar ouders had doodgereden, de man die haar en haar broertje van zeven had uitgelachen toen hij in de rechtszaal was vrijgesproken. Ook al had het haar geen troost geschonken, ze zou het nu opnieuw doen, ondanks alles wat ze inmiddels had geleerd. Ze wist precies hoe Carla zich moest voelen. Ze pakte haar hand. 'Ga maar slapen, Carla. Je kunt mijn bed gebruiken.' Carla volgde haar gedwee, alsof ze al haar woede van zich af had gepraat.

'Wat ga jij dan doen?'

'Ik moet een paar dingen op een rijtje zetten. Maak je over mij geen zorgen en probeer wat te slapen.' Sarah bleef bij haar zitten tot Carla door de slaap was overmand. Haar rustende gezicht leek ontspannen, maar af en toe knipperden haar oogleden en vertrokken haar lippen. Sarah herkende de vrouw uit het restaurant in New York die haar tas op de grond had gegooid en haar portemonnee had gestolen. Ze had een rode pruik over haar lange, duidelijk zwartgeverfde haar gedragen. De donkere lokken staken scherp af tegen Carla's bleke huid. Ze had haar accent verborgen en zich voorgedaan als een wereldwijze vrouw uit de stad. Het was dezelfde vrouw, maar bijna een andere incarnatie. De slapende gestalte op het bed leek net een gekwetst kind, gebogen onder de ultieme last van een volwassen vrouw. Sarah bleef nog een uur bij haar waken zoals ze bij haar eigen kindje zou doen: een extase die John Redford voorgoed aan Carla Parton had ontzegd.

Hoe had hij zoiets kunnen doen, de man die haar een kind had geschonken, de man die zo verrukkelijk, zo teder en hartstochtelijk kon beminnen, die zulke hartverscheurende teksten zong? Alles was volmaakt geweest, hij was de volmaakte minnaar die haar zonder het te weten een volmaakt kind had gegeven. Georgie zou altijd volmaakt blijven. Niets kon zijn perfectie bezoedelen, maar Sarahs beeld van Redford was vernietigd. Ze had gedacht dat ze hem kende; ze had zich vergist. Ze herinnerde zich hoe bang hij was geweest voor de invloed die hij op zijn publiek had, de verbonden hand waarmee hij in ongecontroleerde woede tegen de muur had geslagen. Geen wonder dat hij bang was voor zichzelf en voor waar hij toe in staat was.

Ze pakte haar sleutel en liep met grote passen naar zijn kamer. Ze bonsde op de deur zonder aan de andere gasten te denken, met gebalde vuisten en net zolang tot ze haar knokkels openhaalde. Redford deed geschrokken open, zijn haar helemaal in de war. Sarah liep langs hem heen naar binnen.

'Sarah, wat is er verdomme aan de hand?' Hij volgde haar, boos en zonder begrip.

Ze draaide zich om. 'Hou liever je mond, smeerlap. Ga zitten en luister naar me.' Ze gaf hem een duw zodat hij in een stoel zakte, maar hij sprong meteen weer overeind. Hij deed twee stappen naar Sarah toe voordat haar woorden hem tot staan brachten.

'Ga je me nu slaan? Of is verkrachten na al die jaren nog meer je stijl?'

Het was of ze hem een vuistslag had toegediend.

'Waar heb je het over?'

'Alsjeblieft, zeg. Hang niet de vermoorde onschuld uit.'

'Dat doe ik helemaal niet. Ik heb verdomme geen idee waar je het over hebt.'

'Dan zal ik het je vertellen.' Sarah begon heen en weer te lopen, maar ze bleef Redford aankijken. 'Waarom ga je niet zitten? Maak het je gemakkelijk. Het is een lang verhaal.' Ze zag Redford naar een stoel lopen en voorzichtig gaan zitten, alsof zijn hele lichaam pijn deed. Ze zag de pijn in zijn ogen, de verwarring, maar ook een intense vermoeidheid en af en toe iets wat op angst leek. Maar al zijn emoties waren net zo onbetekenend als een maskerade in vergelijking met wat Carla had moeten doorstaan.

'Verkrachting,' zei Sarah met schorre stem. 'Eén dader, jij. Eén slachtoffer, maar ze zal niet de enige geweest zijn. Een vrouw verkrachten is nooit iets eenmaligs, of wel soms? Het is een afwijking van de geest die je ertoe in staat stelt. Ik weet wie de stalker is, vuile viezerik. Ze heet Carla Parton. Ze heeft samen met jou op school gezeten, ze heeft haar brood met je gedeeld en geprobeerd vriendschap te sluiten toen je twaalf jaar oud was en je net je moeder had verloren. Ze werd een slanke en mooie vrouw en verlangde naar iets groters in haar leven. Ze ging naar New York om actrice te worden en verdiende haar geld als serveerster. Op een dag ziet ze dat John Redford in de stad is, haar oude schoolvriendje. Ze komt aan het eind van het concert bij het theater en dankzij haar uiterlijk mag ze door de artiesteningang naar binnen. Een bewaker zegt waar je kleedkamer is, zoals met honderden meisjes in tientallen andere steden gebeurd moet zijn. Ze gaat naar binnen. Je staat achter een scherm, daarom gaat ze zitten en wacht op je. Dan doe je het licht uit en verkracht je haar. Je laat haar achter en vraagt een van je handlangers om haar weg te werken. Hij doet haar een blinddoek voor, stopt haar in zijn auto, slaat haar buiten westen en gooit haar bij wijze van toegift als een zak vuil uit de rijdende wagen.'

Redford sloeg zijn ogen neer.

'Kijk me aan, vuilak. Kijk me aan en laat elk woord tot je doordringen tot ik klaar ben. Een bouwvakker vond haar in een steeg en bracht haar naar het ziekenhuis. Ze had tien gebroken ribben, een gebroken neus en een gebroken kaak. O ja, en ze was in verwachting van je kind. Ze liet het kind weghalen en jaren later, toen zij en haar man zelf kinderen wilden hebben en ze dacht dat ze eindelijk het trauma achter zich had gelaten, ontdekte ze dat de abortus haar had beschadigd en dat ze nooit een kind zal kunnen krijgen. Ze stortte in en vertelde alles tegen haar man. En wat denk je? Hij ging bij haar weg.'

Ze liep langzaam naar Redfords stoel. 'Hoe kon je dat doen? Wat voor mens ben jij?' fluisterde ze.

Hij zocht geen excuses, hij zei geen woord, staarde alleen maar voor zich uit, zijn gezicht een masker van radeloosheid.

48

Het begon licht te worden en Sarah ging naar haar kamer. Ze deed de deur achter zich dicht. Carla was net wakker geworden. Sarah ging naast haar op het bed zitten en pakte haar hand.

'Wil je het voorgoed kwijt,' vroeg ze, 'zodat je er nooit meer aan hoeft te denken?'

Carla keek haar met troebele ogen aan, tegelijk hoopvol en angstig.

'Hoe?'

'Ik heb Redford het hele verhaal verteld. Ga nu naar hem toe.'

Carla sloeg haar handen tegen haar keel.

'Stil maar, het hoeft niet als je niet wilt.'

Carla duwde zichzelf overeind. Sarah zag tot haar schande dat Carla's neus rood en gezwollen was. 'Ik moet me even opknappen. Geef me vijf minuten.'

Vijf minuten later klopte Sarah op de deur van Redfords suite. Hij deed met een grauw gezicht open.

'Wil je met haar praten? Dat is wel het minste wat je kunt doen.'

Redford keek haar met een onpeilbaar verdriet aan. 'Ga haar dan maar halen. Misschien kunnen we het uitpraten.'

Sarah ging Carla halen. 'Ik ben op de gang als je me nodig hebt,' zei ze. De deur van Redfords kamer stond open. Carla sloop naar binnen alsof ze een hinderlaag verwachtte en deed de deur onzeker achter haar dicht. Sarah liep een eindje de gang door om de gedempte stemmen niet te horen. Ze leunde tegen de muur en wachtte. Een halfuur later deed Carla de deur open en riep haar naar binnen.

Redford zat onderuitgezakt in een leunstoel. Hij zag er heel eenzaam uit, net een verdwaald kind. Carla glimlachte onzeker, half opgelucht.

'Ik ga vandaag naar huis,' vertelde ze Sarah. 'Ik hou op met die dreigbrieven. Het is de moeite niet waard.'

'Hoe ben je tot dat besluit gekomen?' vroeg Sarah.

'Ik zal deze man altijd blijven haten. Aan de ene kant zou ik hem graag vermoorden of ervoor zorgen dat hij nooit ergens rust of geluk vindt, alles vernietigen waar hij om geeft, maar als ik nu naar hem kijk is hij weer die kleine jongen die ik van vroeger ken en niet het monster dat me heeft verkracht, mijn leven heeft geruïneerd, mijn dromen om zeep heeft geholpen. Als je me nu een pistool gaf zou ik het niet gebruiken, echt niet.' Carla draaide haar hoofd om naar Redford. 'Je moet er maar mee zien te leven, laat dat je straf zijn. Je zult van mij nooit meer iets horen. Ik zal je niet meer lastigvallen, behalve in je dromen.'

Carla liep met fier geheven hoofd de kamer uit, stijf van de bedwongen emoties, van de pyrrhusoverwinning die ze net had behaald. Redford keek haar na en sloeg zijn handen voor zijn gezicht. Toen hij weer opkeek zag Sarah woede in zijn ogen.

'Vind je het soms leuk om voor rechter en beul te spelen? Vertel me dat eens.'

'Ik vind het niet leuk, ik ben er alleen doodziek van.'

'Heb jij nooit iets verkeerd gedaan? Heb jij je hele volmaakte leven lang nooit iets verschrikkelijks uitgehaald?'

'Ik zou mijn leven niet volmaakt willen noemen, en ook niet de manier waarop ik het heb aangepakt,' zei Sarah. 'Natuurlijk heb ik verschrikkelijke dingen gedaan. Mijn betere ik zou ze graag ongedaan maken, maar ik weet dat ik sommige dingen weer zou doen en dat is vreselijk. Ik word ook ziek van mezelf, dus je hoeft je niet eenzaam te voelen.'

'Dat is mijn tweede natuur, nietwaar? Dus je wordt doodziek van me?'

'Wat kan jou dat schelen? Ik denk dat je ziek van jezelf wordt, dat is het hele punt.'

'Het punt is dat ik niet weet wat ik moet denken,' zei Redford zachtjes.

'Dan zal ik je helpen. Je bent schuldig. Je zou je schuldig moeten voelen. Je zou berouw moeten tonen.'

Redford keek op. 'Ben ik schuldig? Hoe weet jij dat?'

'Vanwege Carla. Je gaat toch niet beweren dat ze het heeft verzonnen? Niemand kan zulke emoties simuleren.'

Redford keek naar de grond.

'Nou?' vroeg Sarah streng. 'Wat heb je daarop te zeggen?'

Ze wilde een spijtbetuiging van hem horen, iets om te laten zien dat hij begreep wat voor ellende hij had aangericht. Met minder kon ze geen genoegen nemen.

Hij keek haar vermoeid aan. 'Misschien heb ik het gedaan, misschien ook niet. Het afschuwelijke is dat ik het niet weet.'

'Zoiets vergeet je toch niet?'

'Er waren nachten en soms ook dagen dat ik door alle coke en drank zelf niet meer wist wat ik deed. Ik was half bewusteloos, ik wist nauwelijks waar ik was. Ik kon optreden en platen maken, verder is me er van die tien jaar uit mijn leven niets tastbaars bijgebleven.'

'Alsjeblieft, zeg. Je weet toch zeker wel of je iemand hebt verkracht of niet?'

Redford schudde zijn hoofd. 'Nee, dat weet ik niet. Ik had last van black-outs, soms kon ik me niets herinneren van wat er de afgelopen vierentwintig uur was gebeurd. Ik werd op de vreemdste plaatsen wakker zonder te weten hoe ik daar was gekomen. Ik herkende de mensen in mijn omgeving niet, zelfs de vrouw niet die bij me was. Er waren alleen maar onbekende gezichten om me heen en er was weer een dag in mijn leven voorbijgegaan. Daarom is het best mogelijk dat ik haar heb verkracht, al hoop ik bij God dat het niet zo is. Het zou kunnen. Ik herinner me dat er jaren geleden, na een van mijn optredens in New York, in de kleedkamers werd gesproken over een vrouw die met een auto weggebracht zou zijn.' Zijn gezicht kreeg een beschaamde uitdrukking. 'Ze noemden haar een stuk vuil, een meid die voor problemen zorgde en ergens gedumpt moest worden. Er werd heel wat over gefluisterd. Ik heb er indertijd weinig aandacht aan besteed, er zijn altijd wel incidenten met groupies die zich aan je opdringen en soms gewelddadig worden, maar er is blijkbaar toch iets bij me blijven hangen. Het maakte iets bij me los. Dus het is mogelijk dat ik het ben geweest, het zou kunnen. En dacht je dat ik het niet verschrikkelijk vond? Ik moet steeds aan mijn moeder denken. Ik zie haar gezicht voor me. Hoe zou zij over me denken? Het zou haar hart hebben gebroken. En dat arme meisje.' Zijn aandoening werd merkbaar aan zijn linker ooglid, dat onbedwingbaar begon te trekken van de zenuwen. 'Als ik het echt ben geweest zou ik er alles voor overhebben om het ongedaan te maken. Ik zou alles willen opgeven om die vrouw haar leven terug te geven, maar dat kan ik niet.'

'Doe dan iets dat wel binnen je bereik ligt,' zei Sarah zachtjes.

'Zoals?'

'Ik weet het niet, maar er zijn wel duizend goede doelen waar je een steentje aan kunt bijdragen. Geef vijf miljoen voor de opvang van mishandelde vrouwen en kinderen.'

'Zo simpel is het niet. Ik geef al veel geld weg, maar daar koop ik geen vergeving mee.'

'Denk toch niet steeds aan jezelf. Het gaat niet om vergeving, die kun je alleen van God krijgen. Het gaat erom andere mensen te helpen, dan doe je tenminste iets. Met vijf miljoen kunnen ze huizen en eten kopen, artsen en ander personeel in dienst nemen. Daar zou je heel veel goeds mee doen.'

'Ik heb geen vijf miljoen in mijn achterzak zitten.'

'Dat zal snel veranderen. Als de obligatielening doorgaat heb je binnenkort honderd miljoen.'

'Hoe kan die nog doorgaan nu je alles weet? Goldsteins zal me als een baksteen laten vallen en ik weet heus wel dat jij min of meer voor hen komt spioneren. Je kwam toch zeker niet alleen de boekhouding controleren?'

'Nou en?'

'Je weet er nu in elk geval van, of het nu waar is of niet. En zoals je al zei, Carla kan zulke emoties niet hebben gesimuleerd. Dat is onmogelijk. Daarom moet ik aannemen dat ik het heb gedaan. Dat doe jij duidelijk ook.'

'En als ik niets zeg?' vroeg Sarah, terwijl ze tot haar afschuw besefte dat ze bezig was in de kuil te vallen die ze zelf had gegraven.

'Tegen Goldsteins liegen, bedoel je?'

Sarah dacht aan Carla, dacht aan alle vrouwen die elke dag mishandeld werden en hun kinderen probeerden te beschermen, gevangen in een bestaan vol geweld, veroordeeld tot een leven zonder enige hoop. Met vijf miljoen dollar zouden veel van deze vrouwen geholpen kunnen worden een nieuw leven op te bouwen.

'Ja,' antwoordde Sarah langzaam, 'ik zou tegen Goldsteins kunnen liegen.'

'Dat moet je zelf uitmaken,' zei Redford.

'Als ik het doe, geef jij dan vijf miljoen dollar aan een instelling die mishandelde vrouwen helpt, eentje van mijn keuze?'

'Dat begint naar chantage te ruiken.'

'Het is geen chantage, het is de enige kans op vergeving die je hier op aarde zult krijgen. Zoals ik al zei, het is het minste wat je kunt doen. Je probeert een fout goed te maken, die kans geef ik je. Je moet het zelf weten.' Sarah wendde zich quasi onverschillig af, maar haar hart was vol hoop door alle mogelijkheden die zich voor haar openden. Maar er klonk ook een ander stemmetje in haar hoofd. Als Redford nu eens loog? Wie zei dat hij niet veel vaker vrouwen had aangerand? Haar stilzwijgen zou nog meer vrouwen in gevaar kunnen brengen.

Zijn stem brak door haar hoop en vrees heen.

'Goed dan, Sarah. Je krijgt je zin.'

49

Sarah nam het eerste het beste vliegtuig terug naar Londen. Vlak voor het instappen in Venetië belde ze Jacob om te zeggen dat ze onderweg was.

'Ik dacht dat je morgen pas terug zou komen,' zei hij, aangenaam verrast.

'Dat is zo, maar ach, het zijn maar zaken. John Redford en zijn entourage kunnen het wel zonder mij stellen, maar ik niet zonder jou en George.' Ze kon Jacob bijna zien glimlachen. Hij hield wel van haar stille verzet tegen het bedrijfsleven, dus hij slikte haar leugentje zonder moeite. Ze vond het nooit leuk om tegen hem te liegen, maar er was geen denken aan hem de waarheid met zijn talloze verwikkelingen en onthullingen te vertellen.

Redford zou die avond een openluchtconcert geven in Jesolo, op een paar kilometer afstand van Venetië. Ze was van plan geweest naar zijn optreden te gaan kijken, maar nu wist ze niet hoe snel ze weg moest komen. Terwijl het vliegtuig door de wolken steeg probeerde ze zichzelf wijs te maken dat ze opgelucht zou moeten zijn omdat ze de stalker – zoals ze Carla nog steeds noemde – had gevonden en ontmaskerd, en omdat ze nu aan Redford kon ontsnappen. Maar haar gedachten bleven net zo somber als de lucht.

Een paar uur later werd ze thuis opgewacht door een welkomstcomité, bestaande uit Georgie, Jacob en Eva. Georgie en Jacob begroetten haar vol liefde, Eva vol opluchting maar ook met een vermoeidheid die ze niet kon verbergen. Sarah vermoedde dat ze de hele nacht was opgebleven om over het huis te waken.

Nadat ze uitgebreid met Georgie had geknuffeld en gespeeld en de laatste nieuwtjes met Jacob had uitgewisseld, lokte ze Eva mee naar haar studeerkamer om rustig te kunnen praten.

'Niets aan de hand,' zei Eva voordat Sarah iets kon vragen. 'We hebben geen van allen ook maar iets verdachts opgemerkt.'

Sarah leunde impulsief naar voren om haar vriendin een zoen te geven, zeer tot Eva's verbazing. Eva zelf was nooit zo uitbundig, behalve als ze een rol moest spelen. Emoties kon je volgens haar maar beter in toom houden, zeker als het om de intense dankbaarheid ging die ze nu in Sarahs ogen zag. Sarah wist dat heel goed en keek haar glimlachend aan.

'Hoe was het in Venetië?' vroeg Eva, om vastere grond onder haar voeten te krijgen. 'Ik maakte me al zorgen toen Jacob zei dat je een dag eerder terug zou komen, maar je ziet er tamelijk ongedeerd uit.'

'Ik heb precies gedaan wat jij al dacht. Het had geen zin om daarna te blijven hangen.'

'Heb je de stalker betrapt?' vroeg Eva snel.

Sarah knikte.

'En?' vroeg Eva, die zich verbaasde over Sarahs zwijgzaamheid.

'Het is een lang verhaal, maar ik denk niet dat ze nog voor problemen zal zorgen.'

'Maar je zit nog wel ergens mee,' merkte Eva op.

'Dat is zo, maar dat is een probleem waar ik niets aan kan doen,' antwoordde Sarah bedroefd. Eva stond op. Ze wist wanneer het geen zin had om aan te dringen.

'Ik moest maar eens gaan. Ik heb al tegen Jacob gezegd dat de boiler gerepareerd is.'

Sarah trok haar bureaula open.

'Wat ben ik je schuldig?'

Eva knipperde met haar ogen. 'Ik heb vier mensen ingezet in tweeploegendienst, elk negen uur. Vijftig pond per uur, dat maakt in totaal zesendertighonderd pond.'

'En jijzelf?'

Eva zwaaide met haar hand. 'Je mag komen oppassen tegen de tijd dat ik zelf kinderen heb.'

'Graag, maar ik wil je hier toch voor betalen.'

Eva glimlachte. 'Je hoeft niet aan te dringen, want ik wil het niet hebben, Sare. Het kost je toch al genoeg.'

'O Eva, dank je. Het is me elke cent waard,' zei Sarah. Ze wist dat ze Eva niet op andere gedachten zou kunnen brengen en sloeg haar chequeboekje dicht.

'Ja,' beaamde Eva. 'En je hoeft je nu geen zorgen meer om die stalker te maken.'

Sarah moest aan Carla's gezicht denken en vroeg zich af waarom ze zo'n onheilspellend voorgevoel had.

Samen met Jacob en Georgie bracht ze Eva naar de deur en nam afscheid. Ze deed de deur dicht en droeg haar zoontje naar de keuken, waar ze hem op haar knie zette om eens goed naar hem te kijken. Ze voelde de vreemde mengeling van liefde en angst die haar wel vaker overviel wanneer ze naar hem keek. Liefde om alles wat hij was, angst om de ellende die hem kon treffen en die haar nog duizendmaal harder zou raken. Alstublieft, God, hij was niet alleen de grote liefde van haar leven, maar van de eeuwigheid. Laat hem niets overkomen.

Ze schonk een kop extra sterke koffie in en nam een slok voordat ze ging staan en probeerde de nodige moed te verzamelen voor de bespreking bij Goldsteins.

50

James Savage was helemaal ontdaan. Hij dronk de ene na de andere kop bittere espresso en sloeg de koffie naar binnen alsof het wodka was. Het leek hem te helpen zijn verdriet te vergeten en boos te worden.

'Leef je nog?' blafte hij tegen Sarah.

'Nog wel,' antwoordde ze rustig terwijl ze de rand van haar opgeschoven rok naar beneden trok. Ze was de laatste dagen eindelijk wat afgevallen, voornamelijk door gebrek aan eetlust. Savage keek ernaar met een radeloze uitdrukking op zijn gezicht. 'Nieuws over de stalker?'

'Geen nieuws. Die lijkt zich gedeisd te houden,' zei Sarah.

'Dat is vreemd,' antwoordde Breden. 'Hij of zij heeft de laatste paar weken toch op elke locatie een dreigbrief gestuurd?'

'Ja,' antwoordde Sarah, 'maar niet in Venetië.' Ze keek hem nietszeggend aan.

'Waarom niet?' vroeg Breden.

Sarah trok haar schouders op. 'Geen idee. Misschien moest ze weer gaan werken of was haar geld op. Ik ben benieuwd of Redford of ik hier nog een briefje krijgt.'

Breden keek Sarah nog aan toen ze allang was uitgesproken. Ze probeerde luchtig te reageren op zijn onderzoekende blik, al vroeg ze zich af of dat wel de juiste aanpak was.

'Misschien heeft ze een beter slachtoffer gevonden,' zei Savage verbitterd.

'Misschien,' antwoordde Sarah. 'Laten we het hopen. Ben jij nog iets aan de weet gekomen, Dick?'

'Niets kwalijks. Geen nieuwe drugsproblemen. Als hij niet op tournee is leidt hij een rustig bestaan op zijn ranch in Wyoming. Een einzelgänger. Voor zover bekend heeft hij op het ogenblik geen vriendin, maar hij gaat ook niet met groupies om. Hij doet veel aan yoga en paardrijden, geeft heel wat geld aan goede doelen.'

'O ja? Hoeveel?'

'Meer dan dertig miljoen dollar.'

'Jezus!' riep Sarah.

'Vond jij hem niet het type om aan liefdadigheid te doen?'

'Ik had er geen idee van. Aan wie geeft hij dan?'

'Aan geestelijk gehandicapten en weeskinderen.'

Sarah slikte en probeerde zich te beheersen. 'Hoe staat het met de emissie?' vroeg ze aan Zamaroh. Ze hoopte dat haar stem niet zo gespannen klonk als ze zelf dacht.

'Nou, de cijfers zien er prima uit. Ik heb er alle vertrouwen in dat de lening het volle pond oplevert.'

'Honderd miljoen?' vroeg Sarah.

Zamaroh knikte. 'Wij kopen alle obligaties op.'

'We zitten erover te denken om ze allemaal op te kopen,' verbeterde Savage.

'Uit het oogpunt van fondsbeheer zou het ideaal zijn,' drong Zamaroh aan. 'Een laag risico, een enkele *A*, maar met een hoger rendement dan vergelijkbare leningen. We moeten alle obligaties wel nemen.'

'We moeten helemaal niets,' snauwde Savage.

Sarah keek naar Zamaroh. Het geduld van de Iraanse begon op te raken.

'We kunnen niet vanaf de zijlijn toekijken, James, ook al vind jij dat nog zo'n veilige positie.'

'Dat mogen we helemaal zelf uitmaken.'

'Als we het contract willen verspelen kunnen we tot in alle eeuwigheid blijven afwachten. Of tot het lek ons de deal voor de neus wegkaapt.'

Sarah en Savage vermeden zorgvuldig elk oogcontact.

'Heb jij nog iets ontdekt, Dick?' vroeg Zamaroh.

'Niets. Hij schijnt zich al net zo vreemd rustig te houden als Sarahs stalker.'

Breden keek naar Sarah terwijl hij het zei. Ze bestudeerde de inhoud van haar koffiekopje.

'Kun je die verwenste camera's en microfoons dan eindelijk uit mijn kantoor halen?' vroeg Zamaroh bits. 'Ik kan nog geen scheet laten zonder dat iemand het hoort.'

Sarah en Breden barstten in lachen uit.

Zamaroh glimlachte even voordat ze haar aanval op Savage voortzette. 'Is het spioneren nu afgelopen?'

Savage gebaarde vaag met zijn hand, alsof hij een hinderlijke vlieg wilde verjagen. 'Waarom niet?'

'En het contract?' ging Zamaroh verder. 'Ik kan toch niet tot in het oneindige blijven wachten?'

'Nee, zolang niet,' zei Savage, alsof het een datum in de nabije toekomst was. 'Ik wil alleen zeker weten dat Sarah geen duistere zaken meer aan het licht brengt.'

'Ik?' vroeg Sarah. 'Wat bedoel je?'

'Ik bedoel die stalker van je,' antwoordde Savage op bedrieglijk nonchalante toon, 'en eventuele andere kleine dingen die nog niet boven water zijn gekomen.' Hij hield zijn blik op haar gericht, dof van verdriet maar nog altijd angstwekkend scherp.

Dit was het uur van de waarheid. Liegen of de waarheid vertellen. Sarah zag het betraande gezicht van Carla voor zich, haar verstoorde dromen, maar ze zag ook een veilige schuilplaats voor misschien wel duizenden vrouwen. Met vijf miljoen dollar konden heel veel vrouwen worden geholpen. *Dat is jouw taak niet*, zei de rationele stem in haar hoofd. *Het is niet jouw taak om voor God te spelen. Doe je werk en vertel de waarheid.* Goldsteins kon een contract van honderd miljoen dollar verspelen als ze zich had misrekend, als Redford nog meer vrouwen had verkracht of als Carla's verhaal in de pers kwam. Het was alles of niets. Ze kon Savage niet aanraden de zaak door te zetten maar niet zelf alle obligaties te kopen. Zo'n advies zou hem op het idee brengen dat ze iets voor hem verborgen hield. Ze vond het opeens een bespottelijk idee dat het lot van een overeenkomst ter waarde van honderd miljoen dollar, ondanks de exacte wetenschap van evaluatiemodellen en de nihilistische rechtlijnigheid van de beursvloer, in haar handen lag, afhankelijk was van een leugen gebaseerd op hoop, vergeving en verzoening. Maar natuurlijk had ze zich altijd overal mee bemoeid en voor God of diens antithese gespeeld. Ze dacht maar heel kort na voordat ze met een lichte glimlach antwoord gaf.

'Er zijn geen "andere kleine dingen", James. De stalker is niet ideaal, maar voor zoiets ongrijpbaars kunnen we de zaak niet afblazen. Ik zou doorzetten en alle obligaties opkopen.'

Zamaroh lachte opgetogen. Breden droeg zijn gewone masker van beleefde belangstelling. Savage scheen met zijn gedachten nauwelijks nog bij de discussie te zijn.

'Goed.' Hij zwaaide weer met zijn hand. 'Dan houden we de hele emissie in eigen huis. Regel jij dat maar, Zaha.' Hij stond van tafel op en ging naar de deur. Halverwege bleef hij staan en draaide zich met een ruk om naar Sarah. 'Ik hoop voor je dat je gelijk hebt.'

Sarah, Breden en Zamaroh keken hem zwijgend na. Toen hij uit het gezicht was verdwenen slaakte Sarah een diepe zucht.

'Fijn, nu hangt hij het succes of de mislukking van heel dat rotcontract aan mij op.'

'Niet het succes, Sarah,' corrigeerde Zamaroh, 'dat blijft altijd van hem. Alleen de mislukking.'

Sarah lachte. 'De officiële zondebok. Ik vraag me af of ik me niet kan laten verzekeren. Ik heb voor die stalker geen gevarengeld gekregen, maar misschien kan ik hier een polis voor aanvragen om me in te dekken.'

'Had je dat nodig?' vroeg Breden.

'Had ik wat nodig?' vroeg Sarah met een onschuldig gezicht.

'Gevarengeld,' antwoordde Breden strak.

'Blijkbaar niet. Ik ben toch niet gewond, of wel soms?' Sarah stond op, nam afscheid en liep de kamer uit.

'Nou,' zei Breden tegen Zamaroh nadat Sarah de deur achter zich had dichtgedaan, 'je hebt precies gekregen wat je wilde.'

'Wat dan?' vroeg de Iraanse op kittige toon.

'Je contract. Sarah heeft duidelijk gezegd dat er niets op Redford aan te merken valt.'

'Net als jij.'

'Jawel, en ik ben niet graag bescheiden, maar Savage was niet in mijn goedkeuring geïnteresseerd. Sarah gaf de doorslag, dat weten we allebei.'

'Ze heeft veel invloed op hem, dat zit me niet lekker,' zei Zamaroh.

'Trek het je niet aan. Ik zei al, je hebt je contract.'

'Zo'n contract moet je verdienen. Daar heeft Sarah niet aan meegedaan.'

'Dat weet ik nog niet zo zeker.'

'Wat bedoel je?' vroeg Zamaroh, snel als een mes.

'Ik denk dat ze iets verzwijgt.'

'Iets belangrijks?'

'Belangrijk genoeg om het contract niet te laten doorgaan als wij het zouden weten.'

'Waarom zou ze iets verzwijgen?'

'Misschien is ze voor de charmes van Redford gevallen. Hij is een rockster, vrouwen vinden hem onweerstaanbaar.'

Zamaroh schudde haar hoofd. 'Nee. Het is niets voor haar om zich op zo'n manier te compromitteren.'

'Dacht jij dat ze niet kon liegen?'

'Integendeel, maar ik denk dat ze een betere reden nodig heeft dan seks om te liegen.'

'En als ze verliefd is?'

'Ziet ze eruit als een verliefde vrouw?' vroeg Zamaroh.

'Nee,' gaf Breden toe, 'dat niet. Maar ze ziet er wel uit als een vrouw die veel aan haar hoofd heeft.'

'Wat doen we dan nu? Savage heeft duidelijk persoonlijke pro-blemen, aan hem hebben we niets. In deze stemming blaast hij de hele zaak af als we iets laten doorschemeren.'

'Waarschijnlijk wel.'

'Daar kan ik nou zo kwaad om worden, weet je. Als het over mij ging, als ík persoonlijke problemen had zou ik te horen krijgen dat vrouwen werk en privé niet gescheiden kunnen houden, dat we te emotioneel zijn, onberekenbaar, niet stabiel genoeg om straaljagerpiloot te worden, dat we last hebben van onze hor-monen en noem maar op. Maar als het om een man gaat, zeker als het ook nog eens de voorzitter van de raad van bestuur is, dan zijn er ineens allerlei excuses, dan wordt hij excentriek genoemd of is het een positieve eigenschap. Een man heeft ook gevoel, hij heeft het moeilijk en daarmee laat hij zijn menselijke gezicht zien. Dat hij als een zombie rondloopt wordt als heel normaal be-schouwd. Ik word er doodziek van.'

Breden trok zijn schouders op. 'Leve de revolutie.' Hij kon zijn tong wel afbijten zodra hij het gezegd had.

Zamaroh trok wit weg. 'Wat ben je van plan aan Jensen te gaan doen?' vroeg ze op felle toon.

'Ik ga haar thuis eens opzoeken om een praatje te maken.'

51

Sarah werd wakker in de omhelzing van haar eigen dekbed. Ze rekte zich uit, tilde haar voeten op en sprong uit bed. Ze trok een trainingsbroek en een luchtig T-shirt zonder mouwen aan en ging naar Georgie kijken. Ze verschoonde hem, gaf hem de borst en speelde een halfuur met hem voordat ze hem meenam naar de overkant van King's Road om de ochtendkranten te halen.

De zon scheen fel en het was ongewoon warm voor de tijd van het jaar. Het moest meer dan twintig graden zijn. De lucht was helemaal opgeklaard na de zware regen die 's nachts was geval-len en Sarah was blij dat ze John Redford en Goldsteins van zich af kon zetten. Ze ging met een berg kranten en een beker zwar-te koffie terug naar huis.

Ze nam Georgie mee naar haar dakterras, zette hem naast haar in zijn draagbare box met zijn favoriete speeltje, een stoffen spin met rode en zwarte strepen, en spreidde haar kranten in de stralende herfstzon uit op de houten schraagtafel.

Ze las geestdriftige artikelen over Redford die met zijn entourage naar Londen was gekomen. Ze werd bijna misselijk van de loftuitingen. Redfords tournees waren magische belevenissen, een engel was neergedaald om ons een paar onvergetelijke uren te bezorgen, aldus een tamelijk hoogdravende criticus van *The Times*. Het oordeel van *The Sun* was minder verheven: de mannelijke seksbom is terug! *The Independent* omschreef de wereldtournee wat nuchterder als een goudmijn. Honderdduizenden trouwe fans kwamen op de concerten af, miljoenen kochten de cd's. De ster van John Redford straalde als nooit tevoren.

Sarah zou die ster ten val kunnen brengen. Ze kon hem ook onbezoedeld laten flonkeren. Ze had niet meer met Redford gesproken nadat ze het eens waren geworden, maar ze was nog niet van hem af. Ze verlangde naar hem zoals hij was geweest, voordat ze de waarheid over hem wist, en met die nieuwe wetenschap verachtte ze hem. Ze was nooit geneigd mensen een tweede kans te geven, maar dat probeerde ze nu wel. Ze wist heel goed dat een veroordeling bij haar meestal definitief was als ze haar besluit eenmaal had genomen. Er was geen ruimte in haar hart om in beroep te gaan, om een vonnis nietig te verklaren, maar deze man was de vader van haar zoon, ook al wist hij dat zelf niet, en ze had van hem gehouden. Ondanks haar woede hield ze nog altijd van hem. Hij had iets afschuwelijks gedaan, een misdaad begaan met gevolgen die pas veel later aan het licht waren gekomen, als een traag werkende vloek met een fataal effect. We laten allemaal tijdbommen achter, bedacht Sarah. We nemen beslissingen, we gaan verhuizen, we veranderen van baan, we leren mensen kennen. Misschien kunnen we soms iets voorzien, maar in feite struikelen we blindelings door het leven en weten we nooit met welke gevolgen we in de toekomst geconfronteerd zullen worden.

Ze richtte zich weer op de kranten, scheurde de artikelen over Redford eruit en gooide die op de grond in een vergeefse poging om de hele man uit haar gedachten te bannen. Een van de flarden werd door een windvlaag naar de box van Georgie geblazen.

Hij plukte het papier kraaiend uit de lucht en scheurde de leugens aan stukken.

Georgie pruttelde van plezier, vinken kwinkeleerden in de tuin beneden, Jacob lag nog in zijn kamer te slapen en Sarah wilde hier niet meer weg. Nooit meer. Ze wilde hier blijven, thuis bij haar kindje, in het weldadige en heilzame gezelschap van Jacob. Ze wilde niets meer met het contract te maken hebben. Ze dacht niet dat ze het zou kunnen opbrengen Redfords naam nog te horen of in de mond te nemen, koel en professioneel, dat ze zou kunnen liegen om zijn ware aard geheim te houden. Maar ze had nog geen geld gekregen. Dat had ze nodig, net als alle vrouwen die Redford zou helpen als ze voor hem loog.

Ze nam een slok koffie en ging verder met de kranten. Plotseling werd haar blik getroffen door een kop:

Interpol en FBI op jacht naar serieverkrachter
Een verkrachter die ervan wordt verdacht in ten minste tien Amerikaanse steden te hebben toegeslagen, zou nu ook in Europa actief zijn geweest. Interpol en de FBI onderzoeken in samenwerking met de plaatselijke politie een reeks verkrachtingen in Parijs en Venetië die vermoedelijk door dezelfde man zijn gepleegd.

Vervolgens werden de Amerikaanse steden opgesomd waar de serieverkrachter had toegeslagen. Sarah stond langzaam en mechanisch op, alsof ze haar lichaam nauwelijks onder controle had, en ging naar haar werkkamer. Ze pakte een stuk papier van haar bureau en ging terug naar het terras, lopend als een robot. Ze keek van het stuk papier naar het artikel en weer terug. Ze sprong op en gooide haar koffie om. Ze wiegde heen en weer op haar hielen en sloeg haar armen stijf om zich heen, terwijl ze een zacht jammerend geluid uitstootte. De koffie breidde zich als een bloedvlek over de krant uit en maakte het artikel onleesbaar. Het vocht droop over de tafelrand en verzamelde zich in een plas op de grond. Georgie zag de bruine vloeistof dichterbij komen, keek naar het gezicht van zijn moeder en zette het op een huilen.

Er werd aan de deur gebeld. Sarah slikte om de smaak van gal in haar mond kwijt te raken, nam haar baby in haar armen en troost-

te hem. 'Er is niets aan de hand, liefje. Mamma is een beetje geschrokken, meer niet. Stil maar, stil maar. Ik heb koffie gemorst,
maar daar hoeft Georgie niet bang voor te zijn. Alles is goed.' Ze
zoende zijn donzige hoofdje en nam hem mee naar beneden. Zonder erbij na te denken trok ze de deur open.
Dick Breden stond op de stoep. Zijn gewone vage glimlach verdween toen hij Sarah en Georgie zag. Haar lokken zaten in de
war alsof ze alleen haar vingers erdoorheen had gehaald. De uitdrukking op haar gezicht was een mengsel van angst, woede en
hulpeloosheid. Breden had haar betrapt en ze voelde zich naakt.
Ze kon haar emoties nu niet meer verbergen.
Ze staarde hem aan, woedend over de inbreuk op haar leven,
over het feit dat hij het geheim had doorgrond dat ze met alle ge-
weld had willen bewaren.
'Ga alsjeblieft weg, Dick. Ik weet niet wat je komt doen, maar
het kan ongetwijfeld wachten. Ik wil nu alleen zijn. Ga weg en
vergeet alsjeblieft dat je vandaag bij me bent geweest.'
Breden keek naar het kind in haar armen.
'Jouw baby?'
'Ja. Mijn zoon.'
'Leuk kind.'
'Ja, dat is hij.'
'Waarom heb je het niet gezegd?'
'Omdat het jullie niets aangaat.'
'De meeste mensen zouden het van de daken schreeuwen.'
'Ik geniet liever in stilte, wat niet betekent dat ik minder om hem
geef. Het gaat jullie evengoed niets aan.'
Breden keek haar strak aan alsof hij het geheim in haar ogen wil-
de ontraadselen. 'Er is iets gebeurd. Wat?'
'Laat maar zitten.'
'Kan ik je niet helpen?'
Ze schudde heftig haar hoofd. 'Je helpt me alleen door weg te
gaan.'
'Kan ik later terugkomen?'
'Nee.'
'Sarah, ik moet met je praten.'
'Waarover? Over Georgie? Hij heeft nergens iets mee te maken.'
Breden keek haar op een vreemde manier aan. 'Niet over Geor-

gie. Je zei zelf al dat ik er niets mee te maken heb, en je hoeft echt niet bang te zijn dat ik tegen wie dan ook iets over hem zal vertellen, want ik...'

'Dank je,' zei Sarah. 'Dat stel ik erg op prijs.'

Breden keek haar vriendelijk aan. 'Geen probleem. Maar ik moet toch met je praten.'

'Waarom? Wat is er aan de hand?'

'Zeg maar wanneer het je schikt,' zei Breden.

'O god, laat je me dan nooit met rust? Nou goed, vanavond om acht uur dan, als Georgie ligt te slapen. Al zou ik niet weten wat er te bepraten valt.'

'Tot vanavond,' zei Breden.

Sarah deed de deur dicht, liep de gang in en leunde tegen de muur met het warme lichaam van Georgie in haar armen. Ze keek op haar horloge. Nog negen uur voordat Breden terugkwam. Negen uur om na te denken over wat ze in vredesnaam moest doen. Het was pas elf uur, te vroeg voor een borrel. Ze keek even naar Jacob. Hij lag nog vast te slapen, uitgeput na een weekend als babysit. Ze trok haar trainingspak aan, zette Georgie in de wandelwagen en ging op weg naar Battersea Park in de hoop dat de buitenlucht haar geest zou opfrissen.

Ze liep tussen de rode ceders door, langs zwermen pikkende duiven en een paar wegschietende eekhoorns, en maakte een wandeling om de dierentuin heen. Ondertussen telde ze de minuten, telde ze de verkrachtingen. Tien in de Verenigde Staten, twee in Europa. Twaalf verkrachtingen, allemaal gepleegd in de steden waar John Redford op tournee was geweest. Ze durfde te wedden dat het ook op dezelfde dagen was geweest. En ze had hem nog wel geloofd. Ze had een pact van vijf miljoen dollar met hem gesloten. Vijf miljoen voor één verkrachting. Absolutie op aarde en een toevluchtsoord voor veel vrouwen, gekocht door het offer van een van hen. Een som geld voor iets wat niet in geld was uit te drukken.

Maar het was geen vijf miljoen voor één verkrachting. Het waren twaalf verkrachtingen, en wie weet hoeveel andere vrouwen er waren die geen aangifte hadden gedaan, die een einde hadden gemaakt aan een nachtmerrie die niet door stilzwijgen viel uit te bannen? Ze had zich vergist, ze had zich laten verblinden door de droom van wat vijf miljoen dollar kan doen. En wat nog veel erger was, ze had zich laten verblinden omdat ze dat maar al te graag wilde. Ze wílde geloven dat het een eenmalig iets was geweest, een incident, en dat hij een tweede kans verdiende. Ze had naar de stem in haar hoofd moeten luisteren. Doe je werk, probeer eens niet voor God te spelen. Het lot deelt de kaarten uit en daar moet je het mee doen; er is geen enkele reden om je hand te overspelen.

Ze liep rond het meer en passeerde de beelden van Henry Moore, in somber brons gegoten en tussen de bomen opgesteld. Wat nu? Ze ging naar huis, stopte de slaperige Georgie in zijn bedje en nam zelf een douche. Wat nu? Ze droogde zich af en ging in haar studeerkamer zitten. Ze staarde naar de vier wanden van de kamer en dwong zichzelf onbeweeglijk te blijven zitten tot ze een oplossing had gevonden.

52

Breden kwam prompt om acht uur. Sarah deed de deur open, gekleed in een kaki legerbroek en een strak bruin t-shirt. Ze had haar haar opgestoken, maar een paar strengen waren ontsnapt en hingen rond haar gezicht. Ze had geen make-up opgedaan, alleen een vleugje zware parfum met de geur van jasmijn op een warme avond. Haar gezicht was wit, hoewel haar ogen een vastberaden uitdrukking hadden.

Ze ging Breden voor over de trap naar de daktuin. Ze legde de babyfoon op de tafel, waar hij bij elk passerend vliegtuig zachtjes kraakte.

Breden ging zitten en ze bestudeerde hem even ongedwongen alsof ze hem voor de eerste keer zag. Ze wist dat hij vijfenveertig jaar oud was, maar hij leek minstens vijf jaar jonger. Hij had de houding, gelaatskleur en spieren van iemand die veel aan fitness doet. Zijn bewegingen waren soepel en krachtig zonder macho-achtig te zijn. Ze wist dat hij in het leger had gezeten, een idee dat haar opeens wel beviel. Hij was een man van de wereld, van vele werelden, en hij had ongetwijfeld overal actief aan deelgenomen in plaats van af te wachten of zijn tijd uit te zitten. Hij

zat nu naar haar te kijken, niet met zijn gewone sardonische glimlach maar met een belangstellende uitdrukking op zijn gezicht,
zoals een man soms naar een vrouw kijkt. Het was alsof ze samen tot een stilzwijgende verstandhouding waren gekomen. Het
was een wapenstilstand, de bereidheid om samen een nog onbekende weg te volgen.
'Wil je iets drinken?'
'Wodka graag.'
Sarah kwam terug met een fles whisky, een fles wodka, een ijs-
emmer en twee glazen. Ze ging tegenover Breden zitten en schonk
de drankjes in. Een tijdlang dronken ze alleen maar en keken elkaar aan in de stilte van de vallende avond. Breden zei niets. Hij
stelde geen vragen over Georgie waarop ze toch geen antwoord
gegeven zou hebben en daar dwong hij des te meer respect mee
af. Ze had zelfs de indruk dat hij haar met meer respect dan vroeger aankeek en met een vriendelijkheid die ze niet van hem gewend was.
'Ik geloof dat ik een vreselijke vergissing heb begaan,' zei Sarah.
'Ik heb over de stalker gelogen. Ik heb haar in Venetië in de val
gelokt, haar met de feiten geconfronteerd en het hele verhaal uit
haar gekregen.' Ze vertelde Breden dat verhaal, haar stem mat
van de ingehouden emotie. Hij luisterde zwijgend en nam af en
toe een slok wodka. Toen ze uitgesproken was, staarde hij alleen
maar in het donker. Daarna liet ze hem het artikel uit *The Times*
lezen. Ze schonk hun glazen bij en nam een flinke slok van haar
whisky.
'Ik heb het afschuwelijke gevoel dat Redford die serieverkrachter is.'
Het duurde lang voordat Breden antwoord gaf.
'Waar zit je dan nog mee?'
'Ik kan het zelf niet goed geloven, ik wil het niet geloven.'
'Je befaamde intuïtie?'
'Ja.' Sarah streek een lok uit haar gezicht. 'Ga maar na, waarom
zou hij iemand moeten verkrachten? Er zijn meer dan genoeg
vrouwen die zich bijna aan hem opdringen.'
'Verkrachting heeft toch weinig met seks te maken, meen ik? Het
gaat meer om macht. En misschien heeft hij zijn buik vol van die
gewillige vrouwen. Misschien krijgt hij een kick van verzet, van

een gevecht, zodat het lijkt alsof hij een vrouw echt heeft veroverd.'

'Dat is gewoon walgelijk.'

Breden knikte. 'Wat je zegt. Maar één ding snap ik niet,' voegde hij er langzaam aan toe.

'Wat dan?'

'Waarom vertel je dit aan mij?'

Sarah aarzelde niet. 'Omdat ik wil dat je mij helpt uit te zoeken of hij het is.'

'En als dat inderdaad het geval is?'

'Dan gooien we hem voor de leeuwen.'

'En anders?'

'Houden we het geheim en laten we het contract doorgaan.' Sarah zei niets over de vijf miljoen dollar voor een goed doel, want ze wilde Breden niet op het idee brengen dat haar oordeel erdoor werd beïnvloed.

'En hoe kan ik je helpen?'

'Gebruik je contacten bij de politie, Interpol en de FBI, ik weet dat je die hebt. Verzamel alle details over de verkrachting, de werkwijze, waarom de politie denkt dat het een en dezelfde dader is, de exacte datum. Ik zal nagaan wat Redford op die dagen heeft gedaan. Als hij een optreden had of ergens in een restaurant is gesignaleerd moet het iemand anders zijn.'

'Wat doen we met Savage?'

'Hij hoeft hier niets over te weten tot we zelf zekerheid hebben.'

'Dus het is ons particuliere onderzoek?'

'Ja. Ik betaal je uiteraard voor het werk.'

'Ik wil geen geld van je, Sarah.'

Ze trok haar schouders op.

'Waarom zou ik er eigenlijk aan meedoen?'

'Als hij schuldig is kunnen we dat waarschijnlijk wel bewijzen, maar als hij het niet is mogen we niet de verdenking op hem laden dat hij een serieverkrachter is. Savage kan zijn mond wel houden, maar je weet nooit of er via het lek bij Goldsteins niets naar buiten komt.'

'Hoe zit dat eigenlijk? Ik heb het gevoel dat je over dat lek ook minder zegt dan je weet.'

'Vraag maar niets.'

'Dat doe ik wel.'

'Ik kan je geen antwoord geven. Alsjeblieft, het is niet relevant.'

'Weet Savage wie het is?'

'Ja, dat weet hij.'

Breden knikte. 'Goed, dan zal ik het met rust laten. Voorlopig. Maar wat dat clandestiene onderzoek betreft, Savage krijgt een rolberoerte als hij erachter komt dat we op eigen houtje bezig zijn. Hij is mijn grootste cliënt, ik kan me niet permitteren hem kwijt te raken. En wat me ook dwarszit is het gevoel dat ik met een blinddoek voor mijn ogen rondloop. Er wordt een heleboel voor me verzwegen of regelrecht tegen me gelogen.'

Sarah keek hem over de tafel aan.

'Ik geef het allebei toe. Wat moet ik daarop zeggen? Ik heb mijn redenen en het is niet mijn bedoeling iemand te benadelen. Integendeel.'

'Geef me dan ten minste één goede reden waarom ik moet meedoen.'

'Ik vraag je vertrouwen en je hulp, Dick. Dat is de beste reden die ik je kan geven.'

53

De volgende morgen werd er om tien uur aan de deur gebeld. Sarah zat aan haar bureau en hield zich met achterstallige rekeningen bezig terwijl Jacob theedronk in de keuken en Georgie lag te slapen. Ze haastte zich naar beneden om open te doen. Een motorkoerier, het gezicht sinister verborgen achter zijn helm, stak haar een envelop toe en liet haar voor ontvangst tekenen.

Ze ging terug naar haar studeerkamer en scheurde de envelop open. Er zat een pasfoto van Roddy Clark in, gegevens over zijn telefoongesprekken en over zijn bankrekening bij Coutts, evenals een korte levensbeschrijving. Hij woonde aan Camden Hill Square, was in 1965 geboren in St. Mary's Paddington en had achtereenvolgens een opleiding genoten aan de Dragon School, in Eton en Oxford. Hij had vier jaar over de wereld gezworven voordat hij bij *The Word* in dienst kwam en razendsnel carrière maakte tot hij op zijn negenentwintigste nieuwsredacteur werd.

Na een paar jaar was hij blijkbaar opgebrand, want sindsdien ging hij door het leven als een gewone verslaggever, altijd op zoek naar een schandaal. Vooral bij Goldsteins, dacht Sarah. Ze zou zijn artikelen van vorig jaar moeten opvragen waarin hij de bank had beschuldigd. Misschien had hij toen een informant bij de bank zelf. Er knaagde iets aan haar, een verband. Ze was net bezig zijn telefoongesprekken te bekijken toen haar eigen telefoon ging.

Ze nam geërgerd op.

'Ja?'

'Hallo, met Strone.'

Ze kreunde.

'Ik heb nog wat meer financiële gegevens voor je. Wil je ze komen bespreken?'

God nee, alsjeblieft niet. Nog meer verwarrende cijfers, tranende ogen, pijn in haar hoofd. Nog meer Redford. Zou er dan nooit een einde aan komen? Als je je geld hebt, zei het rationele stemmetje in haar hoofd vermanend.

'Waar ben je?' vroeg ze.

'In het Portobello Hotel.'

'Goed, dan zie ik je over een halfuur.'

Ze zette Roddy Clark voorlopig uit haar hoofd en ging op weg.

Het Portobello was zo discreet dat Sarah er de eerste keer voorbijliep. Het hotel lag in een elegante straat in Notting Hill; een gebouw van wit stucwerk, glimmend gepoetst koper en een sfeer van orde en welgestelde rust. Sarah vroeg naar Strone Cawdor en kreeg zijn kamernummer. Ze klopte op de deur en snakte naar adem toen Redford opendeed. Hij zag eruit alsof hij in dagen niet had geslapen.

'Eh, sorry,' zei Sarah. 'Ze hebben me zeker het verkeerde nummer gegeven. Ik heb een afspraak met Strone.'

'Dit is zijn kamer,' antwoordde Redford koel. 'Hij moest even weg, maar hij is over vijf minuten terug. Hij heeft niet gezegd dat jij zou komen.'

'Nou, dan staan we tenminste allebei voor aap.'

'Gaan we voortaan zo met elkaar om?'

Sarah ging naar het venster. Ze wilde hem niet aankijken, wilde niet dat hij haar twijfels zou zien, de verdenking die bij haar had postgevat. Een mens is onschuldig zolang het tegendeel niet is bewezen, zei ze telkens tegen zichzelf in een poging om bedaard te blijven. Maar ze zag ook steeds het gezicht van Carla voor zich, in haar bewustzijn opduikend als een wrekende engel.

Redford ging naar het raam en kwam naast Sarah staan. Ze draaide zich naar hem om. 'Ik heb verdomme geen idee hoe het voortaan zal zijn. Ik weet alleen dat het allemaal naar de donder is.' Ze stonden stram tegenover elkaar met vragen in hun woedende ogen, met woorden die onuitgesproken op hun lippen bleven hangen.

Strone kwam de kamer in. 'Stoor ik?'

Sarah en Redford gingen wat verder bij elkaar vandaan.

'Hallo, Strone,' zei Sarah, die zich met moeite beheerste.

'Je ziet eruit alsof je een spook hebt gezien.'

'En jij ziet er weer uit als een echte boerenkinkel.'

Strone sloeg geen acht op haar en richtte zich tot Redford. 'Die ins–' Hij brak zijn zin af. 'Die vent van gisteren is er weer. Hij wacht beneden op je.'

Redford was opeens gespannen. 'Hij kan wachten.'

Strone schudde zijn hoofd. 'Zoiets had hij al gedacht. Hij staat erop nu meteen met je te spreken. Hij zegt dat hij een drukbezet man is en zo.'

'Tering!' Redford streek met zijn vingers door zijn haar en liep de kamer uit zonder afscheid te nemen.

'Wat is er met jullie aan de hand? Hebben de tortelduifjes ruzie?'

'Wat? Je hebt een tamelijk kleffe verbeelding, weet je dat?'

'O ja? Ik ken John Redford toevallig.'

'Is dat zo?'

'Ik weet dat hij verliefd op iemand is geworden en dat die iemand hem heel erg heeft gekwetst,' antwoordde Strone op een onverwacht milde toon. Sarah wendde zich af en voelde tranen in haar ogen prikken. Ze kuchte, veegde de tranen weg en probeerde tijd te winnen door naar de lege straat beneden te kijken.

'Wanneer komt er nu uitsluitsel?' vroeg Strone om haar te helpen. 'Ik heb jullie al stapels papier gegeven, maar die Zamaroh wil altijd maar meer.'

'Zulke contracten zijn altijd een nachtmerrie,' zei Sarah. Ze draaide zich om, blij dat ze zich aan nuchtere cijfers kon vastklampen. 'Het is gewoon niet te geloven wat er allemaal aan papierwerk aan te pas komt, maar ik denk dat we aardig dicht bij de afronding zijn,' zei ze, vooral om hem gerust te stellen en niet omdat ze er zelf van overtuigd was. 'Verder moeten we rekening houden met het beursklimaat. Je moet het ijzer smeden als het heet is.'

'Wij zijn heet genoeg,' antwoordde Strone met een glimlach.

'Dat zal wel, maar dat wil niet zeggen dat je alles van de beurs weet. Heb je wel eens van hoogmoed gehoord?'

'Is dat een waarschuwing?' De glimlach verdween.

'Noem het maar een welgemeend advies.'

'Ik wil dat de zaak nu snel rond komt, is dat duidelijk?'

'Dat gebeurt als het zover is en geen seconde eerder. Is dát duidelijk? Wat voor papieren had je nog voor me?'

Strone gaf haar een stapeltje documenten.

'Zullen we ze nu meteen bespreken?'

'Ik bel je wel op als ik op problemen stuit,' antwoordde Sarah.

'Je hoeft er toch geen raketgeleerde voor te zijn, of wel soms?'

Strone glimlachte. 'Wie de bal kaatst...'

'Wat?'

'Hoogmoed komt voor de val.'

'Dan mag ik wel oppassen.' Sarah ging de kamer uit en trok de deur opgelucht achter zich dicht. In een opwelling ging ze in de foyer zitten, haalde haar krant te voorschijn en deed alsof ze las. In de foyer zat nog iemand te wachten, een man van in de veertig. Hij straalde gezag uit, ondanks zijn gekreukte pak. Alsof hij haar onderzoekende blik voelde, sloeg hij zijn stekende ogen op en keek haar aan. Een paar minuten later werd haar geduld beloond toen de receptionist omzichtig naar de man toe ging en op gewichtige toon verklaarde: 'Mr. Redford kan u nu ontvangen.' De man bromde en ging naar de trap. Hij was de 'vent van gisteren' zoals Strone hem had genoemd. Wat had hij met Redford te maken en waarom wilde hij hem zo dringend spreken? En waarom maakte zijn komst Redford zo van streek?

54

Sarah kwam terug in een leeg huis. Georgie en Jacob waren zeker een wandeling in de herfstzon gaan maken. God, dat zou ze ook graag doen, alle ellende achter zich laten en lekker van de zon genieten. Ze zette een pot ijzingwekkend sterke koffie, ging gelaten de trap op en sloot zichzelf op in haar studeerkamer. Roddy Clark lag op het bureau. Ze bekeek de gegevens over het gebruik van zijn creditcards. De man was een echte fat, met een kleermaker in Londen en eentje in Windsor, door wie alle oude Etonians zich vroeger hadden laten kleden. Aandoenlijk trouw. Sarah begon het sterke gevoel te krijgen dat ze iets over het hoofd zag. School, trouw, schooljongen, Eton, vooruit, het ligt op je tong, moedigde ze zichzelf aan. Ze voelde haar hersens op volle toeren werken. Bingo! Ze sprong op. Eton, Jezza.

Haar vingers trilden van opwinding toen ze een la opentrok en het dossier over Jezza pakte. Ze zocht de levensbeschrijving op. Geboren in 1965. Ze haalde de telefoongesprekken erbij en vergeleek die met de gegevens van Clark. Ze liet haar vinger over de lijst met gebelde nummers glijden. Jezza had Clark op 23 september opgebeld, twee dagen voordat Clark zijn artikel over Goldsteins en Redford had geschreven. Ze ging negen maanden terug om te zien hoe vaak beide mannen elkaar telefonisch hadden gesproken. Dat was nog maar twee keer gebeurd, lang niet frequent genoeg om het gesprek van de drieëntwintigste als toeval te kunnen bestempelen. Sarah glimlachte. Ik heb je, vuilak. Het triomfantelijke gevoel verdween snel. Waarom had Jezza het gedaan? Wat had hij er in 's hemelsnaam bij te winnen? En hoe kon hij zo stom zijn te denken dat niemand iets zou merken? Natuurlijk was dit slechts een aanwijzing, geen hard bewijs, maar hij zou zich ook moeten verantwoorden binnen de feodale verhoudingen van de beursvloer en niet voor een onpartijdige rechtbank.

Sarah liet een taxi komen en ging naar de City. Met haar mobiele telefoon regelde ze een bespreking met Savage, Zamaroh en Breden voor een uur later, maar eerst sprak ze onder vier ogen met Zaha.

De baas van de beursvloer voerde een gesprek met haar *handsfree* telefoon toen Sarah binnenkwam. De Iraanse keek haar afkeurend aan terwijl ze ging zitten. Sarah sloeg er geen acht op. Ze had wel andere dingen aan haar hoofd om spelletjes te spelen. De Iraanse besloot haar gesprek met een bars 'Zorg dat het gebeurt' en deed fronsend haar koptelefoon af.

'Sarah. Wat kan ik voor je doen?'

Sarah keek haar strak aan. 'Ik ben er tamelijk zeker van wie de informatie over Redford aan Roddy Clark heeft doorgespeeld,' zei Sarah, hoewel ze zelf geen enkele twijfel koesterde. Zamarohs gezicht bewolkte.

'Wie is het?' fluisterde ze bijna gretig.

'Jeremy St. James.'

Zamaroh sprong overeind. 'Ik wist het, ik wist het wel! De smeerlap.' Zamaroh begon met gebogen hoofd heen en weer te lopen, haar blik op de vloer gericht, driftig als een cycloon.

'Niet zo snel, Zaha. Wil je niet weten hoe ik op hem ben gekomen?'

Sarah liet haar de lijst met telefoongesprekken zien en vertelde over Eton.

'Dat lijkt me afdoende,' concludeerde Zamaroh.

'Het is een aanwijzing, geen bewijs,' waarschuwde Sarah.

Zamaroh keek haar aan. 'Wil je bewijzen?'

Sarah knikte weifelend.

'Laat St. James dan maar komen.'

'Doe het zelf,' zei Sarah. Ze liep de kamer uit en ging terug naar haar eigen kantoor. Ze wilde niets te maken hebben met de komende confrontatie. Ze hoefde maar een minuut te wachten. In haar kamer was Zamarohs stem duidelijk te horen, in het begin nog zacht en sissend, af en toe onderbroken door de zwaardere stem van Jezza. Die interrupties werkten als olie op het vuur, want Zamaroh begon steeds luider en op hogere toon te praten zodat Sarah haar ten slotte duidelijk kon verstaan.

'Waarom heb je het gedaan? Ik heb je altijd gesteund. Dankzij mij heb je het zover geschopt, ondanks je beperkte capaciteiten. Ik heb je binnengehaald, je een kans gegeven. Ik haalde je uit de knoei als je weer eens iets had verziekt en de laatste acht maanden heb je hier alleen nog maar gezeten omdat ik je de hand boven het hoofd heb gehouden. Ik had je op staande voet kunnen ontslaan toen je op de meest stompzinnige manier acht miljoen verspeelde.'

Sarah wreef over haar gezicht alsof Zamarohs woorden voor haar bedoeld waren. De Iraanse klonk alsof ze zich persoonlijk beledigd voelde.

'Waarom heb je het gedaan?' schreeuwde ze. Het was eigenaardig stil op de beursvloer geworden. Jezza's afstraffing draaide uit op een openbare terechtstelling.

'Wie zegt dat ik het was?' wierp Jezza op een matte toon tegen.

'Zie je dit?' vroeg Zamaroh schril. 'Zie je dit? Het staat zwart op wit. Je bent niet alleen een verklikker, je bent ook nog stom. Dacht je nou echt dat je ermee weg zou komen?'

'Waarmee?'

Sarah kromp ineen. Hoe langer Jezza ontkende, des te harder zou zijn onvermijdelijke val zijn. De arme kerel dacht nog steeds dat hij kon ontsnappen.

'Jij was het. We hebben nog meer bewijzen achter de hand. Je hebt me verraden, je hebt de hele vloer verraden. Vertel me alleen waarom. Komaan, zeg het nou maar. Geef het toe als een man, dan kan ik misschien nog iets doen om je ellendige huid te redden.'

Het bleef lang stil voordat Jezza antwoord gaf, met een stem waar de wanhoop van afdroop. 'Ik wilde niemand benadelen. Ik had geen kwaad in de zin.'

'Wat wilde je dan wel?'

'Ik wilde Roddy iets geven waardoor hij zou denken dat ik op de hoogte was, dat ik bij de besluitvorming hier betrokken was in plaats van een gewone handelaar.' Het bleef geruime tijd stil. Jezza hoopte ongetwijfeld dat Zamaroh hem nog een kans zou geven. Sarah hoopte met hem mee.

Zamarohs ruwe lach boorde elke hoop de grond in.

'Maak dat je wegkomt, kleine etter.'

Er viel weer een stilte en Sarah veronderstelde dat Jezza verward naar Zamaroh zat te kijken. Daarna hoorde ze de stem van Zamaroh weer.

'Bewaking? Zamaroh hier. Er zit iemand in mijn kantoor die uit het gebouw verwijderd moet worden.'

God nee, wat een kreng.

Sarah zag St. James met gebogen hoofd uit Zamarohs kantoor komen, totaal vernederd. Hij sloeg zijn ogen op en ze keken elkaar even aan. Sarah probeerde haar medelijden en haar schuldgevoel te verbergen. Jezza ging naar zijn eigen kantoor en liet zich op zijn stoel vallen. Twee bewakers kwamen binnen.

'Wilt u maar meekomen?' vroeg een van de mannen, een lange kerel die zo te zien aan rugby deed.

'Geef me vijf minuten,' siste hij.

Zamaroh ging voor hem staan. 'Je kent de regels. Eruit.'

Jezza stond op en keek haar aan met een blik vol haat. Daarna trok hij zijn bureauladen open om zijn tennisschoenen en wat correspondentie te pakken.

'Laat liggen,' zei Zamaroh. 'Je weet hoe het gaat.'

'Dit zijn mijn persoonlijke eigendommen,' zei St. James.

'Dat maken wij wel uit. Verdwijn.' Ze knikte naar de twee bewakers, die Jezza bij zijn armen pakten en achter zijn bureau vandaan trokken. Hij keek radeloos naar de groep nieuwsgierige omstanders die snel groter werd. Opnieuw keek hij naar Sarah. Ze probeerde hem bemoedigend toe te knikken. Ze kon zien dat hij elk ogenblik kon instorten.

'O, laat hem toch los,' riep Sarah uit terwijl ze haar kamer uitging. 'Hij is toch zeker geen moordenaar?'

De bewakers keken elkaar onzeker aan. Zamaroh draaide zich om en liep weg alsof de hele zaak haar verveelde. De toeschouwers wachtten af. 'En gaan jullie liever weer aan het werk, stelletje bloedzuigers,' zei Sarah. Ze ging terug naar haar kamer, smeet de deur achter zich dicht en liet met een misselijk gevoel de jaloezieën voor de ramen zakken.

55

Een halfuur later zagen Sarah en Zamaroh elkaar opnieuw, samen met Dick Breden in het kantoor van Savage. Sarah was blij met de aanwezigheid van de twee mannen, anders had ze Zamaroh misschien de nek omgedraaid.

'Eh, Sarah, ik wil even onder vier ogen met je praten,' zei Savage met een hoofdknik naar de deur. Sarah stond op en volgde hem naar zijn eigen toiletruimte. Savage deed de deur achter hen dicht en leunde met zijn rug tegen de marmeren wastafel. Sarah sloeg de klep van de wc naar beneden en ging zitten.

'Ik heb je advies opgevolgd,' zei Savage met een glinstering in zijn ogen.

'Waarover?' vroeg Sarah glimlachend.

'Over die kleine hufter van een Richard Deane. Ik heb gisteren niets gezegd. Misschien had ik last van mijn geweten, schaamde ik me een beetje, maar hoe meer ik erover nadenk hoe beter ik me voel.'

'Wat bedoel je?' vroeg Sarah, blij dat Savage in een veel betere stemming verkeerde.

De directeur grinnikte. 'Ik ben diezelfde avond om acht uur naar Uriah's gegaan. Hij stond al te wachten, helemaal opgedirkt voor een zwoele avond, de vuile pooier. Hoe dan ook, ik stapte uit de auto, ging naar hem toe en gaf hem een geweldige klap midden in zijn smoel.'

Sarah begon te lachen, geschrokken en tegelijk opgewonden.

'Goed gedaan,' riep ze uit. 'En verder?'

'Hij struikelde naar achteren en ging op de trap zitten terwijl het bloed over zijn fraaie overhemd droop. Zonder iets te zeggen draaide ik me om, ging terug naar mijn auto en reed weg.'

'Heeft iemand je gezien?'

'Er waren wel een paar mensen in de buurt, maar ik was te kwaad om daar veel aandacht aan te schenken.'

'Shit. Maar niemand heeft er iets over gezegd?'

Savage glimlachte. 'Er is geen aanklacht ingediend, als je dat bedoelt.'

Sarah zag het tafereel voor zich. 'Mooi werk.'

De glimlach verdween van zijn gezicht. 'Ach, het is een kleine genoegdoening.'

Sarah was benieuwd of Fiona haar verhouding had afgebroken, maar Savage klonk ineens somber en ze dacht het antwoord al te kennen.

Ze gingen samen terug naar de vergaderkamer, nieuwsgierig aangekeken door Breden en Zamaroh.

'Dit heb ik vanmorgen van Strone gekregen,' zei Sarah tegen Zamaroh, nog verrukt over het beeld van Savage die zijn rivaal tegen de grond sloeg. Ze schoof de papieren met een venijnige zet over de vergadertafel, zodat Zamaroh snel haar handen moest uitsteken om ze op te vangen. 'Hij wil het geld hebben,' ging Sarah verder. 'Hij heeft me echt onder druk gezet. Welke datum hebben jullie in gedachten?'

'We werken zo snel als we kunnen,' zei Zamaroh terwijl ze haastig de documenten doornam. Ze keek op naar Sarah. 'Het gaat een stuk sneller als we alle obligaties zelf kopen.'

'Ik dacht dat jullie het daar al over eens waren?' vroeg Sarah aan Savage.

'Hij aarzelt nog,' gaf Zamaroh met nauwverholen minachting toe. Savage wierp de Iraanse een vernietigende blik toe.

Het was prettig dat hij boos was, dacht Sarah, dat was beter dan wanhopig.

'Nou?' vroeg Sarah. 'Hoe denk jij erover?'

'Moeten we het doen of niet?' vroeg Savage zich af, alsof hij een filosofisch dilemma overwoog.

Sarah keek met bijna ingehouden adem toe. Breden zat rustig uit het raam te kijken, maar zijn mond was strak en ze voelde dat ook hij gespannen was.

'Moeten we het doen of niet, Sarah?' Zijn ogen waren net twee wapens.

Ze haalde haar schouders op. 'Het is mijn geld niet, John. Jij moet het uitmaken, jij en Zaha.'

'En als het wel jouw geld was?' drong Savage aan.

'Als ik Goldsteins begroting had zou ik wel honderd miljoen kunnen missen zonder het zelfs te merken. Als het via het pensioenfonds gaat is het een tikkeltje gewaagd, maar het levert ook iets meer op dan normaal, dus ik denk dat ik het zou doen.'

'Vooruit dan maar,' zei Savage.

Zamarohs gezicht klaarde op.

'Wanneer gaat het gebeuren?' vroeg Sarah.

'Er zijn nog twee maanden nodig voor de afronding,' antwoordde Zamaroh. 'De kredietmaatschappijen doen er nog het langst over. Ik moet zeggen dat die Strone misschien een bemoeial is, maar hij levert goed werk. De informatie die hij verschaft zit uitstekend in elkaar en dat brengt de zaak aan het rollen.'

Sarah luisterde verbaasd naar Zamarohs onverwachte lofprijzing.

'Laten we voor de zekerheid van negen weken uitgaan,' zei Zamaroh tegen haar.

'Dat wordt dan begin december,' concludeerde Savage. 'Zeg maar tegen Strone dat het definitieve contract dan getekend kan worden, als zich geen onvoorziene problemen voordoen.'

56

Breden arriveerde die avond om elf uur.
'Sorry dat ik zo laat ben. Ik had een etentje en dat duurde maar.'
'Je hoeft je sociale leven niet uit te leggen,' zei Sarah enigszins geprikkeld. Het was laat, ze was moe, en hoewel Breden haar hielp was ze tegelijk verdrietig en boos dat het zover was gekomen, dat Redford dit noodzakelijk had gemaakt.
'Het was geen sociale gelegenheid,' antwoordde Breden, even bedaard als altijd. 'Het was voor zaken, een etentje met een paar oude maten uit het korps.'
'Nog nieuws over de verkrachtingen?'
'Dat heb ik net gevraagd. Het duurt wel een paar dagen voordat ik iets hoor en het kost tweehonderd pond.'
'Heb je ze betaald?'
'Natuurlijk. Ze wilden weten waarom ik in die zaak geïnteresseerd ben.'
'En wat zei je?'
'Ik heb alleen tegen mijn neus getikt. Ze verwachtten ook geen antwoord, maar het zouden geen smerissen zijn als ze er niet naar vroegen.'
'Als de pers hier lucht van krijgt...' zei Sarah.
'Dat hoef je mij niet te vertellen, ik ga heel voorzichtig te werk.'
Sarah fronste. 'Ik weet het. Laat het me horen zodra je iets weet.'
'Ik heb nog iets anders voor je.'
Sarah keek hem belangstellend aan.
'Die Jim O'Cleary waar je naar vroeg?'
'Ja, de bewakingsman die ineens verdween.'
'Hij heeft bij de CIA gezeten. Drie jaar geleden is hij daar onder twijfelachtige omstandigheden weggegaan. Het had iets met verdovende middelen te maken. Er kon geen bewijs worden gevonden, maar er bestond een ernstige verdenking dat hij als informant voor een bende werkte en behalve geld ook drugs voor zijn diensten kreeg.'

'Zo. Ik vraag me af of Redford daarvan op de hoogte is.'
'Strone Cawdor heeft hem aangenomen. Blijkbaar heeft O'Cleary ineens opgebiecht dat hij een probleem had of anders is hij later pas verslaafd geraakt, maar Strone heeft er in elk geval voor gezorgd dat hij twee maanden naar een ontwenningskliniek kon.'
'Ja, maar dat geld kwam ongetwijfeld uit de zak van Redford.'
'Nee, ik heb gehoord dat Strone het zelf heeft betaald. De manager is blijkbaar erg loyaal ten opzichte van zijn personeel.'
'Ha, daar kom je nog wel achter. Ik vraag me af of O'Cleary nog boven water zal komen. Misschien heeft hij afgehaakt.'
'Waarom vraag je dat niet aan Strone?'
'Dat zal ik doen.'
'Wat vindt Strone van die hele affaire met Carla?'
'Daar weet hij niets vanaf. Dat neem ik tenminste aan.'
'Misschien O'Cleary wel. Bij de CIA zijn ze gewend in de stront te roeren.'
'Ik denk eerder dat hij Redford tegen stalkers in bescherming moet nemen. John was erg geschrokken toen O'Cleary verdween.'
Breden stond op. 'Probeer erachter te komen of hij al terug is. Ik zal je bellen zodra ik iets weet.'
'Ik hou mijn mobiel bij me.'
'Ik moet je overigens nog waarschuwen.'
'Ja?'
'Zamaroh is ervan overtuigd dat je iets verzwijgt. Ze is intelligent genoeg om je in de val te lokken.'
'Hoezo? Ik heb haar toch niets misdaan?'
'Je werkt haar op de zenuwen.'
'Waarom?'
'Iedereen heeft iets te verbergen. Volgens mij is ze bang dat jij haar verleden zult natrekken en iets ontdekt wat tegen haar gebruikt kan worden.'
'Daar ben ik absoluut niet in geïnteresseerd. Dat mens is paranoïde.'
'Paranoïde, bloeddorstig en genadeloos, een waardige telg van de Mongoolse veroveraars. Kijk maar hoe ze die arme stommeling van een Jezza heeft aangepakt.'
'Ze had hem niet moeten vernederen. Maar met mij is het iets an-

ders. Ze heeft niets over mij te vertellen,' voegde ze er hooghartig aan toe.

'Ik wil alleen maar zeggen dat je op je tellen moet passen, Sarah.'

'Waarom vertel je me dit? Ze heeft je kennelijk in vertrouwen genomen.'

'Omdat jij en ik nu een team zijn en Zamaroh je ten val kan brengen als je niet uitkijkt.'

57

De volgende dag besloot Sarah Goldsteins, Redford, Carla en de rest van de buitenwereld uit haar hoofd te zetten. Jacob was naar zijn eigen huis in Rotherwick Road gegaan om weer eens een dagje op zichzelf te zijn en 's avonds met zijn oude vrienden te kaarten, zodat Sarah eindelijk alleen van haar baby kon genieten. Het was tien uur in de ochtend en Georgie was al om halfzes wakker geworden. Nu lag hij vredig te slapen om bij te komen van de extreem vroege start. Sarah was zelf al doodmoe. Ze keek verlangend naar haar bed, maar als ze nu ging slapen zou ze nooit meer opstaan. Ze trok haar pyjama uit en deed gemakkelijke kleren aan, een trainingsbroek en een t-shirt. Het was niet bepaald uitgaanskleding, maar hier in haar eigen huis wilde ze het zichzelf zo gerieflijk mogelijk maken. Ze keek naar haar ficus, waarvan de bladeren waren omgekruld van de droogte. Daar moest ze als eerste iets aan doen. Ze vulde een grote gieter met water, voegde er een scheutje plantenvoeding aan toe en gaf de ficus en al haar planten water.

Daarna moest ze iets voor zichzelf doen. Ze had kort en onrustig geslapen en ze was met pijnlijke spieren wakker geworden. Ze had dringend behoefte aan tien minuten yoga om te ontspannen, anders zou ze een barstende hoofdpijn krijgen. Ze ging naar beneden, bekeek haar cd-verzameling en koos een album van Gloria Estefan. Gloria zong van hoop en dromen, van betere tijden en van nachten vol liefde. Sarah zette het volume hoger en zong mee terwijl ze met haar oefening begon. Ze had het trouw elke dag volgehouden voordat ze van Georgie was bevallen, sindsdien had ze het misschien nog maar vijf keer gedaan. Haar lichaam strafte haar voor die verwaarlozing. Ze begon ook te merken dat ze als vrouw van begin dertig niet meer zo achteloos met haar lichaam kon omspringen als ze vroeger deed. Ze was bijna klaar toen er werd aangebeld, gelukkig maar kort. Wie het in zijn hoofd haalde Georgie wakker te maken zou de wind van voren krijgen. Dick Breden stond op de stoep te wachten. Daar ging haar vrije dag.

'Je zult moeten wachten tot ik iets heb gegeten. Ik heb een laag bloedsuikergehalte en als ik niet oppas ben ik de rest van de dag niets meer waard,' zei Sarah.

'Best. Ik zou niet willen dat ik je ondergang werd.'

'Dat heb ik nou ook weer niet gezegd. Hoewel ik me kan voorstellen dat jij al een heleboel mensen ten val hebt gebracht.' Sarah inspecteerde de keukenvoorraad. Ze besloot dat ze trek had in pannenkoeken.

'Wil jij iets eten?'

'Dat hangt er vanaf wat er op het menu staat.'

'Pannenkoeken.'

'Dan doe ik beslist mee.'

Sarah had acht pannenkoeken gebakken en er vier met bruine suiker en citroen naar binnen gewerkt voordat ze in staat was naar Breden te luisteren. Ze nam een flinke slok zwarte koffie.

'Goed, laat maar horen.'

Breden haalde een opgevouwen vel papier uit zijn zak.

'Dit is een lijst van plaatsen en vermoedelijke tijdstippen waarop de verkrachtingen zijn gepleegd. Sommige slachtoffers waren zo getraumatiseerd dat ze zich niet precies konden herinneren wanneer het was gebeurd.' Hij legde het blaadje op tafel. Sarah keek er vluchtig naar voordat ze naar haar werkkamer ging om de gegevens over Redfords tournee te halen.

De conclusie was onontkoombaar. Alle verkrachtingen waren gepleegd in steden waar Redford had opgetreden en ook de datums klopten.

'Heb je een beschrijving van de dader gekregen?'

'Ja. Tussen de dertig en veertig jaar oud, ongeveer een meter tachtig lang, een slank en sterk lichaam...'

'En zijn gezicht?' onderbrak Sarah.

'Geloof het of niet, hij droeg een kap voor zijn gezicht, een zwarte kap die stevig vastzat. Sommige vrouwen probeerden hem los te trekken, met als enig resultaat dat ze nog meer klappen kregen.'

'Jezus.' Sarah streek het haar uit haar gezicht. 'Redford is iets langer dan een meter tachtig, hij is slank en sterk. En hij moest wel een masker dragen, iedereen kent zijn gezicht. Ik maak die schoft af.'

'Rustig aan, Sarah. Het is niet gezegd dat Redford de verkrachter is. Hoeveel mensen vergezellen hem op de tournee?'

'Ik weet het niet. Misschien wel honderd, onder wie ongeveer tachtig mannen.'

'Ieder van hen kan de dader zijn.'

'Dus ook Redford. Hier staat dat de verkrachtingen steeds tussen middernacht en negen uur 's ochtends hebben plaatsgevonden. Dan was hij allang klaar met zijn optreden.' Ze pauzeerde toen er een andere gedachte in haar hoofd opkwam. 'Na een concert is hij nog urenlang opgefokt. Hij weet niet hoe hij zijn energie moet kwijtraken. Strone zei dat zo'n optreden een aanslag op je doet, alsof het iets gevaarlijks is. Ik weet dat Redford het ook zo ondergaat, dat heeft hij me zelf gezegd. Na zijn laatste concert in New York zat zijn hand in het verband. Hij beweerde dat hij ermee tegen de muur had geslagen. Misschien pleegt hij die verkrachtingen om zich na een optreden af te reageren en misschien heeft hij daarbij iets aan zijn hand gekregen.'

Breden raadpleegde zijn aantekeningen. 'Wanneer was dat laatste concert in New York?'

Sarah noemde de datum.

Breden trok een gezicht. 'Vroeg in de nacht is er toen weer een vrouw verkracht.'

Sarah sloeg haar handen voor haar gezicht alsof ze alles probeerde te vergeten.

'En in Parijs en Venetië?' vroeg Breden. 'Heb je hem daar laat in de avond nog gezien?'

'Ja,' antwoordde Sarah aangeslagen, 'maar niet op de avond dat er iemand werd verkracht. Heb je nog meer?' vroeg ze snel.

'Er zit een zeker patroon in. Alle verkrachtingen zijn in achterbuurten gepleegd en de slachtoffers werkten als serveerster of in de keuken van nachtcafés. De dader wachtte in de buurt tot ze klaar waren met hun werk, steeds na middernacht en soms pas om vier uur, daarna volgde hij ze tot hij zijn kans schoon zag.'

Sarah had het gevoel alsof ze moest overgeven. Ze kreunde zachtjes.

Breden legde geschrokken een hand op haar arm. 'Wat is er?'

'Ik heb je nog niet alles verteld. Het was een onbelangrijk detail, dacht ik. Carla Parton was serveerster. Ze kon pas na haar werk naar Redfords concert en ze had haar uniform nog aan. Hij heeft haar toen verkracht. Misschien is zulke kleding een fetisj voor hem geworden.'

Breden zuchtte diep. 'Het ziet er niet goed voor hem uit.'

'Alles wijst in zijn richting,' zei Sarah. 'Alleen hij heeft een reden om zich te vermommen, iedereen kent hem van gezicht. Heeft hij iets gezegd?'

'Blijkbaar niet. Bij de politie is niets bekend van zijn stem, of hij een accent had of zo.'

Ze staarden elkaar een tijdje in stilte aan.

'En wat nu?' vroeg Breden ten slotte.

Sarah begon langzaam de contouren van een plan te zien.

'Ik weet wel iets, maar het is een gok.'

58

Breden zag kennelijk aan Sarahs ogen wat ze van plan was, want hij keek haar opeens gespannen aan.

'Ik zou me als serveerster kunnen voordoen om hem in de val te lokken. Jij zorgt dat jij en je mensen in de buurt zijn. De dader trapt erin en jullie pakken hem als hij mij probeert te verkrachten. Bingo.'

Bredens antwoord klonk bedrieglijk kalm.

'Zo simpel gaan die dingen nooit. En hoe denk je hem in de val te lokken? Er zijn in Londen meer dan genoeg eetcafés en clubs die laat openblijven, en hij hoeft niet eens in de stad toe te slaan.'

Sarah glimlachte. 'We volgen hem.'

'Dan zullen we je wel eerst moeten vermommen. Hij zal geen vrouwen aanranden die hem kennen en jou zeker niet. Hij heeft jou nodig om die honderd miljoen te krijgen.'

'Ik zal een pruik dragen en ervoor zorgen dat ik er heel anders uitzie. Ik trek een kort rokje aan, naaldhakken...'

'Zodat hij je niet kan weerstaan,' vulde Breden aan.

'Dat is de bedoeling,' zei Sarah met een schaapachtige glimlach. 'Heb jij soms een beter plan?'

'Nee, maar dit bevalt me niet erg. Er kan een heleboel misgaan.'

'Zoals?'

'Hij zou je lelijk kunnen toetakelen voordat ik kan ingrijpen. Om hem te laten happen moet ik mezelf onzichtbaar maken. Het duurt misschien wel een minuut voordat ik bij je ben. In die tijd kun je aardig beschadigd worden, zowel geestelijk als lichamelijk.'

'Waren de slachtoffers gewond?' vroeg Sarah.

'Sommigen, als ze zich verzetten.'

'Hoe erg?'

'Dat varieert van blauwe ogen tot gebroken ribben, een doorboorde long, gebroken kaak, gebroken pols. De dader houdt nogal van geweld.'

Sarah slikte. 'Gebruikt hij een wapen?'

'Alleen zijn vuisten en zijn penis, maar dat wil niet zeggen dat hij geen wapens bij zich heeft. Ik zal het grondig moeten voorbereiden als je dit echt wilt doorzetten. Een verkrachting kan uitdraaien op moord, Sarah. En ik heb je nog niet verteld dat de dader volgens de politie begint door te slaan. De verkrachtingen volgen elkaar steeds sneller op. Hij heeft steeds meer nodig om dezelfde kick te krijgen. Binnenkort is verkrachting alleen misschien niet voldoende meer voor hem.'

'Dat is een geruststellende gedachte.'

'Je moet goed weten op welk terrein je je wilt begeven. Heb je zelf wel eens met geweld te maken gehad?'

Sarah wendde haar gezicht af zonder antwoord te geven. Er stonden tranen in haar ogen toen ze Breden weer aankeek.

'Ik weet genoeg, vergeet dat plan maar,' zei Breden.

'Nee,' zei Sarah met een vastberaden trek om haar mond, 'we zetten door. Ik kan de toekomst wel aan, alleen het verleden zit me af en toe nog dwars.'

'Wie zijn verleden niet heeft verwerkt kan ook de toekomst niet aan, dat is mijn ervaring,' merkte Breden op, ineens weer laconiek. Sarah voelde zich tegelijkertijd gerustgesteld en verontwaardigd omdat hij de situatie zo nuchter bekeek.

'Ik ben niet bang voor geweld. Ik vind het niet erg om voor lokaas te spelen,' hield ze vol.

'Nu misschien niet, hier in je mooie huis met de deur op slot. Het is een andere zaak als je om vier uur 's nachts op straat bent en je voetstappen achter je hoort. Je gaat sneller lopen, je wilt wegrennen, maar dat gaat niet op die naaldhakken van je, hij haalt je in en gooit je tegen de grond, hij trekt je rok omhoog en duwt je benen uit elkaar.'

'Hou op. Elke vrouw weet instinctief wat het is om verkracht te worden. Met die angst moeten we allemaal leven. We hebben allemaal wel eens 's nachts of op een donkere middag op straat gelopen en die voetstappen gehoord. Soms was er niets aan de hand, maar de slachtoffers hadden geen geluk. Je hoeft me dus niet te vertellen wat er kan gebeuren, want daar heb ik al vaak genoeg over nagedacht.'

'Dat zal best, maar nu wil je het gevaar bewust opzoeken.'

'Als je iets beters kunt bedenken zou ik het graag horen.'

'Er moet een betere manier zijn. Het lijkt haast alsof je niet kunt wachten om je in het gevaar te storten. Ik snap het niet. Het is net of je het persoonlijk opvat.'

'Dat doe ik ook,' zei Sarah, niet helemaal naar waarheid. 'Ik dacht dat ik voor God kon spelen, dat was een vergissing. Nu probeer ik dat recht te zetten.'

'En je zoontje? Jij bent niet het enige slachtoffer als er iets misgaat.'

'Juist vanwege hem ben ik hier nog bij betrokken. De laatste dreigbrief van de stalker, Carla, was tegen Georgie en mijn oom Jacob gericht. Ik ben naar Venetië gevlogen om haar op te sporen. Ik kon het idee niet verdragen dat Georgie en Jacob gevaar liepen.'

Breden trok zijn wenkbrauwen op toen hij het plotseling begreep. 'Dat verklaart je gedrag. Het ene moment wilde je de hele zaak laten vallen, het volgende wilde je met alle geweld op reis.' Breden wreef in zijn ogen. 'Dus je zoon loopt geen gevaar meer nu je haar hebt ontmaskerd?'

'Ja. Ik denk niet dat ze mij nog zal lastigvallen. Redford trouwens ook niet.' Ze pauzeerde. 'Ik kan me natuurlijk vergissen, maar in dit geval geloof ik dat niet.'

'Dat weet je pas als alles achter de rug is.'

'Hou toch op. Je hoeft me niet bang te maken.'

'Ik zeg alleen maar hoe ik over de feiten denk. Je hebt nog steeds niet uitgelegd waarom je zelf als lokaas wilt dienen, zelfs als dat betekent dat je zoon eronder zal lijden als jou iets overkomt.'

'Mij overkomt niets,' zei Sarah met opeengeklemde tanden. 'Moederliefde is het beste middel om te overleven dat er bestaat. Ik hou meer van die jongen dan van wie of wat ook; ik zou mijn leven voor hem geven, maar ik ben ook egoïstisch. Ik wil bij hem blijven om hem mijn liefde te kunnen geven, om van zijn liefde te genieten. Je hoort wel eens dat een moeder een auto optilt om haar kind te redden, dat is de kracht van moederliefde. Iets sterkers bestaat er op de hele wereld niet. Daar kan geen lustmoordenaar tegenop, helemaal niemand.'

Breden keek een andere kant op om zijn ongenoegen te verbergen.

'Maar jij kunt me helpen,' zei Sarah om hem gerust te stellen. 'Jij kunt zorgen dat er niets gebeurt.'

'Hoe dan?'

'Leer me hoe ik mezelf moet verdedigen.'

'De vrouwen die zich verzetten werden juist het ergst toegetakeld, Sarah. Ik kan het je niet aanraden. Tenzij je een zwarte band hebt, zal deze verkrachter het altijd van je winnen.'

'Wat kun je me dan wel aanraden?'

'Doe het niet. Maar als je met alle geweld wilt, laten we het dan voorbereiden alsof het een militaire campagne is. Goed, ik kan je binnen enkele dagen wel een paar trucjes leren waarmee je de verkrachter misschien van je af kunt houden tot ik kan ingrijpen.'

'Je lijkt de cavalerie wel.'

'O nee, dat ben jij al in je eentje.'

'We hebben allemaal hulp nodig.'

'Heb je plannen voor het weekeinde? Kan ik je thuis bereiken?'

'Ja, ik blijf hier bij Georgie. Misschien ga ik alleen Redford een bezoekje brengen. Misschien kan ik nog iets vinden, een oud dagboek of zo.'

'Je kijkt niet alsof je het een leuk vooruitzicht vindt.'

'Stelen, in iemands diepste gedachten wroeten... Nee, daar ben ik nou niet bepaald dol op.'

59

Sarah zat die zaterdagmorgen beneden in de keuken met Georgie te spelen toen er aan de deur werd gebeld. Ze was nog in haar nachthemd, een honingkleurig ding dat ze al jaren had en door het vele wassen vaal was geworden, haar ongekamde haar zat helemaal in de war en ze had de slaap nog niet uit haar ogen gewassen. Georgie zat volkomen tevreden op de keukenvloer en kruipen deed hij nog niet, daarom liet ze hem met een gerust hart achter en gingen mopperend de trap op. Ze gooide de deur open. Het was Redford. Hij stond met zijn rug in de zon, gekleed in jeans en een leren jack, en ondanks alles vond ze hem adembenemend.

Eerst was het alsof ze uit een prettige, vrolijke droom ontwaakte, tot ze zich herinnerde dat het een nachtmerrie was.

'John.'

Het klonk als een jammerklacht. Hij keek haar zwijgend aan, het schuldbesef duidelijk zichtbaar in zijn ogen. Even later haalde hij zijn hand van zijn rug en liet een gardenia zien, een prachtige plant met geurige, witte bloemen.

Hij maakte aanstalten om ermee naar binnen te komen. Ze stak haar hand uit, nam de pot van hem aan en zette hem achter haar op de grond. Ze keek onwillekeurig over haar schouder, alsof ze bang was dat Georgie plotseling had leren kruipen en de trap op was geklommen om zijn vader te zien.

Redford volgde haar blik. Sarah voelde hem naar haar verwarde haar kijken, naar de donkere wallen onder haar slaperige ogen. Hij zou natuurlijk de verkeerde conclusie trekken. Hij glimlachte bedroefd tegen haar.

'Dan ga ik maar weer.'

'Het is een bende in huis,' zei Sarah haastig. 'Ik zou je wel binnen vragen, maar ik...'

'Je hoeft je niet te verontschuldigen,' zei hij. 'Je zei zelf dat we allemaal recht hebben op onze geheimen. Ik zal me niet opdringen.'

Hij draaide zich om en wilde weggaan.

'Wacht even, John. Laten we ergens afspreken om een wandeling te maken en bij te praten, niets bijzonders.' Ondanks alles wat ze vermoedde kon ze nog steeds niet geloven dat hij de serieverkrachter was nu ze naar hem keek.

Redford bleef staan, zijn gebruikelijke wilskracht aangetast door besluiteloosheid.

'Eigenlijk had ik voor vanavond precies hetzelfde in gedachten. Een lange wandeling, daarna misschien een bar met live muziek.' Sarah wachtte af.

'We kunnen samen een eind gaan lopen,' zei Redford, bijna op vragende toon.

'Hoe laat?'

'Tien uur?'

Sarah slikte. Dan had ze allang in bed willen liggen.

'Ik kom wel naar het Portobello.'

Ze belde Jacob op zijn mobiele telefoon, die hij na de geboorte van Georgie had gekocht.

'Dag meisje. Alles goed?'

'Prima.' Ze pauzeerde. 'Ik vroeg me alleen af...'

'Hoe laat moet ik er zijn?' vroeg hij met een lach in zijn stem.

De hele dag probeerde ze Breden te bereiken. Hij had gezegd dat hij misschien langs zou komen om haar een eerste les in zelfverdediging te geven. Waar zat hij in 's hemelsnaam nu ze hem nodig had? Om negen uur gaf ze het op nadat ze een uitgebreide boodschap had ingesproken om uit te leggen dat ze deze avond als een verzekeringspolis beschouwde. Ze moest de gok maar wagen en Redford gaan opzoeken. Als hij de aanrander was zou hij geen bekenden verkrachten, afgaande op zijn eerdere gedrag voor zover de politie dat had kunnen vaststellen. Maar Carla was een kennis van hem geweest, al wist hij dat misschien niet meer of was hij te ver heen geweest om het te merken. En wat had Breden nog meer gezegd? Dat de dader bezig was om door te slaan. Ze wist dat dat betekende dat hij zich niet meer aan het bekende patroon zou houden, dat hij steeds vaker en riskanter zou toeslaan, bijna alsof hij betrapt wílde worden of volkomen krankzinnig was.

Waarom ging ze in godsnaam naar hem toe? In een laatste poging om nog iets van hun relatie te redden of juist om er een einde aan te maken? Ze was er zelf nog niet uit toen ze op weg ging. Ze wist dat haar oordeel werd vertroebeld, dat ze onmogelijk kon aanvaarden dat Georgies vader schuldig was. Het was de vader van haar zoon en niet de rockster aan wie ze dacht, maar ze wist heel goed dat de realiteit niet voor haar wens zou buigen.

Ze koos gemakkelijke kleren uit, iets waarin ze zich vrij zou kunnen bewegen. Ze trok haar zwarte laarzen en trainingsbroek aan, met een wit T-shirt en een zwart leren jack. In de zakken van het jack stopte ze haar geld, haar mobiele telefoon en een bus peperspray.

Ze ging nog even bij Georgie kijken en nam met een zoen afscheid van Jacob.

'Pas goed op jezelf, kind, wat je ook van plan bent.'

'Ik ga weer de spionne spelen,' zei ze met een bedrukte frons.

'Wanneer is het nou eens afgelopen?' vroeg Jacob.

'Zodra ik mijn geld krijg,' antwoordde Sarah hoopvol.

Ze liep naar King's Road en hield een taxi aan. Ze zakte onderuit op de achterbank en vroeg zich plotseling af hoe Redford aan haar adres was gekomen. Zelf had ze het hem nooit gegeven, dacht ze wantrouwig. Het voorlopige contract, besefte ze met een stille verwensing. Bij elke overeenkomst krijgen de belangrijkste partijen een lijst met telefoonnummers en adressen van de betrokken deelnemers. Jezus, het had die ochtend maar een haar gescheeld of ze had met Georgie in haar armen de deur opengedaan. Ze wilde Redford niet in de buurt van haar kind hebben. Hoewel, dat was niet helemaal waar. In een dagdroom liet ze haar zoon wel eens aan zijn vader zien, gloeiend van trots om het wonder dat in haar buik was gegroeid.

De John Redford die haar met zulke duizelingwekkende hartstocht en tederheid had bemind zou ook in staat zijn het gezicht van een kind met dezelfde verrukkelijke intensiteit te strelen. Redford was helemaal niet gevoelloos, hij was met heel zijn wezen in staat om te voelen en lief te hebben. Als zijn vermogen om te haten maar half zo groot was... Sarah durfde de gedachte niet af te maken. Ze rilde en wreef over haar armen om zichzelf terug te brengen tot de werkelijkheid. De heftigheid van haar emoties verontrustte haar. Of Redford nu de serieverkrachter was of niet, hij was in elk geval schuldig aan Carla's verkrachting en mishandeling en dat zou Sarah hem nooit helemaal kunnen vergeven. Ze moest aan zijn dode moeder denken, aan het verminkte lichaam van zijn vader dat hij had gevonden, en ze kreeg opnieuw medelijden met hem.

Ze arriveerde om tien uur in het Portobello. Ze ging naar Redfords kamer en klopte aan. De deur ging open. Hij stond op blote voeten voor haar, een vage glimlach op zijn gezicht.

'Hoi. Kom binnen.'

Ze stak haar handen in haar zakken en glipte langs hem heen. Ze had geen zin in een vormelijke of juist intieme begroeting.

'Bedankt voor de gardenia,' zei ze over haar schouder. 'Ik heb hem bij het raam in de zitkamer gezet, dan krijgt hij genoeg licht. De hele kamer ruikt verrukkelijk.'

'Dat doet me genoegen. Ik zag hem staan en moest aan jou denken toen ik in King's Road langs de Chelsea Gardener kwam.'

Sarah glimlachte. 'Nog een geluk dat je me geen cactus hebt gegeven.'

'Ik wilde eigenlijk iets anders,' zei Redford, 'maar ze hadden geen vleesetende planten meer.'

'Ha, ha.'

Met elk woord werd de afstand tussen hen iets kleiner en voelde Sarah zich steeds meer een verraadster.

'Zullen we dan maar een wandeling gaan maken?' vroeg Redford, nog steeds grinnikend.

'Een wandeling?' zei Sarah geschrokken, alsof hij had voorgesteld zonder parachute uit een vliegtuig te springen.

'Een wandeling, ja. Dat was toch de afspraak?'

'Ik geloof dat jij daar een echte liefhebber van bent.'

'Dat is ook zo. In elke stad waar ik kom ga ik een eind lopen in een buurt die me bevalt.'

'Zoals?'

'In Parijs ga ik het liefst naar Saint-Germain, hoewel ik daar dit keer niet aan toe ben gekomen. Gewoon een beetje rondlopen, iets drinken in een bar of een nachtclub om de sfeer te proeven. Dan leer je een stad pas goed kennen. Ik hou ervan om er overdag of 's avonds laat op uit te gaan en me net als een gewone burger te gedragen.'

'Waarom ben je er in Parijs niet aan toegekomen?'

'Vanwege de stalker.'

'Aha. Dat doet me er trouwens aan denken, is die bewakingsman van je weer boven water gekomen? Hoe heet hij ook alweer?' vroeg Sarah, alsof ze dat niet meer wist.

'Jim O'Cleary,' antwoordde Redford. 'De idioot kwam inderdaad weer terug, een dag te laat, zogenaamd omdat hij privéproblemen moest oplossen.'

Sarah trok haar schouders op. 'Die hebben we allemaal.'

'Hij heeft ze te vaak. Ik had hem allang de laan uitgestuurd als Strone hem niet de hand boven het hoofd had gehouden.' Hij dacht een tijdje na. 'Misschien doe ik het alsnog.'

'Je kunt geen bewakingsman hebben die je niet vertrouwt,' merkte Sarah op.

'Nou ja, misschien moet ik maar op mezelf leren te passen.'

Sarah dacht hier even over na. 'Is dat niet gevaarlijk als je zo vaak een stad gaat bekijken? Ben je niet bang dat je wordt beroofd als je geen lijfwacht bij je hebt?'

'Ach, ik draag meestal een pruik en soms gebruik ik zelfs wat schmink. Ik word meestal niet herkend.'

Sarah voelde een steek van angst. Ze bukte, zogenaamd om haar veters vast te maken, en ging pas rechtop zitten toen ze haar gezicht weer in de plooi had.

'Waar gaan we vandaag heen?' vroeg ze.

'Naar het East End. Ik hou van die kleine straatjes bij de markt van Smithfield, de cafés die de hele nacht open zijn. Ik geloof dat er ook een paar nachtclubs in de buurt zijn. We zouden ergens iets kunnen gaan drinken en naar een bandje luisteren. Even nergens aan denken.'

'Is het daar niet een beetje slonzig?' vroeg Sarah. Ze schrok van haar eigen woorden.

Redford glimlachte. 'Wat mankeert daaraan? Ik dacht dat je er wel van hield, als meisje van stand.'

'Daar zit ik niet mee. Maar is het niet een beetje gevaarlijk om 's avonds laat in zo'n buurt rond te lopen?'

'Gevaarlijk? Niet zolang ik bij je ben.'

Sarah wendde haar gezicht af en zocht haar toevlucht in de plattegronden en een uitgebreide gids van Londen die op de sofa lagen.

'Ken je Spitalfields?' vroeg Redford terwijl Sarah een van de kaarten pakte.

'Niet zo goed.'

'Laat mij dan je gids zijn.' Hij ging op zijn hurken zitten en wees de route aan. 'Als we niet te moe zijn kunnen we uitkomen bij de Tower,' besloot hij. 'Hoe klinkt dat?'

'Prima, maar hoe zit het met je vermomming?'

'Wacht maar even.'

Redford ging naar de badkamer, wat Sarah de gelegenheid gaf om de plattegrond te bestuderen om te zien of er doodlopende steegjes lagen aan de route die hij had voorgesteld en waar de dichtstbijzijnde politiebureaus waren. Ze keek op toen ze een geluid hoorde. Redford was onhoorbaar uit de badkamer gekomen en stond nu voor haar. Ze nam althans aan dat het Redford was. Hij had sprietig bruin haar, in tegenstelling tot het gladde donkere haar van Redford. Hij had tamelijk bolle wangen, terwijl Redford een ingevallen gezicht had. Hij had bruine ogen, Redford blauwe.

'Ik ben het,' zei de bekende melodieuze stem.

'Je lijkt er anders helemaal niet op. Hoe krijg je dat in 's hemelsnaam voor elkaar?'

'De pruik en de contactlenzen zijn gemakkelijk, maar ik heb ook nog twee zakjes op mijn tandvlees geplakt. Daar krijg ik die appelwangen van, net als een welgestelde Engelse gentleman.'

Sarah moest ondanks alles lachen. 'Zo eentje ben ik er nog nooit tegengekomen.'

'Denk je dat je zijn gezelschap deze ene avond kunt verdragen?'

'Ik zal wel moeten, geloof ik.'

Ze namen een taxi naar de City. 'Ik begin graag in de rijke buurten om dan af te zakken naar de volkswijken.'

'Je leven in omgekeerde volgorde.'

'Zoiets ja.'

Het was net een van zijn nummers, dacht Sarah. Ze herinnerde zich 'Heart of Riches', een lied over de levensweg van een eenzame jongen, de stille reis van een weeskind.

I want to go back before the start of the game,
Get back what I had of old.
I'll trade success, I'll trade fame,
The heart of riches is cold.

I walk all the old paths,
I sing all the old songs,
I've searched the whole world
Looking for what I had.

Sarah voelde met hem mee. Ze kende die doelloze zoektocht maar al te goed. Aan het eind ervan lag geen bevrediging. De enige zinnige manier was om een andere weg te volgen en die weg was haar geschonken in de persoon van Georgie. Ze moest aan haar zoontje denken en haar medelijden met Redford verdween. Ze was nu niet langer de wees, maar de moeder van een kind. Ze pakte de bus peperspray in haar zak stevig beet.

De taxi bracht haar naar het hart van de City. Ze liepen langs de tempels van de mammon, door de inmiddels verlaten straten. Sarah keek om zich heen. Wie zou haar in de uitgestorven wijk horen gillen? Doordeweeks was de City na tien uur 's avonds een spookstad, om over het weekend maar te zwijgen. Had Redford het met opzet gedaan? Ze wierp van opzij een blik naar hem. Hij keek strak terug, zijn ogen vol onuitgesproken vragen.

Ze liepen door Bishopsgate in de richting van Spitalfields. Het East End was tot leven gekomen toen ze Brick Lane bereikten en Sarah merkte dat ze wat geruster werd. Overal hing de bitterzoete geur van curry, de straatlantarens waren van een prachtige Pakistaanse rococo. Via Hanbury Street kwamen ze in Commercial Street, waar er ineens weer druk verkeer was. In Lamb Street was het veel rustiger, maar toen Sarah het naambordje las moest ze met een huivering aan de film *Silence of the Lambs* denken. Ze was blij toen ze in de verte de oude gewelven van het marktplein van Spitalfields zag en luid geroep hoorde. Op de overdekte grasvelden waren partijtjes voetbal aan de gang.

Redford volgde het spel belangstellend en met een lichte glimlach op zijn gezicht. Hij vond het prettig om in alle rust te kunnen genieten, dacht Sarah, net zoals ze zelf tijdens een wandeling graag deed. Maar vanavond lukte het haar niet.

Ze liepen door langs de rijen kramen met de blauw-wit gestreepte luifels erboven, die een paar uur geleden nog vol met vers fruit hadden gelegen. Ze bleven voor een paar winkels staan, aangetrokken door de vreemde namen.

'Roughneck and Thug,' zei Redford grinnikend. 'Wat zouden die in vredesnaam verkopen? Kom, dan gaan we eens kijken.'

Ze tuurden samen in de etalage, maar de ruit hing vol met posters en ansichtkaarten en het interieur van de winkel was niet te zien. 'Wat zijn dat voor lui?' vroeg Redford met een blik naar de uitbundig uitgedoste gestalten op de posters.

'Zo te zien hebben ze het hele pantheon van Indiase goden in voorraad,' zei Sarah.

'Ik ben onder de indruk,' zei Redford terwijl hij rechtop ging staan.

'Nou, vraag maar niets meer, want verder weet ik er niets vanaf.'

Ze passeerden restaurants, verlicht door de oranje gloed van olielampen. Klanten kwamen naar buiten, voldaan na een goede maaltijd met voldoende wijn en drukke conversatie. Sarah was zich scherp bewust van de kloof tussen haar en Redford. Er was zoveel dat ze niet tegen hem kon zeggen en zelf had hij ongetwijfeld ook zijn geheimen. Ze wilde er niet over nadenken wat voor geheimen dat zouden kunnen zijn. Zo liepen ze verder, alleen met hun stilte, en lieten het verlichte Spitalfields achter hen. Sarah keek naar de straatnamen, maar ze slaagde er niet in zich de plattegrond voor de geest te halen. Ze kwamen langs een ondergrondse parkeergarage waarvan de ingang door een reusachtig ijzeren hek was afgesloten. Net toen ze passeerden zwaaide het hek plotseling open en reed een grote, glanzende zilveren Mercedes de garage uit. De auto reed zoemend weg en ze liepen zwijgend verder door Lamb Street.

Ze passeerden de Spitalfields Crypt. Het gebouw was felverlicht en er kwam een stoet haveloze mensen naar buiten, glimlachend en met bekers dampende soep in hun handen. De gaarkeuken van de daklozen.

Ze kwamen in Fournier Street. Sarah keek op naar de sierlijke gevels van een rij Georgiaanse huizen.

'Hier kwamen de hugenoten wonen nadat ze uit Frankrijk waren gevlucht,' zei Redford plotseling. 'Het waren heel goede wevers en ververs, ze maakten kleden van damast, brokaat en zijde, en dankzij hun nieuw verworven welvaart konden ze deze panden laten bouwen.'

'Nu ben ik onder de indruk,' zei Sarah.

'Stadsgidsen zijn een prachtige uitvinding,' grinnikte hij.

Ze kwamen terug in Brick Lane. Vanaf de moskee op de hoek van Fournier Street liet een muezzin zijn lage, ontroerende kreet horen om de gelovigen op te roepen tot het late gebed. Het geluid achtervolgde hen als een spook. Sarah bleef abrupt staan voor het raam van een politiebureau. De ruit hing vol met aanplakbiljetten die de treurige staat van de criminele onderwereld aantoonden. MOORD. *Getuigen gezocht.* Of AANRANDING MET GEWELD. *Wie heeft iets gezien?* TERRORISME. BOMBRIEVEN. WEES OP UW HOEDE. *De politie vraagt uw hulp.* Het was een grimmige afspiegeling van de buurt waar ze nu waren. Ze waren een heel eind bij Carlyle Square vandaan. Redford liep een eindje door en sloeg een smal zijstraatje in.

'Ja, hier is het,' zei hij zachtjes, alsof hij in zichzelf liep te mompelen. Sarah wilde net vragen wat hij bedoelde toen haar blik op een snel naderende zwarte Landcruiser viel.

'Jezus Christus.' Sarah drukte zichzelf tegen de muur. Er was hier geen trottoir en de straat was nauwelijks breed genoeg voor een auto, zeker niet als er voetgangers waren. De auto remde met piepende banden af en reed heel langzaam langs hen heen. De ruiten waren donker getint, wat Sarah nog sterker het gevoel gaf dat ze door kwaadaardige ogen werd aangestaard. Plotseling klonk er een keiharde beat uit de autospeakers en trok de wagen met brullende motor op. Sarah en Redford bleven alleen achter in de stilte. Sarah keek ongerust om zich heen. Hun eenzame voetstappen weerkaatsten op de straatstenen.

'Wist je dat Jack de Ripper hier heeft rondgelopen?' vroeg Redford terwijl hij Sarah aankeek. 'Zijn eerste bekende slachtoffer is hier gevonden, in Gunthorpe Street.'

'Jezus Christus. Laten we maken dat we hier wegkomen.' Sarah hoopte dat er aan haar stem niets te merken viel. Laat nooit zien dat je bang bent. Haar vingers tastten naar de bus peperspray. Redford bleef staan. Sarah zette zich schrap.

'Hé, gaat het wel?' vroeg Redford. Hij wilde haar bij een arm pakken.

'Hoorde je dat?' vroeg ze terwijl ze een stap naar achteren deed en om zich heen keek.

'Wat?'

'Voetstappen,' loog Sarah om hem af te leiden.

'Ik geloof dat je bang bent,' zei Redford.

'Natuurlijk ben ik bang, wat dacht je? Je brengt me hierheen en dan begin je over Jack de Ripper.'

Redford keek haar strak aan, alsof hij haar probeerde te doorgronden. Ze verroerden zich al die tijd niet en Sarah haalde zich al van alles in haar hoofd, zo intens was de uitdrukking in zijn ogen. Ten slotte staakte Redford zijn onderzoek en wendde hij zijn blik af. Hij draaide zich om.

'Laten we gaan. Ik stop je wel ergens in een taxi.'

'Wat is er?'

Hij draaide met een ruk zijn hoofd om. 'Wat er is?' snauwde hij. 'Doe maar niet alsof. Ik ben toch niet gek? Je vertrouwt me niet, dat is het. Wat dacht je dat ik zou doen? Dat ik je zou verkrachten? Ik zie het aan je ogen. Deze donkere, verlaten straatjes zijn voor mij alleen romantisch, maar jij vindt ze luguber. Alles wat ik doe vind jij luguber, dat is het hem. Je weet iets van me en daarom zie je alleen nog mijn zwarte kanten.'

Sarah gaf geen antwoord, ze kon geen antwoord bedenken. Het was waar wat Redford zei. Ze voelde geen angst meer, alleen een intense vermoeidheid.

Redford begon langzaam te lopen. 'Kom, dan nemen we een taxi.'

'Ga jij maar,' antwoordde Sarah. 'Ik kom zelf wel thuis. Het spijt me dat het zo is gelopen, John.'

'Niet half zo erg als het mij spijt.'

60

Eindelijk stopte de taxi in Carlyle Square. Sarah was opgelucht dat ze zich weer in een bekende omgeving bevond. Ze rekende af met de chauffeur en ging net het trapje naar de voordeur op toen ze een autoportier hoorde dichtslaan. Ze draaide zich met een ruk om. Dick Breden stak de straat over en kwam naar haar toe.

'Waar ben je in godsnaam mee bezig?'

'Ik heb geprobeerd je te bellen. Je nam niet op.'

'En dat achterlijke berichtje op mijn antwoordapparaat zou zeker moeten helpen?'

'Stil,' zei Sarah. 'Niet zo schreeuwen.'

'Wat, ben je soms bang dat ik je baby wakker zal maken? De
kleine mag blij zijn dat hij nog een moeder heeft, zo onverantwoordelijk en hersenloos als ze is.'

Sarahs hand schoot als een stiletto naar voren en er klonk een
luide klap toen ze Breden vol op zijn wang raakte. Tranen rolden over haar gezicht.

'Hoe durf je dat te zeggen? Het is al moeilijk genoeg voor me
zonder dat er zich mensen mee gaan bemoeien die geen flauw be-
nul hebben van wat er aan de hand is. Je hebt gelijk, het was stom
van me. Ik had het niet moeten doen; dacht je dat ik dat niet wist?
Maar ik ben nu thuis en ik wil alleen maar naar boven gaan om
naast de wieg van mijn kindje te zitten en naar zijn ademhaling
te luisteren.'

Met trillende vingers maakte ze de deur open en ging snikkend
naar binnen. Ze leunde even tegen de muur en beet op haar hand
om haar tranen te bedwingen. Langzamerhand kreeg ze zichzelf
weer in bedwang.

Breden was haar gevolgd. Hij stond achter haar in de gang, zijn
woede was verdwenen bij het zien van haar tranen.

Hij bleef staan wachten terwijl ze de trap opging. Georgie was
diep in slaap, zijn armen gespreid in volmaakt vertrouwen en
overgave. Er brandde licht in de gang. Sarah keek langs de open-
staande deur van Jacobs kamer en zag haar om op zijn zij liggen, langzaam en ritmisch ademhalend. Ze pakte de babyfoon
van zijn nachtkastje en nam hem mee naar beneden.

'Wie zorgt er voor je baby als je niet thuis bent?' vroeg Breden.

'Dacht je soms dat ik hem alleen zou laten?'

'Nee, natuurlijk niet.'

Sarah liep de trap af naar de keuken. Breden kwam achter haar
aan. Ze sloot de babyfoon aan, pakte een fles whisky van een
plank, maakte hem open en schonk twee flinke glazen in.

'Mijn oom Jacob zorgt voor Georgie. Ik heb het volste vertrou-

wen in hem. Ik heb mijn leven zelfs aan hem te danken.'
'Rustig nou maar, Sarah. Je hoeft jezelf echt niet te verdedigen.'
Ze lachte vreugdeloos. 'Je vroeg er toch naar? Nou, je hebt je antwoord gekregen, dus veroordeel me niet. Ik ben een goede moeder. Ik doe wat ik kan, wat er gedaan moet worden. Dat valt niet mee, want je stuit voortdurend op conflicten. Je maakt een keuze en dan moet je met de gevolgen leven. Ik moet veel dingen doen die ik helemaal niet wil, maar daar heb ik mijn redenen voor. Míjn redenen, snap je.'
'Goed, Sarah, het spijt me. Ik maakte me zorgen om je. Ik was alleen maar bang, ik wilde je niet veroordelen of bekritiseren. Ik heb gezien hoe je naar je kind kijkt, hoe hij naar jou kijkt. Het is net een magnetisch veld. Het was een openbaring voor me, ik heb nog nooit zoiets gezien.'
Sarah glimlachte. 'Dan ken je niet veel moeders.'
'Nee, dat klopt.'
'Hoelang zat je al te wachten?' vroeg ze op een veel vriendelijker toon.
'Een tijdje.'
'En hoelang had je nog willen wachten?'
'Zolang als het nodig zou zijn.'
Sarah glimlachte bedroefd. Ze wist niet precies waar Breden naartoe wilde. Onder andere omstandigheden had ze er misschien naar gevraagd om te zien waar het toe zou leiden, maar nu was er geen plaats voor hem in haar hart.
'Wat is er vanavond gebeurd?' vroeg Breden op een heel andere toon, alsof hij Sarahs gedachten had geraden.
Ze vertelde het hem en hij luisterde in gespannen zwijgen naar haar verhaal.
'Ik had gedacht dat je beter kon acteren, dat je jezelf kon indekken.'
'Ik ook,' antwoordde Sarah gekwetst.
'Je moet jezelf niet in zo'n positie plaatsen als je niet denkt dat je het aan kunt.'
'Ik dacht van wel.'
'Dat is niet waar. Het was een gok.'
'Shit, misschien wel, maar meestal loopt het goed af.'
'Niet bij Redford. Hij heeft je door. Het is net of jullie op de een

302

of andere manier met elkaar verbonden zijn.'

'Ik voel hem aan vanwege zijn verleden,' zei Sarah haastig, alsof snelheid de waarheid kon verbergen. 'We zijn allebei weeskinderen. Een hechtere band kun je je niet voorstellen. Of hij nu wel of niet iets heeft gedaan, ik leef nog steeds mee met het kleine jongetje dat zijn moeder heeft verloren en dat zijn vader dood heeft aangetroffen.'

'Dat medeleven maakt je kwetsbaar. Hij leeft ook met jou mee, hij geeft om je. Jouw mening is voor hem heel belangrijk. Als hij onschuldig is, haal je hem wel erg door de mangel. En als hij de dader is, mag je van geluk spreken dat je er zo goed vanaf bent gekomen.'

'Maar hij is toch niet onschuldig?'

'Maakt één verkrachting hem een verkrachter?'

'Niet dan?' vroeg Sarah. *Zij had zelf iemand doodgeschoten, ook al was het uit noodweer. Maakte dat haar tot een moordenaar?*

'Daar hoeven we het nu niet over te hebben.'

'Waarom zei je dat ik er goed vanaf ben gekomen? De serieverkrachter heeft immers niet de gewoonte om kennissen aan te vallen? Daar gaan we althans van uit.'

'Als hij de dader is begin je hem veel te dicht op zijn huid te zitten. Het scheelde niet veel of hij was voor jou al helemaal van zijn voetstuk gevallen. Wat heeft hij nog te verliezen als hij de dader is en je hem toch al als een stuk vuil beschouwt? Ik zei al, hij hecht veel waarde aan jouw oordeel. Nu weet hij dat je geen hoge dunk meer van hem hebt. En afgezien van Carla zelf ben jij de enige die iets van die verkrachting weet. Alleen jullie staan nog tussen hem en die honderd miljoen dollar.'

Sarah vroeg zich af hoe Breden zou reageren als ze hem vertelde dat Redford vijf miljoen aan een liefdadige instelling van haar keuze zou geven. 'Wat wil je daarmee zeggen?' vroeg ze.

'Dat het voor hem steeds aanlokkelijker wordt om jou te vermoorden als hij de serieverkrachter is. Hij heeft een motief en vanavond had hij ook de gelegenheid. En wat me nog het meest dwarszit is zijn vermomming. Ook al hebben mensen hem vanuit hun slaapkamerraam gezien, ze zouden hem nooit herkennen.'

'Waarom heeft hij het dan niet geprobeerd?' vroeg Sarah terwijl ze een rilling onderdrukte.

'Misschien omdat je zei dat je voetstappen hoorde.'

'Dat was maar een slappe smoes.'

'Behalve als je op het punt staat vermoord te worden. En het is natuurlijk altijd mogelijk dat hij onschuldig is.'

'Maar die hele wandeling, de lege straten, het late tijdstip, de vermomming, alles lijkt wel heel erg op de verkrachter.'

'Dat is zo,' antwoordde Breden. 'En ik heb vandaag twee nieuwe dingen gehoord die ik erg verontrustend vind. Ik ben tot laat in de middag in Lyon geweest, op het hoofdkwartier van Interpol. Ik wilde van het laatste nieuws op de hoogte zijn voordat wij ons plan zouden doorzetten. Ik heb er een vriend op een hoge post zitten, maar de enige manier om hem aan de praat te krijgen is door het hem onder vier ogen te vragen. Daarom kon je me niet bereiken.'

Sarahs belangstelling was gewekt. 'Wat heb je ontdekt?'

'Details. De dader is rechtshandig. Hij ruikt naar citroen, draagt rubber handschoenen en gebruikt een condoom...'

'Dat is erg attent van hem,' onderbrak Sarah met vinnig sarcasme.

'Om te voorkomen dat ze DNA-sporen van hem vinden. Het masker bedekt ook zijn haar, dus hij doet al het mogelijke om zo min mogelijk aanwijzingen achter te laten.'

'Is er helemaal niets gevonden?'

'Sporen op de kleding van zijn slachtoffers en op de achterbank van een taxi, verder niets.'

'Heeft hij nooit iets gezegd?'

'Nee, dus we weten niet hoe zijn stem klinkt of welke taal hij spreekt.'

Sarah dacht even na. 'Hij moet toch wel kreunen of een ander geluid maken?'

'Niets. Hij is doodstil.'

'Dan kan hij zich ongelofelijk goed beheersen.'

'Zichzelf en ook zijn slachtoffers. Hij is blijkbaar bijzonder overtuigend, bijzonder angstaanjagend. Zijn ogen zijn genadeloos, koud, kwaadaardig, en dat zijn allemaal citaten. Tot hij zijn zin heeft gekregen, dan kijkt hij eerder radeloos.'

'Postcoïtale depressie, ik krijg er gewoon tranen van in mijn ogen. Maar die stilte wijst ook in de richting van Redford. De man met

de gouden stem die miljoenen mensen kennen.'
'Vind jij dat zijn zangstem op zijn gewone stem lijkt?'
Sarah dacht een tijdje na. Ze moest opeens denken aan de avond die ze samen op het terras van het Hotel Costes hadden doorgebracht in het licht van de maan.
'Zijn gewone stem klinkt in sommige opzichten nog beter als hij in een melancholische, dromerige stemming is. Nu ik meer tijd met hem heb doorgebracht begin ik door te krijgen dat het een en dezelfde stem is, maar in het begin zou ik ze misschien niet uit elkaar hebben kunnen houden.'
'Maar de verkrachter is een perfectionist die geen enkel detail over het hoofd wil zien. Als het Redford is zou hij zijn stem met opzet verdraaien.'
'Hij is net een schaakspeler,' zei Sarah. 'Hij denkt aan alles.'
'Of een componist. Muziek schrijven is een kwestie van wiskundig inzicht.'
'O jezus, alles wijst naar hem. Zijn er geen andere details waarop we hem kunnen pakken?'
'Verzet leidt alleen maar tot verlies van zelfbeheersing en tot geweld. Dat wisten we al, maar volgens mijn relatie gebruikt hij geweld niet alleen om zijn slachtoffer te dwingen, het is ook pure woede omdat zijn zorgvuldig in elkaar gezette plan wordt gedwarsboomd. De dader wil alles in de hand hebben.'
'Dat geldt voor half Londen.'
Breden glimlachte grimmig. 'Daar heb je gelijk in.'
'Waar laat hij zijn handschoenen en zijn masker voordat hij toeslaat?'
'Daar is niets over gezegd, maar hij draagt meestal een jack, dus...'
'Wat voor jack?'
'Soms van leer of denim, soms een soort duffel.'
'Wat heeft hij verder aan?'
'Jeans, sweatshirts, gewone vlotte kleren.'
'Horloges, sieraden?'
'Daar wordt geen melding van gemaakt.'
Sarah staarde geërgerd voor zich uit.
'Hij heeft nog wel iets gezegd wat mijn eigen vermoeden bevestigde.'
Sarah keek Breden aan, verrast door zijn toon.

'De verkrachter is over de hele wereld actief geweest. Het Verre Oosten, Zuid-Amerika, Noord-Amerika en nu Europa. In de kranten is geen verband gelegd met de verkrachtingen in het Verre Oosten of Zuid-Amerika. Voordat je het vraagt, ik heb Redfords tournees bekeken en het klopt inderdaad. Bijna een jaar geleden kwamen de verkrachtingen niet zo vaak voor, ongeveer eens in de drie weken. Nu is het al elke week raak. De dader begint echt door te slaan, hij wordt met de dag gevaarlijker. Hij heeft ook steeds minder te verliezen. Het zal hem weinig moeite meer kosten om een stap verder te gaan.'

'En welke stap is dat?' vroeg Sarah mat.

'Moord.'

'O, geweldig.' Ze zweeg en vroeg zich af of heel deze trieste, tragische affaire nog erger kon worden. 'Je zei dat je twee nieuwtjes had. Wat is het tweede?'

'Redfords bankrekening. Ik heb mijn mensen alle beschikbare gegevens met een fijn kammetje laten uitpluizen. Gisteren heeft hij een cheque naar zijn bank gestuurd ter waarde van een miljoen dollar. De cheque is uitgeschreven ten gunste van Carla Parton.'

'O nee, dus hij heeft het gedaan,' zei Sarah, haar stem schor van verdriet. 'Ik kan het niet geloven. Hij is de dader.' Maar ze kon het wel geloven. Ze had geen andere keuze meer. Haar hoofd begon te duizelen. De bewijzen tegen Redford stapelden zich op.

'Wil je er nog steeds mee doorgaan?' vroeg Breden. Zijn stem verstoorde haar verwarde gedachten.

Ze keek hem aan. Zijn bezorgde gelaatstrekken drongen slechts langzaam tot haar door.

'Ik weet het niet. Het lijkt me zinloos, tenzij er een redelijke kans is dat hij toch onschuldig is. Als hij de dader is kunnen we hem net zo goed meteen aan de politie uitleveren.'

'We weten nog niet of hij de dader is, Sarah. Het ziet er niet goed voor hem uit, maar tot nu toe hebben we alleen maar aanwijzingen. We hebben geen concreet bewijs.'

'Afgezien van Carla's verklaring.'

'Ja, maar dat geldt voor één verkrachting, niet voor een hele reeks.'

'Carla was een serveerster en dat waren de volgende slachtoffers ook. Ik denk niet dat je dat als toeval kunt afdoen.'

'Nee, ik ook niet. Als wij naar de politie gaan zouden ze ook een val voor hem moeten opzetten om het bewijs rond te krijgen. We hebben gewoon nog niet genoeg, Sarah.'

Haar gezicht kreeg een grimmige vastberaden uitdrukking. 'Dan gaan we door. Wíj lokken hem in de val.'

Breden knikte langzaam. Hij keek een tijdje naar Sarah voordat hij iets zei, alsof hij er zeker van wilde zijn dat ze het meende.

'Kun je morgen bij hem in de buurt komen?' vroeg Breden.

Sarah pauzeerde om haar gedachten te verzamelen. 'Die kans is erg klein. We hebben niet bepaald als vrienden afscheid genomen en bovendien gaat hij op de dag van een concert altijd min of meer in retraite. Hij wil niemand zien.'

'Ik had gehoopt dat je een zendertje op zijn kleren zou kunnen kleven. Een klein plakkertje dat een signaal uitzendt waarmee we hem makkelijker kunnen volgen.'

'Ook al zou ik hem te spreken krijgen, ik neem aan dat hij na een optreden een douche neemt en in elk geval andere kleren aantrekt.'

'Kun je na het concert naar hem toe gaan?'

'Ik denk het wel. Ik kan Strone om een pasje vragen, zodat ik na afloop naar zijn kleedkamer kan gaan om hem met het concert te feliciteren en het uit te praten. Misschien is hij nog in de wolken of juist depressief omdat het optreden is afgelopen. In beide gevallen zou hij wat inschikkelijker moeten zijn.'

'Als we er werkelijk mee door willen gaan. Morgen is er niet alleen een optreden, Sarah. In de avond of nacht erna kunnen we ook een verkrachting verwachten. Het aftellen is begonnen. Je kunt er op elk gewenst moment mee stoppen, maar als je wilt doorzetten moeten we nu onze voorbereidingen treffen.'

Sarah keek lange tijd door het raam naar de donkere nacht. Ten slotte keek ze weer naar Breden.

'Laten we beginnen.'

61

'Goed, dan zal ik hier maar blijven slapen. Als je het niet erg vindt neem ik de sofa.'

'Waarom?'

'Als Redford de dader is heb je hem misschien vanavond al uit zijn tent gelokt. Ik wil niet dat hij hier midden in de nacht ineens op de stoep staat.'

'Jacob is boven, dus ik ben niet alleen.'

Breden pauzeerde. 'Je oom?'

'Ja.'

'En hoe oud is Jacob?'

Sarah trok een gekwetst gezicht. 'Boven de zeventig.'

'Ik wil jou of Jacob niet beledigen, Sarah, maar ik wil ook geen risico nemen.'

'Goed dan,' antwoordde ze langzaam. 'Maar het is nergens voor nodig dat je op de sofa slaapt. Boven is er nog een prima logeerkamer.'

De nacht verstreek zonder incidenten. Niemand probeerde binnen te dringen en er waren geen tekenen dat duistere nachtbrakers zich in de bosjes op het plein ophielden en naar het slapende huis loerden. Sarah viel als een blok in slaap, alsof haar lichaam te uitgeput was om voor het noodzakelijke nachtelijke onderhoud te zorgen. De volgende morgen werd ze gewekt door het vrolijke kraaien van haar zoontje. Ze bleef nog een tijdje liggen en luisterde genietend naar de babyfoon voordat ze een badjas aantrok en naar zijn kamer ging. Ze nam haar uitbundig lachende kind in haar armen, verschoonde hem en nam hem mee naar beneden. Onderweg keek ze even in de logeerkamer, waarvan de deur op een kier stond. De detective lag languit op de grond met alleen een boxershort aan en deed zijn lichaamsoefeningen. Nadat hij zich wel vijftig keer had opgedrukt liet hij zich kreunend op de grond zakken. Hij bleef even liggen om bij te komen voordat hij ging staan.

'Niet slecht,' merkte Sarah op.

'Het is net een pijnbank,' verklaarde hij. 'Een echte marteling.'

Hij ging voor hen staan. 'Hallo, Georgie. Hoe is het, kleintje? Heb je goed geslapen?'

'Ja, dank je,' zei Sarah. 'En daardoor zijn mamma ook.'

'Dat doet me genoegen.'

'Heb jij goed geslapen?'

'Nee. Ik had te veel aan mijn hoofd.'

'Daar wil ik niet aan denken zolang ik Georgie bij me heb,' zei Sarah fel. 'Hij is net een kleine spons die alles opzuigt. Ik wil niet dat hij merkt dat zijn moeder bang is.'

'Goed, goed.' Breden zwaaide toegeeflijk met zijn hand. Hij liet zijn hand zakken en kietelde Georgies blote voeten. Sarah zag zijn vingers over de kleine, perfect gevormde teentjes glijden, zag de blik vol bewondering in zijn ogen en voelde tranen in haar eigen ogen prikken.

'Wie hebben we hier?'

Ze draaiden zich snel om naar de gebarsten stem. Jacob stond in de deuropening, gehuld in een dikke, geruite ochtendjas, zijn armen afwerend voor zijn borst gekruist.

'Jacob, dit is Dick Breden. We hebben gisteren nog over ons werk gesproken en het werd veel later dan de bedoeling was, daarom is hij blijven slapen.' Sarah voelde zich gedwongen naar de logeerkamer te wijzen. Sarah voelde zich weer een meisje van zestien, een idee dat haar tegelijk vermaakte en verontrustte.

'Hmm.' Jacob keek afkeurend naar Bredens boxershort. 'Als jij het zegt. Ik kleed me even aan en dan neem ik Georgie van je over. Als jullie werk dringend genoeg is om er de halve nacht voor op te blijven moeten jullie maar gauw weer aan de slag.' Na een laatste vermanende blik naar Breden draaide hij zich om en trok de deur van zijn slaapkamer met een klap achter zich dicht.

'Dat was dus mijn oom. Hij heeft me zowat opgevoed,' zei Sarah terwijl ze naar de dichte deur keek. 'Je weet wat ze over blaffende honden zeggen.'

Breden haalde zijn schouders op. 'Hij wil je alleen maar beschermen. Ik zou hetzelfde doen als ik hem was.'

'Wat er ook gebeurt, zeg niet tegen hem wat ik van plan ben. Hij zou door het lint gaan.'

Breden trok een gezicht alsof hij dat ook wel zou willen. 'Dat kan ik me voorstellen.'

Sarah trok Georgie zijn kleren aan voordat ze hem aan Jacob overliet en ze zichzelf haastig aankleedde.

'Dag, jongens van me.' Ze gaf Georgie en Jacob een zoen. De oude man smolt een beetje toen Sarah een kneepje in zijn hand gaf en hem geruststellend aankeek.

Ze namen een hoektafel bij Oriel aan Sloane Square en gaven hun bestelling op, geroosterd brood en zwarte koffie voor Breden, een uitgebreid ontbijt voor Sarah.

'Eet je altijd zo goed?' vroeg Breden.

Sarah knikte.

'Hoe blijf je dan zo slank?'

'Zenuwen en borstvoeding, maar ik ben op het ogenblik niet erg slank.'

Breden nam haar met zichtbare bewondering van top tot teen op en schudde zijn hoofd.

'Ik kan nog steeds niet geloven dat Sarah Jensen moeder is.'

'Waarom niet? Wat is daar zo ongewoon aan?'

'Helemaal niets,' zei Breden enigszins neerslachtig. 'Het lijkt heel natuurlijk als ik je samen met je zoontje zie.'

'Dat is het ook.'

'Je houdt echt van hem.'

'Met heel mijn hart, onvoorwaardelijk en voor altijd.'

'Kleine bofkont.' Breden ging staan en liep naar de bar om de kranten te halen. Hij gaf Sarah *The Times* en hield zelf *The Telegraph*.

'Vind je het vervelend?' vroeg hij met een knikje naar de kranten. 'Dat is een oude gewoonte van me. Als ik bij het ontbijt geen krant lees komt het er niet meer van.'

'Ga je gang. Je bent dus een man van een krant bij het ontbijt, kom er maar voor uit.'

'Welke man is dat niet?'

Ze moest aan John Redford denken. Ze pakte de krant en begon te lezen. Het eten werd gebracht door een serveerster met een piercing in haar neus. Ze keek met hongerige ogen naar Dick Breden terwijl ze overdreven vriendelijk het bord voor hem neerzette. Breden bedankte haar afwezig. De serveerster veronderstelde blijkbaar dat Sarah de reden van zijn onverschilligheid was en zette het haar betaald door haar bord met een klap op de tafel te laten neerkomen. Sarah knipperde met haar ogen. Toen ze naar Breden keek, even zonder oogkleppen, zag ze maar al te duidelijk wat de serveerster had gezien. Een aantrekkelijke man van begin veertig, een oase van kracht, iemand die alle nachtmerries en alle problemen op een afstand zou houden. Ze lachte hardop. Breden keek haar verrast aan.

'Wat is er?'

Sarah trok haar gezicht in de plooi. 'Niets, ik moest aan een sprookje denken.'

Breden keek haar verward aan voordat hij een stuk volkorentoast pakte en er een miniem laagje boter op smeerde.

Een tijdlang aten en lazen ze in een gemoedelijke stilte. Plotseling liet Sarah haar krant zakken.

'Shit!'

'Wat is er?' vroeg Breden.

Sarah las een stukje voor.

'"Steeds meer mensen hebben last van stalkers. Het gerucht gaat dat een bekende popster het slachtoffer van een vermoedelijk gestoorde fan is geworden," ' schrijft Roddy Clark. '"De zanger, die al vele jaren aan de top staat, zou al een halfjaar worden gevolgd, maar weigert maatregelen te nemen om zijn persoonlijke veiligheid te waarborgen. Volgens betrouwbare bronnen voelt hij zich echter bedreigd en heeft hij zijn gedrag aangepast. Een popster is evenwel afhankelijk van de publieke belangstelling, en de betrokken zanger is een van de populairste bandleiders, wiens tournees honderddduizenden fans trekken. De politie ontkent elke betrokkenheid en de rockster zou geen ruchtbaarheid aan de zaak willen geven. De bekendste musicus die door een stalker werd achtervolgd was uiteraard John Lennon. De voormalige Beatle werd doodgeschoten voor de deur van zijn…" ' Sarah hield op met voorlezen. 'Dat verhaal kennen we. Verdomme!'

Breden keek haar ernstig aan. 'Wie waren er op de hoogte? Jij, ik, Savage, Zamaroh en Carla. Nog iemand?'

'Je weet wat er met Jeremy St. James is gebeurd?'

'Ik heb het gehoord. Maar hij kan alleen op de hoogte zijn geweest als een van de anderen hem heeft getipt. Na zijn ontslag had hij in elk geval alle reden om naar de pers te lekken.'

'Na zijn openbare vernedering, bedoel je. Hij had inderdaad een motief om te lekken, maar het is waar dat hij niet tot de ingewijden behoorde.'

'Wie dan wel?' vroeg Breden.

De vrouw van Savage. Zij had misschien iets tegen haar vriendje gezegd en hij had het aan Clark kunnen doorgeven om zich op Savage te wreken. Hij wist dat Clark zelf al bezig was met een vendetta tegen Goldsteins. Maar Sarah hield haar mond.

'Is het weer dezelfde persoon wiens naam je niet wilt noemen?' vroeg Breden.

Sarah knikte heel licht met haar hoofd.

'Daar heb ik nou echt de pest aan,' zei Breden kwaad.

'Dat weet ik,' zei Sarah, 'en het spijt me dat ik je nog steeds niets kan vertellen. Je zou het begrijpen als je in mijn schoenen stond, dus laten we er alsjeblieft over ophouden.'

'Ik neem aan dat hij of zij niet meer bij Goldsteins werkt? Er is geen gevaar meer voor nieuwe incidenten?' vroeg Breden.

'Dat klopt allebei,' antwoordde Sarah. Ze hoopte dat het waar was.

Breden stak gelaten zijn handen in de lucht. 'Goed, goed, ik snap het al. Laten we het lek vergeten en alleen naar de gevolgen kijken. Als Redford de verkrachter is,' ging hij verder, 'zal dit hem nog meer op zijn zenuwen werken. De kans op ontmaskering wordt steeds groter. Hij heeft minder te verliezen. Hij zou kunnen proberen de grootste risico's uit te schakelen, namelijk jou en Carla, of tot de conclusie kunnen komen dat het te gevaarlijk is geworden. Onbewust heeft hij misschien de behoefte zich te laten betrappen.' Breden pauzeerde om het effect van zijn woorden op Sarah in te schatten. Ze keek hem zonder aarzeling aan.

'Ik raad je aan,' zei Breden, 'er nu mee op te houden.'

Sarah schudde haar hoofd. 'Dit is onze enige kans om hem te pakken. We moeten nu weten hoe het zit.'

'Omdat de emissie anders niet doorgaat? Is dat het einde van de wereld?'

'Voor Redford wel, en als hij onschuldig is verdient hij dat gewoon niet. Wij verdenken hem alleen vanwege Carla's verhaal. We moeten hem een kans geven.' Ze moest aan de vijf miljoen dollar denken. Ze wist dat het geld haar oordeel vertroebelde, ze kon het niet wegcijferen. Alleen om die reden zou ze zichzelf buitenspel moeten zetten.

'We gaan ermee door, Dick. We moeten de dader zo snel mogelijk zien te betrappen om te voorkomen dat hij nog meer slachtoffers maakt. Als Redford het echt is. Meer heb ik er niet over te zeggen.' Ze moest gewoon weten of de vader van haar kind een serieverkrachter was.

'Het kon wel eens het laatste zijn wat je zegt, Sarah. Je plan was van het begin af aan gevaarlijk, nu lijkt het me zelfmoord.'

62

Dick Breden woonde in een penthouse in Battersea, net over de Albert Bridge, op de zesde verdieping van een flatgebouw van glas, metaal en beton. Bij een gewoon bezoek zou Sarahs nieuwsgierigheid zijn opgewekt door zijn ascetisch ingerichte tempel van het minimalisme, maar nu was ze al helemaal met haar hoofd bij het werk. Een analyse van Breden, de man zoals hij zich voordeed contra de man die hij werkelijk was, zou moeten wachten. John Redford en de val eisten al haar aandacht op, al wachtte er eerst nog een vervelende klus: Savage en Zamaroh moesten aan het lijntje worden gehouden. Breden gaf haar een mobiele telefoon en de volgende twee uur waren ze allebei druk in gesprek met Zamaroh en Savage om hun zaak te bepleiten. Ze moesten allebei aannemelijk maken dat ze onmogelijk naar de zaak konden komen. Savage en Zamaroh kwamen met heftige tegenargumenten. Toen de telefoongesprekken eindelijk achter de rug waren zagen ze er tamelijk uitgeput uit.
'Van mij had het niet gehoeven,' zei Breden. 'Ze lieten duidelijk merken dat ze helemaal niet tevreden waren over het feit dat hun twee belangrijkste beveiligingsmensen afwezig waren.'
'Ja, bij mij was het hetzelfde liedje,' zei Sarah met een spijtig gezicht.
'Laten we ze nu maar vergeten,' zei Breden, 'en aan de slag gaan. We gaan aan het werk en laten ons nergens meer door afleiden, afgesproken?'
Sarah was blij met de staalharde blik in zijn ogen, hoewel die niet strookte met de vriendelijke klank van zijn stem.
'Afgesproken.'
Bredens zitkamer was perfect, heel groot en spaarzaam ingericht. Hij schoof twee banken en een glazen tafel naar het raam en vertelde wat hij ging doen. Daarna kwam hij met drie grote stappen op Sarah af, pakte haar beet en gooide haar door de kamer. Ze probeerde op de matras te landen die hij van zijn bed naar de ka-

mer had gesleept, maar ze voelde al meteen een pijnlijke blauwe plek.

'Gaat het?' vroeg Breden bezorgd.

'Het lukt wel.'

'Je ziet hoe makkelijk het gaat.'

'Voor jou ja, dankzij al je fitness.'

'Wie zegt dat de verkrachter niet aan fitness doet? Het is trouwens niet moeilijk voor een man, Sarah. Het heeft niets met training te maken, een man is nu eenmaal sterker en zwaarder dan een vrouw. Ik zal je een paar trucjes leren die je kunnen helpen om hem in bedwang te houden, drie snelle bewegingen die je op mij kunt oefenen.'

Breden liet haar een uur lang intensief werken. Ze glimlachte ondanks het zweet dat over haar gezicht stroomde. Ze rukte zich los uit zijn armen, stompte en trapte hem zoals hij haar had voorgedaan. Hij strafte haar genadeloos af als ze iets verkeerd deed en pakte haar polsen zo stevig beet dat het pijn deed. Zo dichtbij dat ze zijn lichaamsgeur kon ruiken. Jezus, waar was ze mee bezig? Ze hees zichzelf overeind. Redford had haar seksualiteit nieuw leven ingeblazen, ze voelde zich plotseling een dier op jacht. Des te beter kan ik hem in de val lokken, dacht ze met een steek van spijt.

'Verzet je niet tenzij het niet anders kan,' waarschuwde Breden terwijl hij Sarah bij haar polsen vasthield om niet tegen een vuist aan te lopen. 'Maar áls je geweld gebruikt, doe het dan zo hardhandig mogelijk. Je kunt hem niet met zachte handschoenen aanpakken.' Hij verborg een glimlach, want hij kon zich niet voorstellen dat Sarah wie dan ook met zachte handschoenen zou aanpakken.

'Ik heb acht mensen achter de hand,' ging hij verder terwijl hij haar losliet. 'We gaan als volgt te werk.'

'Wat gaat dat allemaal niet kosten?' vroeg Sarah nadat Breden zijn plan uit de doeken had gedaan. 'Een team van acht mensen en dan jij nog. Dat moet een vermogen kosten.'

'Ik ben bang van wel,' antwoordde Breden. 'Ik wil zelf geen geld van je, maar ik zal de anderen moeten betalen. Het hangt ervanaf wat er gaat gebeuren en hoelang het duurt, maar je moet toch wel op een kleine vier mille rekenen.'

Sarah trok een gezicht. 'Hopelijk komt Savage binnenkort over de brug.'

'Nu je het lek blijkbaar voor hem hebt gevonden is hij je heel wat schuldig, denk ik.'

Sarah glimlachte ongemakkelijk.

Breden ging tegen de middag naar zijn kantoor om de operatie op touw te zetten.

Sarah bleef in zijn appartement. Ze kon niet naar huis. Jacob en Georgie zouden haar maar zenuwachtig maken en omgekeerd, en ze zouden haar afleiden. Ze voelde zich opnieuw vastbesloten om ermee door te gaan, voor hen en voor de vrouwen die verkracht waren.

Ze belde Strone op.

'Hallo, met Sarah. Zeg, zou ik voor vanavond een bezoekerspas kunnen krijgen?'

Strone klonk nogal boos en geërgerd, maar hij beloofde een pasje voor haar af te geven bij de receptie van het Portobello. Sarah legde neer en begon door Bredens flat heen en weer te lopen om de spanning kwijt te raken die haar als een infectie in zijn greep hield. Breden had een welvoorziene keuken en ze dwong zichzelf een stevige lunch te nemen van spaghetti met een saus van basilicum en tomaten. Ze wist dat ze alle energie zou kunnen gebruiken. Zo'n hevige stress tastte haar reserves altijd aan en ze had de vorige nacht niet veel geslapen. Na het eten ging ze naar de logeerkamer om te proberen de schade in te halen.

Ze schrok koortsig en bezweet wakker uit een nachtmerrie. De echo van een geluid scheen in de slaapkamer te hangen. Het klonk als een luide kreet, een gil. Ze besefte dat het haar eigen stem was geweest die een angstkreet had laten horen. Ze stapte uit bed, nog vermoeider dan toen ze was gaan slapen. De wekker stond op zes uur. Shit, ze had veel langer geslapen dan de bedoeling was geweest, ze had de wekker om halfvijf niet eens horen afgaan. Ze nam een douche, bleef vijf minuten onder het hete water staan en spoelde haar lichaam ten slotte af met een straal koud water. Opgefrist en met nieuwe energie droogde ze zich af, waarna ze zich aankleedde en met een taxi naar huis ging.

Jacob was net bezig Georgie in bad te doen, zodat ze haar gelukkig niet konden afleiden. Ze stak haar hoofd om de hoek en zwaaide naar hen.

'Hallo, lekkere schatten van me. Ik kan niet blijven kletsen, ik moet me echt meteen verkleden en weer de deur uit. Ik ben pas laat thuis, Jacob, je hoeft niet voor me op te blijven.'

Jacob hield beschermend een arm achter Georgies rug terwijl hij zijn hoofd omdraaide en haar vragend aankeek. Hij kende haar maar al te goed en natuurlijk wist hij dat ze iets voor hem verzweeg, besefte Sarah. Met twee snelle passen ging ze naar hem toe. Ze gaf hem een zoen op zijn wang, streek haar baby over zijn hoofdje en haastte zich weg. 'Sorry, ik ben al te laat.'

Ze zocht toevlucht in haar slaapkamer. Ze deed de deur achter zich dicht en leunde er met haar rug tegenaan. Ze zag nog steeds hun bezorgde ogen, de kinderlijke maar soms zo wijze blik van haar zoontje, het bekommerde, liefhebbende gezicht van haar oom. Snel, ze moest hier weg voordat ze alles ging opbiechten.

Ze bleef nog een ogenblik staan om van het idee te proeven: alles laten zitten en zich in haar huis opsluiten, samen met twee van haar geliefden. Alleen haar broer was buiten haar bereik, maar die gedachte verwierp ze zodra hij bij haar was opgekomen. Er waren vier mannen van wie ze hield. Redford had haar met zijn liefde geïnfecteerd, zo voelde ze het. Ze had hem kunnen haten of op zijn minst onverschillig tegenover hem staan, maar ze was nog steeds in zijn ban, ze begon nog altijd te gloeien als ze hem zag en ze kon de brandende hartstocht van zijn aanraking niet vergeten. Ze was verslaafd aan hem, gekweld door liefde en twijfel, gebonden door de onvoorwaardelijke liefde voor haar zoontje. Haar passie zou anders allang zijn bekoeld na alles wat er was gebeurd: afwezigheid, achterdocht, verraad, Carla en wie weet hoeveel andere slachtoffers. Ze had hem verraden door hem te bespioneren, maar als hij onschuldig was had ze nu de kans om het goed te maken. En als hij toch de serieverkrachter was kon ze er definitief een punt achter zetten en zich op haar eigen leventje concentreren, alleen zij en Georgie.

Ze liep van de deur naar haar klerenkast, inspecteerde haar garderobe, woelde met haar handen door de fluwelen en zijden stoffen en maakte ten slotte een keuze. Haar gemakkelijke kleren waren verleidelijk, een oude spijkerbroek met een sweatshirt en sportschoenen, maar ze zou zich ook wel willen kleden alsof ze naar haar eigen begrafenis moest, een laatste optreden, een laatste opzwepende dans. Ze koos een lange jurk van rode en zalmkleurige zijde en fluweel, strak en laag uitgesneden, en opzichtige rode naaldhakken. Ze stak haar haar op, gebruikte zoveel mogelijk make-up en voltooide haar toilet met een vleugje Fracas. Na een laatste blik in de spiegel ging ze het huis uit zonder gedag te zeggen.

63

Sarah zat alleen in de VIP-box in het Wembleystadion en keek naar het podium. Ze snakte naar een sigaret en verwenste zichzelf omdat ze ooit had gedacht zonder te kunnen. Ze beet op haar nagels en wachtte tot Redford zijn intrede deed.

John Redford kwam als een echte prof het toneel opstormen. Helemaal in blauw denim, met soepele bewegingen, vloeiend en krachtig en onvoorstelbaar sexy. Ze herinnerde zich zijn handen op haar lichaam en er ging een rilling door haar heen. Hij was zo teder geweest, zijn kracht ingetoomd, maar toch zo dichtbij, zo duizelingwekkend en opwindend dichtbij. Hij zette de eerste van een hele reeks rockballades in. Zijn volle en machtige stemgeluid ging haar door merg en been. Ze zag hoe hij het publiek opzweepte tot het onvermijdelijke hoogtepunt, maar voordat het zover was begon hij ineens een nieuw nummer te zingen zonder begeleiding, alleen hij en zijn gitaar. Hij stond als enige in het licht en keek naar het publiek. Ze wist dat hij haar onmogelijk kon zien, tenzij hij precies wist in welke box ze zat, maar ze had durven zweren dat hij recht naar haar keek. Na een paar akkoorden op zijn gitaar begon hij te zingen.

'*One dark night,*
One sin, without redemption,
Body and soul broken,
Time bomb set.

What do I have to do to say sorry?

Aren't we all allowed just one mistake?
God only knows I'd give everything I own
To take it back, but not even God can do that.

I see only suspicion
In your eyes,
You are my judge
And you hang me out to dry.

What do I have to do to say sorry?
Aren't we all allowed just one mistake?
God only knows I'd give everything I own
To take it back, but not even God can do that.
Is there another road
We can go down?
Or have we come to
The end?'

Het publiek bleef nog even stil terwijl de laatste akkoorden en de echo van Redfords stem wegstierven. Daarna begon het applaus, een kleine golf die uitgroeide tot een oceaan. De toeschouwers voelden dat dit een soort testament was met hen allemaal als getuigen, en zo was het ook.
Redford maakte een buiging.
'Bedankt iedereen. Dit was mijn lied voor Sarah.'

John Redford zat alleen in zijn kleedkamer. Sarah klopte aan en ging naar binnen. Hij draaide zich snel om toen hij haar stem hoorde.
'Hallo, Sarah.'
'Hallo, John.'
Er was vrede in zijn ogen, alsof hij zichzelf van een zware last had bevrijd.
'Dat was een prachtig lied.'
'Dank je. Een beetje achterhaald, maar ach, het is een aardige melodie.'
Sarah keek hem verwonderd aan. 'Wat bedoel je?'
Hij schudde zijn hoofd. 'Het is niet belangrijk.' Hij haalde zijn

schouders op. De pijnlijkste woorden worden vaak op een heel banale manier uitgesproken, dacht Sarah. Misschien doen we dat om ons verstand niet te verliezen.

'Strone zei dat je me wilde spreken,' ging Redford op vlakke toon verder. 'Waarover?'

'Ik wilde afscheid nemen,' zei Sarah.

'O.'

'En je veel geluk toewensen.' Ze spreidde haar armen. Hij keek haar een ogenblik met een ondoorgrondelijk gezicht aan voordat hij opstond en naar haar toe kwam. Het elektronische plaatje zat op het topje van haar wijsvinger en ze kleefde het onder het boord van zijn denim overhemd toen Redford haar in zijn armen nam.

'Het beste, Sarah. Ik vind het jammer dat het niets is geworden tussen ons.'

Sarah hield hem even stevig tegen zich aan voordat ze een stap naar achteren ging. Ze liet haar handen op zijn armen rusten.

'Ik ben niet de ware voor je.'

'Dat weet je niet.'

'O jawel.'

Ze liet hem los, gaf hem een zoen op zijn wang en draaide zich om voordat hij de tranen kon zien die over haar gezicht begonnen te rollen.

64

Bredens bestelwagen stond precies op de afgesproken plek. Het was een enorme geruststelling voor haar. Breden was iemand op wie ze volledig kon vertrouwen. Hij had geen keus, zoals hij zelf had gezegd. Haar leven stond op het spel.

Het portier ging open toen ze vlakbij was. Ongemakkelijk in haar strakke jurk en hoge hakken, klauterde ze naar binnen. Breden keek bewonderend naar haar.

'Je ziet er prachtig uit.'

'Dank je.'

'Maar je klinkt nogal bedrukt.'

'Ik heb net afscheid van Redford genomen. Ik heb het plaatje onder zijn boord geplakt toen we elkaar omhelsden. Hij zong een nummer dat hij speciaal voor mij had geschreven, Dick. Hij wilde dat ik hem vergaf en vroeg of dit het einde was. Ik werd er bang van. Het was net alsof hij een besluit had genomen.'

'Waarover?'

'Ik weet het niet.' Ze aarzelde alsof ze haar vrees niet onder woorden wilde brengen. 'Het was net of hij zelf een grens had bereikt. Toen ik naar zijn kleedkamer ging was ik helemaal niet van plan om afscheid te nemen, dat kwam ineens bij me op. Maar zo voelde het wel aan.'

'Misschien moeten we de hele zaak maar vergeten. Je kunt zelfs nu nog stoppen, Sarah.'

'Nee, dat kan ik niet. We moeten doorzetten.'

Breden gaf haar een soort serveerstersuniform, een korte, stijve witte jurk. Ze trok er een beige panty bij aan en haar eigen naaldhakken. Een verweerde Aziatische grimeur werkte haar gezicht en haar bij. Hij sprak geen woord, tilde alleen af en toe haar kin op met zijn verrassend zachte en sterke vingers. Toen hij klaar was en Sarah een blonde pruik had opgezet zag ze eruit als een echte tramp.

Breden keek onderzoekend naar haar en knikte tegen de grimeur. 'Mooi werk. Tot de volgende keer.'

De man knikte en draaide zijn hoofd langzaam om naar Sarah. Toen hij met zijn werk bezig was had hij alleen beroepsmatig naar haar gekeken, alsof ze niets anders was dan een modepop. Nu schrok ze van de duistere blik waarmee hij haar opnam. Hij maakte een buiging voor haar, deed het portier open en sprong geruisloos naar buiten.

'Ik hoop niet dat we lang moeten wachten,' zei Sarah terwijl de deur met een doffe klap dichtviel.

Breden knikte. 'Wachten is inderdaad het vervelendste. Sommige mensen kunnen er gewoon niet tegen. Het is een gave die enorm wordt onderschat.'

'Wachten?'

'Ergens doodstil moeten liggen, in je camouflagepak moeten plassen, oppassen dat je niet ineens gaat hoesten of niesen.'

'Ik hoef in elk geval niet stil te zijn.' Sarah keek geschrokken om zich heen. 'Maar als ik moet plassen?'

Breden bukte en haalde een kom onder de zitting vandaan. Sarah begon te lachen.

'Denk je dat het lukt?' vroeg Breden.

'Ik kan het desnoods als ik moet blijven staan. Ja, het lukt wel.'

Er werd tegen de donkere tussenruit getikt. Breden schoof de ruit een eindje opzij.

'Hij is op weg,' klonk een stem vanaf de voorbank. Sarah ving een glimp op van donker krulhaar en een gebruinde huid. 'Zo te zien loopt hij naar zijn auto.' Breden keek door de opening naar een monitor. Sarah zag een knipperend wit puntje dat langzaam naar het noorden bewoog. Breden deed een oordopje in en begon in het microfoontje te praten dat aan de kraag van zijn overhemd was bevestigd.

'Zien jullie ook beweging?' vroeg hij. 'Goed, blijf paraat.' Hij herhaalde zijn vraag twee keer.

'Hoeveel wagens hebben we?' vroeg Sarah.

'Vier met deze mee, elk met twee man erin.'

Het witte puntje stopte.

'Vertrekt hij?' vroeg Breden door zijn koptelefoon. 'Ik neem aan dat hij net in zijn auto is gestapt.'

Het puntje kwam plotseling weer in beweging, sneller en in zuidelijke richting. Breden hield de monitor in het oog. 'Doe je gordel om,' zei hij tegen Sarah. Ze deed het en leunde naar voren om naar de stip te kijken.

'Hij komt onze kant op,' zei Breden. 'Wagen twee, jullie pikken hem op. Ik herhaal, wagen twee, jullie pikken hem op. Drie, blijf achter mij, vier, probeer voor hem te komen.' Terwijl de stip dichterbij kwam startte de chauffeur met het krulhaar de motor. Het puntje ging abrupt naar rechts en hij schakelde over en reed weg.

'Kan iemand hem zien?' vroeg Breden. 'Wagen vier? Mooi. Wat voor auto is het? Heeft hij een chauffeur of iemand anders bij zich?' Hij luisterde even voordat hij Sarah aankeek.

'Het is een Range Rover met getinte ruiten. Ik geloof dat ze met zijn tweeën zijn, hij en een chauffeur. Ze kunnen Redford niet zien, maar hij is wel ingestapt.'

'Met een chauffeur erbij wordt het lastig,' zei Sarah.

'Die zal Redford wel ergens afzetten. Als hij de verkrachter is zal hij zich waarschijnlijk naar een achterbuurt laten brengen, tenzij de bestuurder een handlanger is.'

'Dat lijkt me sterk. Ik kan me niet voorstellen dat hij zijn geheim met iemand durft te delen.'

'Ik ook niet. Daarom denk ik dat hij zich zal laten afzetten en verder te voet gaat.'

'Hij houdt ervan om 's avonds laat door de stad te lopen,' zei Sarah. 'Dat heeft hij me verteld. Hij kan kilometers lopen.'

'Dan moeten we ons daarop instellen.' Breden sprak weer in zijn microfoon. 'Houden jullie je klaar om uit te stappen. Het doelwit houdt van lange wandelingen.'

'Misschien heeft hij zich al vermomd,' zei Sarah. 'Hij houdt er normaal al niet van om herkend te worden.'

'Blonde, golvende pruik met halflang haar, bolle wangen?' controleerde Breden. Sarah knikte.

'Het doelwit kan in vermomming zijn, zoals besproken,' zei Breden in de microfoon. 'Misschien met een blonde pruik en bolle wangen, maar dat is niet zeker.'

Sarah probeerde zich voor te stellen hoe Redford zich voelde. Had hij zijn bekende persoonlijkheid afgelegd en een verborgen, duistere kant aangenomen? Ze kon het zich niet indenken, maar ze wist zelf heel goed dat ze daar geen troost aan mocht ontlenen. Als verkrachters, kinderlokkers en moordenaars zo makkelijk te herkennen waren zou er niet een meer vrij rondlopen. De gevaarlijkste criminelen konden zich juist heel onschuldig voordoen. En Redford was een rasechte artiest. Hij wist wat het publiek wilde en dat gaf hij het ook. Sarah huiverde.

Ze reden in hoog tempo in zuidoostelijke richting over de Harrow Road en Western Avenue naar Westway. Sarah keek door de donkere ruit naar buiten en luisterde naar Breden die met zijn zachte, trage stem instructies gaf.

'Wagen vier, laat je terugzakken. Nummer twee, probeer voorop te komen.' Marylebone, Euston, King's Cross. Ze begonnen al aardig in de achterbuurten te komen. Sarah zag hoeren naar hun auto kijken, voer voor hun crackverslaving. De witte punt stopte. Zij stopten ook. Sarah keek naar het scherm.

'Wagen twee, wat zie je?' vroeg Breden. Hij luisterde gespannen. 'Laat je passagier uitstappen en hem te voet volgen. Wagen twee, blijf bij de Rover. Alle passagiers uitstappen, gebruik je draagbare monitor om hem in de gaten te houden. Wagens drie en vier, ga om beurten achter hem zitten en laat de afstand niet groter dan vierhonderd meter worden.'

Breden draaide zijn hoofd om naar Sarah. 'Hij is uitgestapt.'

'Wat gebeurt er nu?' Ze frunnikte met haar vingernagels en keek hem gespannen aan.

'Wij blijven in de auto tot we weten wat hij van plan is. Voor zover bekend waren alle slachtoffers serveerster of iets dergelijks. Ik vermoed dat hij blijft lopen tot hij een geschikt nachtcafé vindt en zich dan verdekt opstelt. Wij komen pas in actie als het zover is.'

Sarah knikte met een wee gevoel in haar maag. De chauffeur parkeerde en ze wachtten. De stip volgde Pentonville Road. Breden probeerde zwijgend in te schatten waar hij naartoe ging terwijl hij naar de stemmen in zijn koptelefoon luisterde.

'Ze zijn met zijn tweeën,' zei hij tegen Sarah. 'Een van hen is Redford, dat vermoeden ze althans. Hij draagt een leren jack met opgeslagen kraag en een honkbalpet.'

'Heeft niemand hem met zekerheid herkend?' vroeg Sarah.

Breden schudde zijn hoofd. 'Ze durven niet te dichtbij te komen. De verkrachter is bijzonder intelligent en we moeten aannemen dat hij een onhandige volger snel doorheeft. We moeten op de achtergrond blijven, maar van vijfentwintig meter afstand kun je niemand herkennen. En onze mensen moeten erg oppassen met hun verrekijkers; als ze gezien worden is de hele zaak verziekt.'

Breden luisterde weer aandachtig.

'Hij is in City Road, nog steeds in gezelschap.'

'Enig idee wie die ander is?' vroeg Sarah.

'Ongeveer een meter tachtig lang, normaal postuur, blank, honkbalpet, dik jack, sportschoenen.'

Sarah schudde haar hoofd. 'Dat zegt me niets.'

'Rij maar een eindje verder,' zei Breden tegen de bestuurder.

Sarah staarde uit het raam terwijl hun auto in beweging kwam. Ze reden naar City Road en stopten in een zijstraat. Sarah keek naar het naambordje en begon te lachen.

'Wat is er?' vroeg Breden.

Sarah knikte naar het bord. 'Micawber Street Je kent toch die figuur van Dickens? "Er staat iets te gebeuren." Ik heb altijd gedacht dat de goden gevoel voor humor hebben. Blijkbaar hebben ze vanavond iets voor ons in gedachten.'

Breden wierp haar een wrange blik toe en vroeg zich af waar haar galgenhumor vandaan kwam. Op een vreemde manier deed ze hem aan zijn manschappen uit zijn diensttijd denken, altijd grappen makend voordat ze een levensgevaarlijke actie ondernamen. Sarah keek door het raam naar de aantrekkelijke Georgiaanse huizen die de naburige moderne nieuwbouw met tegenzin hadden geaccepteerd, naar de verkeersdrempels in het licht van de straatlantarens, naar de zielloze woningwetwoningen die een eindje van de straat afstonden en naar de grauwe warenhuizen in Taplow Street om de hoek. Het was een desolate stadswijk, anoniem en van een fletse functionaliteit. Ze begon de eerste tekenen van vermoeidheid te bespeuren. Alleen de adrenaline hield haar wakker. Het witte vlekje ging onverstoorbaar verder door Great Eastern Street. Redford was al veertig minuten aan het lopen.

'Hij is op weg naar Spitalfields,' zei Sarah met afschuw. 'Misschien was het gisteren maar een verkenningstocht.'

'Zou hij het wagen jou mee te nemen als hij daar iemand wilde verkrachten?' vroeg Breden.

'Misschien wil hij echt betrapt worden.' Sarah en Breden staarden naar het knipperende puntje terwijl het tweetal via Commercial Street naar Grey Eagle Street liep. Daar stopten ze.

'Wie kan ze zien?' vroeg Breden scherp. 'Nummer twee, wat gebeurt er?'

Breden keek weer naar Sarah. 'Redford en zijn vriend zijn een bar binnengegaan. Rijden,' zei hij tegen de bestuurder. Hij draaide zijn hoofd om en pakte Sarahs hand.

'Ben je er klaar voor?'

Ze knikte. Hij gaf haar een oordopje en bevestigde een microfoontje aan haar kraag. 'Vergeet het niet, ik ben nummer vijf, jij bent nummer een. Doet alles het?'

Sarah deed het dopje in haar oor en testte het apparaat. 'Nummer een hier. Kan iedereen me verstaan?' Er klonk een koor van bevestigende stemmen. Breden liet een vinger over Sarahs gezicht glijden. 'Je vermomming ziet er goed uit. Hij zal je niet herkennen voordat hij bovenop je zit, bij wijze van spreken. Zeg niets voordat je iets van mij hoort. Ik wil niet dat hij je stem herkent en er vandoor gaat.' Of je vermoordt, dacht hij bij zichzelf.

'Ik zwijg als het graf,' zei Sarah met een dappere glimlach.

Breden omhelsde haar plotseling. 'Veel geluk.'

Sarah drukte hem tegen zich aan. 'Dank je.' Ze was er zeker van dat hij haar bonzende hart kon horen. Als hij merkte hoe bang ze was zou hij haar vast tegenhouden en de hele zaak afblazen, maar hij liet haar gewoon los.

'Je hoeft maar een kik te geven en ik ben bij je. In geval van nood roep je "mayday". Probeer te vertellen wat er gebeurt, maar laat het niet merken. Je kunt heel zacht praten. De microfoons zijn zo gevoelig dat ze zelfs je ademhaling registreren.'

De bestelwagen stopte in Grey Eagle Street. Het was een lange, lege straat die het verval van de stad uitwasemde. Sarah en Breden stapten uit. Het was een uur. De straatlantarens verspreidden een oranje gloed waarin de neervallende regen zichtbaar was. De bar heette De Gevallen Engel. Ze liepen om het pand heen tot ze de achteringang vonden. Breden ging Sarah voor naar binnen.

Een man met een staart in zijn haar versperde hun de weg.

'Wat moet dat hier?' vroeg hij bars.

'Met wie heb ik het genoegen?' vroeg Breden.

'Ik ben verdomme de eigenaar. En wie mag jij wel wezen?'

'Politie,' antwoordde Breden. 'Ik zal mijn legitimatie laten zien.'

De man knikte verachtelijk met zijn hoofd. Breden haalde een geplastificeerde kaart te voorschijn waarop stond dat hij inspecteur Dick Evans van de Londense politie was. De bareigenaar nam de pas aan en bestudeerde hem zonder ervan onder de indruk te raken.

'En wat moet je?'

'We hebben uw medewerking nodig voor een surveillance. We moeten ergens rustig kunnen wachten zonder gezien te worden. Daarna, ik weet nog niet wanneer, moet mijn collega hier –' hij knikte naar Sarah '– haar gezicht even in de bar laten zien. U zegt "bedankt" tegen haar, net alsof ze een kennis van u is die u voor deze ene keer in de keuken heeft geholpen.'

De man keek van Sarah naar Breden. 'Ze ziet er niet uit als een keukenhulpje.'

Sarah glimlachte met strakke lippen.

'Doe nou maar wat ik zeg,' zei Breden.

De man trok zijn wenkbrauwen op. 'Waarom zou ik?'

Breden keek hem even aan voordat hij antwoord gaf. 'Nooit een gunst nodig?'

'Wie niet?'

'Dan kan ik misschien iets voor u doen.'

De eigenaar knikte langzaam, alsof hij verschillende mogelijkheden overwoog. Hij nam de tijd om zijn gezicht te redden.

'Dan ben je me iets schuldig.'

'Dat klopt, maar alleen als u de boel niet in het honderd laat lopen.'

'Wat moet ik dan doen?'

'Alles wat ik vraag.'

De eigenaar vond blijkbaar dat het lang genoeg had geduurd, want hij werd ineens heel zakelijk.

'Kom maar mee naar mijn kantoor.'

'Alleen mijn collega,' zei Breden. 'Ik blijf hier wachten.'

'Zoals je wilt.'

Sarah draaide zich om, wierp een laatste blik op Breden en volgde de eigenaar van De Gevallen Engel.

65

Het stonk er naar rook, pis en gebakken uien. Een jukebox speelde rockmuziek, iets van Bon Jovi: 'You give love a bad name.' Wat je zegt, dacht Sarah. De eigenaar ging haar voor op een krakkemikkige achtertrap. Haar benen trilden onder het lopen. De man nam een sleutel uit zijn zak en opende zijn kantoor. Hij deed een stap terug en gebaarde Sarah naar binnen te gaan.

'Bedankt.' Ze nam plaats op de gammele sofa. De eigenaar kwam ook naar binnen.

'En wat doen we nu?' vroeg hij.

'U laat me hier, gaat verder met uw zaken en wacht op instructies van de inspecteur.'

'Is dat alles?'

Sarah knikte. 'Dat is alles.' Ga alsjeblieft zo snel mogelijk weg, bad ze. Alsof de man haar gedachten raadde, schuifelde hij achteruit naar de deur. Na een snelle blik om zich heen, alsof hij de inventaris opnam, verliet hij het vertrek zonder een woord te zeggen. Sarah vergrendelde de deur achter hem, ontdekte een fles whisky en een glas op zijn bureau, schonk zichzelf flink in en liet zich op de sofa zakken. Ze staarde in het glas alsof er een magisch middel in zat. *Dronkemanslef*, dat kan ik wel gebruiken. Ze nipte van de drank, liet hem branden in haar keel en stelde zich voor hoe Redford beneden in de bar zat. De stemmen ratelden in haar oor. 'Hier nummer drie,' zei iemand met een Ierse tongval zacht. 'Ik ben bij nummer vier. We hebben beeld. Er zitten twee mannen aan de bar, een van hen is de man die we hebben gevolgd, maar het is Redford niet.'

'Wat?' Bredens stem raspte in haar oor.

'Wacht eens,' riep Sarah. 'Hoe ziet hij er uit?

'Tegen de een tachtig, donker, golvend haar, bruine ogen.'

'Bolle wangen?'

'Ja, hallo, sorry, sta ik in de weg?' Sarah hoorde stoelen verplaatsen, iemand antwoord geven, uit een glas slurpen en gekraak van chips.

'Sorry, iemand kwam een beetje te dichtbij. Ja, hij heeft dikke wangen, behoorlijk dik zou ik zeggen.'

'Dan is het Redford,' zei Sarah. 'Dat is zijn vermomming, net als vannacht, gewoon een andere pruik.'

Sarah pakte haar glas. Het was leeg. Ze zette het zonder te kijken op de rand van een bijzettafeltje. Het viel ervan af en brak.

'Wat was dat?' vroeg Breden scherp.

'Liet een glas vallen,' zei Sarah. 'Niks aan de hand. Hoe ziet die andere vent eruit?'

'Hij is net zo lang als Redford. Honkbalpet, verward blond haar, rookt.'

'Ken je hem?' vroeg Breden.

'Nee,' antwoordde Sarah. 'Wat drinken ze?'

'De blonde met het woelhaar drinkt iets sterks, ziet eruit als whisky,' zei nummer drie. 'De ander drinkt iets wits met prik uit een groot glas, kan soda zijn of limonade. Hij eet chips. Ziet er uitgehongerd uit.'

'Ik ben ervan overtuigd dat het Redford is,' zei Sarah. 'Hij is altijd dorstig en uitgehongerd na een concert.'

'Moet hem zijn,' zei Breden. 'Of hij moet zijn denim overhemd weggegeven hebben.'

'Ja, dat is zeer waarschijnlijk, niet?' zei Sarah sarcastisch, 'en hij gaf het aan iemand die op precies dezelfde plek komt als hij de vorige avond?' voegde ze eraan toe. 'Nee, het is Redford. Ik weet het zeker.'

'Hij is wel heel goed vermomd,' zei nummer drie.

'Hij heeft contacten met de beste grimeurs ter wereld,' zei Sarah. 'Het gaat hem trouwens gemakkelijk af; hij had mij er gisteravond bijna mee beet.'

De stemmen vielen stil. Sarah leunde achterover, licht ademend. Misschien zou er niets gebeuren. Misschien zou Redford in zijn auto stappen en naar huis gaan. Ze gaf zich over aan haar gedachten en schrok overeind toen nummer drie met zijn licht Ierse tongval zacht en snel in haar oor begon te praten.

'Onbekende man gaat naar het herentoilet. Ik denk dat ze zo opstappen, herhaal, denk dat ze zo opstappen.'

'Oké,' zei Breden. 'Nummer een, let op. Ik ga naar binnen.' Sarah rilde. Ze hoorde voetstappen, een deur open- en dichtdoen en daarna Breden tegen de eigenaar praten. 'Ik ga mijn collega halen. Hier heb je vijftig pond. Geef het haar en bedank haar voor de maaltijd en de hulp. Zonder veel omslag, overdrijf het niet.'

'Dat is niet mijn stijl,' antwoordde de man laconiek.

Sarah hoorde voetstappen naderen. Er werd op de deur geklopt. 'Doe open. Ik ben het.'

Ze opende de deur voor Breden.

'Alles in orde?'

Ze knikte, met een droge keel.

'Jouw beurt. Sterkte.'

Ze wierp hem een laatste blik toe, liep de trap af naar de vestibule waar de eigenaar haar opwachtte. Haar hele lichaam trilde en het zweet liep over haar rug.

De eigenaar liep in de richting van de bar. Hij deed de deur open en liep naar binnen. Sarah stak haar half bedekte gezicht om de deur. De eigenaar ging mopperend naar de geldla. Hij telde vijf briefjes van tien uit en gaf ze aan Sarah.

'Vijftig pond voor die paar hapjes. Vuile afzetter.'

'Doe me een lol,' zei Sarah met een volstrekt andere stem. De twee mannen die aan de bar hun jassen stonden aan te trekken, draaiden hun hoofd om te kijken waar de stem vandaan kwam. Sarah keek lang genoeg om Redfords blik te kruisen voordat ze hem ontweek alsof ze verlegen was, of met hem flirtte. Ze staarde naar de grond. Ze durfde niet nog een keer op te kijken naar de andere man. Ze telde snel en opzichtig het geld, stak het in haar zak, mompelde een groet naar de eigenaar en verdween door de deur. Ze liet hem achter zich dichtvallen en liep langzaam weg.

'Ik loop richting Grey Eagle Street,' fluisterde ze tegen het bewakingsteam. God, wat een kale bedoening. Het gescheurde asfalt was bezaaid met afval. Hoge betonnen muren en golfplaten werden beschenen met het onheilspellende oranje licht van een paar straatlantaarns die het overleefd hadden. Door een gat in het gaaswerk was een flatgebouw zichtbaar dat op instorten stond en dat lang geleden verlaten was door bewoners met gezond verstand die een keus hadden. Maar toch waren er sporen van menselijke aanwezigheid, een kapotte stoel, lege bierblikjes, alsof er nog mensen woonden. Een zwerver zou iets beters zoeken. Het moest gekraakt zijn door verslaafden. Sarah liep snel door.

'Ze verlaten de bar,' zei nummer drie. Ze hoorde een deur slaan en onderdrukte de neiging om zich om te keren. 'Ze houden je in de gaten, nummer een, allebei,' zei een andere stem in haar oor.' Ze liep langzaam door op haar hoge hakken. 'Ze praten, kijken rond. Wacht, er komt een auto, ziet eruit als een taxi. De auto stopt, verdachte loopt erheen, praat met de chauffeur. Hij stapt in. Herhaal. Verdachte stapt in taxi. Een rode Volvo stationcar. Kenteken CST 45p. Herhaal. Rode Volvo station, kenteken CST 45p. Rijdt in noordelijke richting over Grey Eagle Street.'

'Nummers twee, drie en vier, volg de auto, herhaal, volg de auto,' beval Breden. 'Nummer een, geen paniek. Blijf lopen.'

Sarah sprak zichzelf moed in toen ze de auto hoorde naderen. 'Auto nadert, schakelt, gaat harder rijden.' Ze keek naar de wagen, zag Redford naar buiten kijken, recht in haar gezicht. Zijn ogen leken verdomme wel laserstralen. Herkende hij haar? 'Hij rijdt voorbij, slaat af naar rechts, zo'n vijftig meter verderop,' vervolgde ze gespannen.

'Ik hoor de auto nog steeds, steeds verder weg, almaar vager,' zei ze, terwijl opluchting en verwarring haar overvielen.

'Doelwit rijdt in Cheshire Street, in oostelijke richting,' zei een stem.

'Nummer vier, passeer doelwit,' zei Breden. 'Nummer drie, blijf achter doelwit. Zorg dat hij je niet ziet. Heeft iemand hem in het vizier?'

'In een flits,' antwoordde een man met een Welsh accent. 'Het is een Pakistaanse chauffeur, verdachte zit achterin.'

'En wat gebeurt er nu?' vroeg Sarah.

'Ga linksaf Quaker Street in,' antwoordde Breden, 'dan nog een keer naar links, Commercial Street in, loop door tot de kruising met Hanbury Street. Ik wacht daar op je.'

'Ik ben al onderweg.'

66

Het was moeilijk lopen op haar hoge hakken en ze struikelde bijna op het oneffen wegdek. Jezus, wat een manier om je avond door te brengen. Nu het drama was afgelopen en er geen gevaar meer was voelde ze zich volkomen uitgeput, maar ook verward. Wat was er misgegaan? Waarom had Redford de benen genomen? Misschien wilde hij een ander jachtterrein zoeken of was hij toch onschuldig. Maar als hij de serieverkrachter niet was, wie dan wel? Ze kwam in Quaker Street. Jezus Christus. De stilte hing hier als mist boven de straat, weg van De Gevallen Engel en het drukke verkeer in Commercial Street. Ze hoorde haar eigen voetstappen maar ze besefte dat niemand haar zou horen gillen. Ze had niet gedacht dat het in een stad zo leeg kon zijn, maar dit was iets uit een nachtmerrie. Een verlaten weg liep langs een rangeerspoor. Een hoge schutting van staaldraad moest vandalen en zelfmoordenaars tegenhouden. Een lege parkeerplaats lag vol met rommel. Het zwakke licht van een goederenstation wierp een lijkbleke glans over het pokdalige beton. Naargeestige opslagplaatsen vol schroot. Een rode BMW scheurde voorbij met stampende muziek die uit de luidsprekers kwam. Dit was een goede plek om verdovende middelen te verkopen, dacht ze.

Even was ze bang dat de auto bij haar zou stoppen, maar de bestuurder reed verder alsof ze niet bestond. Ze hield onwillekeurig haar adem in tot de wagen uit het gezicht was verdwenen. Dan liep ze door, nu weer helemaal alleen.

Ze bleef staan toen ze een vreemd knarsend geluid hoorde. Haar hart begon plotseling te bonzen terwijl ze luisterde. Het was het geluid van voetstappen, van sportschoenen op het natte wegdek. Ze kwamen dichterbij. Sarah begon sneller te lopen op haar hoge hakken. Vijftig meter verderop zag ze het kruispunt van Commercial Street. Ze kon niet wachten tot ze er was; ze had wel willen rennen en ze voelde een overweldigende aandrang om te vluchten. Blijf kalm, het is maar een onschuldige voorbijganger, Redford is er niet meer. Ze luisterde naar het onafgebroken commentaar van de stemmen in haar oor. Redford bevond zich nu in Great Eastern Street en liep in westelijke richting. Ze had het kruispunt bijna bereikt, nog maar twintig meter. Plotseling klonken de voetstappen achter haar luider. Ze draaide haar hoofd om en zag een man die op volle snelheid naar haar toe rende.

Ze schreeuwde het uit. 'Nee!' Ze begon te rennen. De man kwam dichterbij, ze probeerde nog harder te lopen. De stemmen klonken gespannen in haar oor.

'Nummer een, waar ben je, wat is er aan de hand?' vroeg Breden. 'Help me, help me, ik ben in...' Ze gleed uit, ze zwikte door haar enkel en viel met een harde slag tegen de grond.

Ze gilde het uit van pijn en angst en probeerde overeind te komen. Ze stond bijna weer rechtop toen de man haar inhaalde en zich op haar stortte. Ze voelde haar hoofd tegen de ruwe stenen bonken. De man pakte haar polsen en klemde ze in een ijzeren greep. Haar hoofd duizelde en ze zag felrode vlekken voor haar ogen. Ze schudde haar hoofd in een radeloze poging om bij kennis te blijven. Door het rode waas heen zag ze de man bij haar staan. Hij droeg een zwarte kap waarin openingen voor zijn ogen waren uitgesneden. Hij rook naar citroenen. Hij sprak geen woord, staarde haar alleen maar aan. Het enige geluid was zijn ademhaling, die in snelle, opgewonden stoten ging.

De tijd scheen plotseling te vertragen als in een droom, wanneer je probeert te vluchten en je met je voeten wegzakt in drijfzand terwijl de achtervolgers naderen. Het enige verschil was dat haar belager nu al bij haar was, op zijn knieën naast haar zat en haar polsen hard tegen de grond drukte. Ze voelde steengruis in haar huid snijden. Ze proefde bloed in haar mond. Haar tanden waren tegen haar lip geslagen toen ze op de grond viel. Uit haar ooghoek zag ze het in onbruik geraakte zijspoor. Ze hoorde het geluid van verkeer, maar even ver bij haar vandaan alsof ze zich op een andere planeet bevond. En dat was ook zo. De wereld waaruit deze man haar had ontvoerd was een eigen bedenksel van haar. Een wereld waarin geen geweld bestond, alleen goedheid en mooie dingen. Een wereld waarin Georgie leefde. Haar kind, haar zoon, haar liefde.

Terwijl ze aan hem dacht, voelde ze nieuwe krachten opkomen, en ze probeerde zich uit alle macht uit de greep van de man te bevrijden. Hij reageerde door haar in haar gezicht te stompen. Haar achterhoofd sloeg weer tegen het wegdek en ze voelde dat ze het bewustzijn begon te verliezen. O nee, o God nee, dit kan niet waar zijn. Ze verzette zich ertegen. Ze klampte zich vast aan alles wat goed was. Georgie, mijn liefje, Georgie, ik hou van je. Er kan me niets gebeuren. Er zal mamma niets overkomen. Ze zag haar baby voor zich, zijn armpjes smekend naar haar uitgestrekt. Tranen stroomden over haar gezicht. Ze probeerde zich te herinneren wat Breden haar had geleerd.

Zonder aan de stomp te denken probeerde ze opnieuw los te komen. Het antwoord was een nieuwe klap tegen haar hoofd. O God, nog even en ze zou het moeten opgeven. Zo had het helemaal niet moeten gaan. Ze herinnerde zich dat Breden had gezegd dat er altijd iets fout ging. Waar was hij, waar was hij? Waar was hij in godsnaam? De man begon Sarah van de straat naar het zijspoor te slepen. Haar kuiten schraapten over de ruwe grond. Help me, help me! schreeuwde ze in de microfoon. Er kwam niemand opdagen. Ze was aan de man overgeleverd. Elke seconde strekte zich uit tot een eeuwigheid in doodsnood. Ze merkte dat haar geest begon af te dwalen. Ze zag zichzelf op de grond liggen en om genade smeken. Ze kon bijna precies zien wat er ging gebeuren, alsof ze toekeek terwijl het iemand anders overkwam. O Georgie, dit mag mamma niet laten gebeuren, voor jou en voor mamma zelf, ik kan niet toestaan dat deze man...

Ze werd overspoeld door woede. Met een ruk trok ze haar armen los en probeerde op te staan. Ze trok haar knieën op en schopte de man uit alle macht tegen zijn ribben. Hij kreunde en viel achterover. Moeizaam hees ze zich overeind, duizelig na de slagen op haar hoofd. De man sprong op en zwaaide met zijn vuisten. Sarah voelde een ervan op haar slaap landen. De klap leek haar alleen nog kwader te maken en ze sloeg terug, niet met de zijkant van haar hand zoals Breden haar had geleerd maar met haar blote vuisten.

Ze kon amper zien waar ze hem raakte, zo verblind was ze door razernij. Ze voelde alleen dat ze hem in zijn gezicht trof, maar ze voelde ook de slagen die ze zelf moest incasseren. Een ervan raakte haar midden in haar gezicht en ze zag alleen nog sterren voor haar ogen terwijl ze achteroverviel. De man zou nu niet meer ophouden, dat wist ze. Ze had zijn ontembare woede opgewekt. Breden had haar verteld dat de verkrachter steeds gewelddadiger werd en zijn slachtoffers erger toetakelde naarmate hun verzet heviger was. Ze was al banger dan ze ooit was geweest, maar haar angst vlamde nog heftiger op toen haar armen opeens van achteren werden vastgegrepen. Ze schreeuwde het uit in doodsnood. Ze kon bijna niets anders horen dan het gonzen van het bloed in haar oren, maar langzaam en fragmentarisch drong het tot haar door dat iemand iets tegen haar zei.

'Sarah, Sarah, rustig, ik ben het, Dick. Rustig maar, Sarah, ik ben bij je. Hij kan je niets meer doen.'

De gemaskerde man draaide zich om en zette het op een lopen. Breden legde Sarah even snel als voorzichtig op de grond en rende achter hem aan.

Haal hem in, haal hem alsjeblieft in, bad Sarah fluisterend voordat een grote zwarte golf over haar heen spoelde en ze niets meer kon denken.

67

Linoleum op de vloer, rondlopende politieagenten, de geur van sigarettenrook, zachte stemmen.

'Kijk maar eens. Mogelijk inwendige bloedingen, hersenschudding, veel bloedverlies. Ze moet eigenlijk naar het ziekenhuis.'

'De dokter is onderweg. Hij komt binnen vijf minuten. Als hij vindt dat ze moet gaan, dan zorgen we daarvoor.'

De woorden troffen haar als vuistslagen en ze probeerde te bedenken waarom ze ineens zo bang werd. Plotseling herinnerde ze zich het weer en ze kwam met een schok bij bewustzijn. Ze ging rechtop zitten en gaf over.

Handen pakten haar beet om haar te helpen, hielden haar hoofd in evenwicht.

'Goed zo, toe maar. Gooi het er maar allemaal uit, dat is beter.'

De stem was vol mededogen, een stem waarmee haar moeder tegen haar had kunnen praten. Ze voelde meteen een nieuwe pijnscheut en weer gaf ze over.

Dezelfde stem klonk nu veel scherper. 'Schone handdoeken, een droog, een koud en vochtig. Een beetje vlug, graag.' Ze voelde een spons waarmee haar gezicht werd afgedept. Water droop over haar wangen, maar ook een andere vloeistof, scherp en bitter. Ze streek over haar wang en hield haar vingers voor haar ogen. Ze zag dikke strepen bloed en ze hoorde haar eigen stem.

'Ik ben gewond, ik bloed.'

Dezelfde stem weer, iemand die haar hand pakte. 'Rustig maar, Sarah. Het is niet ernstig.'

Ze sloeg haar ogen op en probeerde iets te onderscheiden. Vaag herkende ze het gezicht van Dick Breden. 'Jij bent het. Wat is er gebeurd?' En op dringender toon: 'Heb je hem te pakken gekregen? Zeg alsjeblieft dat het zo is. Je hebt hem toch te pakken gekregen?'

'Ja.'

'Wie is het, wie is het? Ik wil het weten.'

'Ik weet het niet. Hij wil zijn naam niet noemen en hij heeft blijkbaar geen papieren bij zich.'

'Het is Redford niet,' zei Sarah, hoewel ze zich niet kon herinneren waarom ze dat dacht.

'Nee, Redford niet.'

'Wie dan?'

Een andere stem, iemand die zich over haar heen boog.

'Miss Jensen, ik ben inspecteur Harding. Wij zouden graag van u weten of u de man kent. Bent u in staat naar hem te kijken, denkt u?'

Ze zag Breden met een weifelende blik in zijn ogen van haar naar de inspecteur kijken.

'Waar blijft die verwenste dokter?' vroeg Breden op hoge toon. 'Er moet iemand naar haar kijken.'

'Die zal zo wel komen,' beloofde de inspecteur. Hij boog zich weer over Sarah heen. 'Hoe voelt u zich? Kunt u even naar hem kijken? Wees gerust, hij kan u niet zien.'

Sarah wreef met de rug van haar hand over haar mond. 'Ik wil hem zien. En ik wil dat hij míj ziet.'

De inspecteur ging haar voor door een smalle gang met aan de wanden aanplakbiljetten zoals ze die gisteren ook al had gezien: MOORD, VERKRACHTING, TERRORISME, VERMISSING. Nu was ze zelf een slachtoffer en een van de daders zat in een cel op haar te wachten. Dick Breden liep naast haar en hield zijn arm om haar heen geslagen om haar te steunen. Hun voetstappen maakten een dof schuifelend geluid. Ze gingen een trap op en bleven staan. De inspecteur keek naar Sarah. 'Weet u zeker dat u het aankunt?'

Ze knikte.

Hij wierp haar een onderzoekende blik toe voordat hij zich om-draaide en een hoek omging. Een rij cellen lag aan de gang. Ze bleven voor de eerste staan. Op de grond zat een man met zijn rug naar hen toe.

'Sta op, klootzak,' zei Harding. 'Er is iemand die je wil zien.'

Het was afdoende. De man stond langzaam op en draaide zich om. Het was Strone.

68

Het was al over vieren tegen de tijd dat Sarah het politiebureau verliet. Ze was daar door een arts onderzocht. Ze had een op-pervlakkige hoofdwond, een klein sneetje in haar hoofdhuid, waarvoor twee hechtingen nodig waren. Ook had ze pijnstillers gekregen. Ze had een flinke hersenschudding en de dokter had haar ter observatie in een ziekenhuis willen laten opnemen, maar Sarah wilde naar huis. Ze stond erop om naar huis te gaan. Ze moest naar haar zoontje toe en niemand kon haar bij hem weg-houden. De dokter en Breden gaven met tegenzin toe, maar pas nadat Sarah had gezegd dat er iemand zou zijn om over haar te waken. Jacob natuurlijk.

Een surveillancewagen bracht haar naar huis. Breden moest op het bureau blijven en werd geconfronteerd met een rechercheur die meteen iets over uitlokking begon te roepen. Strone was opgesloten, dat was alles wat ze wist. God, wat haar betrof mocht hij de rest van zijn leven achter de tralies blijven. Ze rilde heftig toen ze dacht aan alles wat er had kunnen gebeuren, aan wat er met de andere slachtoffers was gebeurd die geen vrienden in de buurt hadden om hen uit de nood te helpen. Ze kon het zich nu maar al te gemakkelijk voorstellen. Ze wreef met een mouw over haar gezicht alsof ze al haar make-up wilde wegschrapen. Haar blonde pruik was al eerder van haar hoofd gegleden en lag nog op de achterbank van Bredens auto.

De rit naar huis scheen eindeloos te duren. Ze had te veel tijd om na te denken. Ze had zichzelf altijd voor de gek gehouden met het idee dat ze onoverwinnelijk was. Haar laatste illusie was haar nu ontnomen en ze wist dat ze nooit meer met dezelfde ogen naar de wereld zou kijken. Het was of een oeroud instinct haar zei dat het geweld een erfenis van angst zou nalaten, een kleine kiem die ze nooit meer zou kwijtraken.

De agent bracht haar naar de voordeur. Ze bleef even staan voordat ze haar sleutel pakte en in het slot stak. Ze wilde de ellende van de nacht niet meenemen. Ze wilde haar huis niet bezoedelen met de angst en met het geweld dat ze had ondergaan. Pas bij de vijfde poging slaagde ze er met haar trillende vingers in de deur open te maken. Bevend sloop ze de trap op naar haar kamer, trok haar kleren uit en ging naar de badkamer. In navolging van de dokters instructies, zette ze behoedzaam een douchemuts op voor ze onder de waterstraal ging staan. Ze bleef tien minuten onder de douche tot ze nauwelijks nog op haar benen kon staan. Daarna trok ze haar oudste pyjama aan en ging haar kamer uit. Het licht in de gang brandde en toen ze de deur van Georgies kamer openduwde viel er een zwakke gloed op het gezicht van het slapende kind. Ze ging op haar hurken zitten en keek naar hem door de spijlen van zijn bed. Ze luisterde naar het geluid van zijn ademhaling, zag zijn kleine borst op en neer gaan onder de deken en rook zijn melk-en-broodgeur. Ze huilde zachtjes. Ze stak haar hand tussen de spijlen door en streelde zijn slapende lichaam.

Jacob stond bij de deur van haar slaapkamer te wachten. Hij zag er oud en broos uit in zijn haveloze badjas. Hij had een grijze stoppelbaard, zijn haar zat in de war en er lag angst in zijn ogen. 'O, mijn God. Lieve hemel, wat is er met je gebeurd? Wat is er gebeurd?' jammerde Jacob. Hij stak een hand uit en betastte voorzichtig haar gezwollen gezicht. 'Lieve God, ik zweer dat ik die smeerlap afmaak. Was het die Breden? Was hij het? Ik zal...'

'Hij heeft me gered, Jacob. Hij heeft me gered.'

Ze liepen samen naar beneden en gingen bij het warme fornuis zitten, Jacob met een glas whisky, Sarah met een kop thee met melk en veel suiker. Ze vertelde alles wat er was gebeurd.

69

De wekker liep af en het was net of iemand met een drilboor haar schedel bewerkte. Ze stapte uit bed, holde naar de badkamer en gaf over in de wasbak. Hersenschudding, shock, pijnstillers en uitputting waren een afschuwelijke mix. Ze tilde haar hoofd op, gooide een handvol water over haar huid en keek met knipperende, gezwollen ogen naar wat Strone had aangericht. Voorzichtig betastte ze haar blauwe oog, haar gebarsten lippen en haar opengehaalde wang. Ze zag ineens het gemaskerde gezicht van Strone weer voor zich, met de donkere ogen die haar met onverholen kwaadaardigheid door de openingen aankeken. Ze moest weer overgeven. Na een kwartier onder de douche te hebben gestaan voelde ze zich iets minder dood. Ze droogde zichzelf vlug af en trok schone kleren aan. Het was negen uur. Georgie was al uren geleden wakker geworden, had zijn ontbijt van Jacob gekregen en was alweer aan zijn eerste ochtendslaapje bezig. Sarah keek even in zijn kamer om zijn nabijheid op te snuiven en haar eigen liefde te voelen voordat ze de deur zachtjes achter zich dichtdeed.

Jacob zat in de keuken thee te drinken. De blik waarmee hij haar aankeek, verraadde zijn ontsteltenis. Ze was in elk opzicht behalve het biologische zijn dochter en hij leed tienmaal zo erg onder alles wat haar overkwam. Sarahs gehavende gezicht zou veel sneller genezen dan de wond die hem was toegebracht, het feit dat hij niets voor haar had kunnen doen, dat ze hem nooit had verteld wat ze van plan was geweest, dat ze hem niet de kans had gegeven haar te helpen of desnoods tegen te houden.

'Hoe voel je je?' vroeg hij nukkig.

'Een stuk beter nu ik weer bij jou en mijn kindje ben,' antwoordde ze.

'Nou, je mag van geluk spreken dat je...'

'Ja, dat heb je gisteravond al tegen me gezegd. Ik ben dom en onverantwoordelijk, een slechte moeder, ze zouden me...'

'Stil. Dat had ik niet mogen zeggen. Je bent een geweldige moeder. Ik zei alleen iets anders omdat ik zo ontzettend bezorgd om je was, maar je bent inderdaad dom. Ik snap nog steeds niet hoe je jezelf aan zulk gevaar hebt kunnen blootstellen. Ik begrijp er niets van. Je houdt iets voor me achter.' Hij keek haar met zijn gekwetste ogen aan.

Sarah ging naar hem toe en pakte zijn hand. 'Ik heb je alles verteld wat ik kan, Jacob. Laat het alsjeblieft rusten. Ik heb mijn redenen, mag ik? Ik ben een volwassen vrouw; ik heb echt geen geheimen voor je omdat ik dat zo leuk vind. Vertrouw me alsjeblieft.' Hij trok zijn hand weg en stond op.

'Ik zal het ontbijt voor je klaar maken. Je ziet zo wit als een vaatdoek, afgezien van die blauwe plekken dan.'

Om kwart over tien kwam Sarah in het Portobello. John Redford ontwaakte verrast uit zijn slaap toen ze op zijn deur klopte.

Sarah leunde tegen de deurpost, bijna te moe om op haar benen te blijven staan. Redford deed verward open, zijn ogen nauwelijks open.

'Sarah. Kom verder.' Hij streek het haar uit zijn ogen. Hij had de badjas van het hotel aan, zijn blote voeten zagen er wit en vreemd kwetsbaar uit. Sarah zag ineens wat ze altijd in hem had gezien, de kleine jongen, de merkwaardige onschuld. Hij wist nergens van. Niemand had hem iets verteld.

Het was donker in de zitkamer, het licht buitengesloten door zware gordijnen. Redford liet zich in een leunstoel zakken. Sarah ging tegenover hem op de sofa zitten.

'Ik heb slecht nieuws voor je,' zei Sarah. 'Over Strone.'

'Jezus, hoezo? Ik heb hem een paar uur geleden nog gezien.'
'Hij heeft meer dan twintig vrouwen verkracht, in Noord- en Zuid-Amerika, het Verre Oosten en nu in Europa.'
'Wat?' Redford werd met een schok helemaal wakker. 'Wie zegt dat? Strone is helemaal geen verkrachter. Dit is verdomme geen idioot spelletje, Sarah. Je hebt het over mensen, die moet je niet door het slijk halen.'
Ze stond op om het licht aan te doen voordat ze Redford aankeek.
'Shit! Wat is er met je gebeurd?' Redford stond op en ging naar haar toe. Hij liet zijn vingers over de blauwe plekken in haar gezicht gaan. Ze knipperde met haar ogen en duwde hem weg.
'Een serieverkrachter heeft overal slachtoffers gemaakt waar jij hebt opgetreden, steeds in de nacht na een concert,' zei Sarah. Ze bleef op een armlengte van Redford staan en keek hem recht in zijn ogen.
'Toen Carla me haar verhaal had verteld en ik hoorde waar de serieverkrachter had toegeslagen, dacht ik dat jij het zou kunnen zijn. Ik wilde het zeker weten, daarom heb ik met een paar mensen de werkwijze van de verkrachter bestudeerd en een val voor de dader opgesteld, met mij als lokaas. Toen ik in je kleedkamer was heb ik een zendertje op je overhemd gekleefd. Met behulp daarvan konden we je volgen naar De Gevallen Engel. Ik was de serveerster met de blonde pruik, het soort vrouw waar de verkrachter altijd achteraanging. Ik ben tegelijk met jou weggegaan, je keek zelfs naar me. We waren allebei in vermomming. Jij stapte in een rode Volvo en ik dacht dat het gevaar geweken was. Ik ging een eindje lopen toen er iemand achter me aan kwam. Een man met een zwarte kap over zijn hoofd, met openingen voor zijn ogen.' Haar eerst zo koele, emotieloze stem begon te beven. 'Hij viel me aan en hij sloeg me toen ik me probeerde te verzetten. Het duurde misschien maar driekwart minuut, maar voor mij was het een eeuwigheid. Hij sloeg me minstens zes keer op mijn hoofd voordat de anderen te hulp konden schieten en erin slaagden hem te overmeesteren. Ik raakte buiten westen en kwam pas weer bij op het politiebureau in Brick Lane. Daar kreeg ik de overvaller te zien. Het was Strone.'
Redford sloeg zijn handen voor zijn gezicht.

'Lieve God, het spijt me, Sarah. Het spijt me dat je dit hebt moeten meemaken. Jezus, het moet vreselijk voor je zijn geweest.'
'Ja, dat was het.'
Redford draaide zich om en begon heen en weer te lopen.
'Ik kan het niet geloven. Hij zei dat hij alleen maar een eindje wilde lopen. Dat doet hij altijd, overal waar we komen gaat hij de stad in, die gewoonte heb ik van hem overgenomen. Maar hij is onbekend, hij kan gaan en staan waar hij wil. Ik maakte er wel eens grappen over dat hij ging wandelen, altijd in een achterbuurt. En toen we samen uit gingen vond hij het geestig om zich ook te vermommen. Ik dacht dat hij misschien naar de hoeren ging, maar ik heb er nooit echt naar gevraagd.'
Hij bleef voor Sarah staan. 'Ik ben helemaal van slag. Strone een serieverkrachter, en jij... Een heel team achter je, zendertjes. Dat je het risico hebt willen nemen. Wie ben je eigenlijk?'
'Een vrouw die haar brood moet verdienen.'
'Ik heb je ooit een spion voor Goldsteins genoemd en zo is het toch ook? Dat je de boekhouding kwam nakijken was maar een smoes om mij in de gaten te kunnen houden.'
'Het was meer dan een smoes, maar verder heb je gelijk. Iemand moest nagaan of je niets te verbergen had en Goldsteins wees mij daarvoor aan.'
'Hoe kon je? Hoe kon je mij en jezelf dit aandoen?'
'O John, praat toch niet zo. Ik wil het er nu niet over hebben.'
'Geef antwoord, Sarah. Je kunt hier niet binnen komen lopen om te vertellen wat je de laatste maanden hebt uitgevreten en dan verwachten dat het me niets doet. Dit is echt gebeurd, het is geen gokspelletje, en je hebt mij als een pion heen en weer geschoven. Het gaat hier om echte mensen, mensen zoals wij.'
'Het gaat niet om ons, John,' zei Sarah langzaam. 'Wij zijn nooit een stel geweest.'
'Geloof je dat zelf?'
'Ik kan niet anders.'
'Ben je daarom ook met me naar bed gegaan? Omdat het je werk was?'
Sarah gaf hem een klap in zijn gezicht. Redford wreef over zijn rode wang, maar hij was bijna blij dat hij Sarah tot enige passie had gebracht.

'Wat dacht je?'

'Ik weet niet wat ik moet denken. Je hebt van het begin af aan tegen me gelogen.'

'Niet in Wyoming,' zei ze zachtjes. 'En daarna, hier in Londen, heb ik alles gedaan om intiem contact met je te vermijden. Geloof me, het had niets met mijn werk te maken.'

Redford lachte bitter. 'Geloof is hier niet erg betrouwbaar meer. Jij geloofde dat ik een serieverkrachter was.'

'Ik heb me vergist, maar je hebt wel een vrouw verkracht en het zag er slecht voor je uit.'

Redford streek met een hand door zijn haar.

'De politie heeft me ondervraagd. Een of andere inspecteur.'

Sarah keek hem scherp aan.

Natuurlijk, de inspecteur in het hotel. Ze had het kunnen zien aan zijn verfomfaaide pak en zijn houding waarmee hij de rockster ongetwijfeld in het nauw had gebracht.

'Hij wilde me spreken over Carla Parton,' zei Redford met een opzettelijk emotieloze stem. 'Alias Jenni White, alias D.D. Simmonds.'

Sarah voelde haar knieën knikken. De aanval, de hersenschudding, haar angst en vermoeidheid, en nu ook nog het onheilspellende gevoel dat ze nog meer naar haar hoofd geslingerd zou krijgen zorgden ervoor dat ze bijna flauwviel. Ze ging op de sofa zitten en legde haar handen om haar opgetrokken knieën.

'Carla Parton, de mislukte actrice met een verleden van gedwongen opnames wegens psychotisch gedrag, wordt in vijf staten gezocht op verdenking van stalking, chantage en afpersing,' zei Redford. 'Een rockzanger die ik hier niet met name zal noemen werd door haar beschuldigd van verkrachting toen hij onder invloed van verdovende middelen verkeerde. Hij waarschuwde echter de politie en liet Jenni White, zoals ze zich noemde, door de bewakingsdienst vasthouden. De politie maakte proces-verbaal op en dat was niet voor het eerst en ook niet voor het laatst. Ze had al drie andere rocksterren gechanteerd. Die hadden allemaal betaald, een schadevergoeding omdat ze haar leven hadden verwoest. Haar verhaal was zo geloofwaardig en ze wist haar slachtoffers zo sluw uit te kiezen dat ze op zijn minst de schijn van gelijk aan haar zijde had.'

Sarah sloeg haar handen voor haar gezicht. Terwijl ze haar warme adem tegen haar vingers voelde, hoorde ze Carla's stem weer, zag ze haar gezicht, de tranen en de pijn. Ze had Carla willen geloven en Redford willen veroordelen, hem van het ergste verdenken, alleen om van hem verlost te zijn, om de liefdesband die tussen hen bestond te verbreken en haar zoontje voor haarzelf te houden zonder hem met een verkrachter te hoeven delen. Haar eigen liefde en behoeften hadden haar blind gemaakt. Plotseling werd ze door een andere gedachte getroffen.

'Misschien vertelde Carla die eerste keer toch de waarheid en was ze echt verkracht, alleen niet door jou maar door Strone.'

Redford keek haar grimmig zwijgend aan.

'Naar eigen zeggen heeft ze de dader na afloop van jouw concert niet gezien,' ging Sarah verder. 'Ze mocht naar jouw kleedkamer en toen ze binnenkwam merkte ze dat er iemand achter een scherm stond. Voor ze wist wat er gebeurde ging het licht uit en werd ze verkracht. Ze kon niet zien door wie, maar omdat het jouw kleedkamer was nam ze aan dat jij het was.'

'Strone heeft ook een eigen kamer om bij te komen en om zijn operaties voor te bereiden, zoals hij het zelf altijd noemt,' zei Redford met een strak gezicht.

'Ze had haar uniform nog aan. Alle vrouwen die door Strone zijn verkracht waren serveerster. Dat kan Carla nooit hebben geweten. Als ze werkelijk door Strone is verkracht heeft dat haar misschien over het randje geduwd en gelooft ze sindsdien dat die andere rocksterren die ze chanteerde haar ook hebben verkracht.'

Sarah begroef haar gezicht in haar handen.

'Misschien wel,' zei Redford. 'In elk geval klinkt haar verhaal verdomd overtuigend, of ze het nu zelf gelooft of niet. Ze heeft mij erin geluisd. Ik heb haar een miljoen dollar betaald,' voegde hij er met bittere zelfspot aan toe.

Sarah besloot niet te zeggen dat ze dit al wist. Ze begon door de kamer te lopen en probeerde haar verwarde gedachten te verzamelen. Ze bleef staan en keek naar Redford.

'Waarom heb je niets tegen me gezegd?'

Redford lachte minachtend. 'Daarvoor was het een beetje te laat, Sarah. Jij had me al veroordeeld.'

Sarah begon te huilen. Ze draaide zich om en holde de kamer uit.

70

Ze vond een taxi in Kensington Park Road en liet zich naar Gold-steins brengen. James Savage was de volgende die ze onder ogen moest komen. Haar mobiele telefoon ging toen de taxi Liverpool Street naderde. Het was Breden. Nadat Sarah hem had verzekerd dat ze er redelijk aan toe was begon hij opgewonden te praten.

'Ik heb net de hoofdinspecteur gesproken. Strone heeft bekend.'

Sarah kon even geen woord uitbrengen. 'Bekend? Dat had ik nooit gedacht. Ik dacht dat hij zijn mond niet open zou doen.'

'Nee, hij heeft een paar uur geleden opgebiecht. Blijkbaar heeft hij alles verteld wat hem op zijn hart lag. Ik heb je al eens gezegd dat hij bezig was om door te slaan, bijna alsof hij betrapt wilde worden. Het was bijna een opluchting voor hem dat het is ge-beurd en nog meer dat hij alles kon vertellen.'

Sarah dacht snel na. 'Heeft hij iets over Carla gezegd?'

'Ja. Zij was blijkbaar de eerste.'

'Dat was heel lang geleden. Hoeveel andere vrouwen heeft hij sindsdien niet verkracht?'

Sarah werd bijna overmand door de afschuwelijke gedachte.

'Jij hebt hem tegengehouden, Sarah,' zei Breden. 'Je bent heel moedig geweest.'

'Ik kan nu anders ook wel wat moed gebruiken. Ik ben net op weg naar Savage om hem alles te vertellen.'

'Veel geluk,' zei Breden.

'Wil je dat ik jou erbuiten laat?' vroeg Sarah. 'Hij zal woedend op je zijn.'

'Ja, maar dat is niet zo erg. De waarheid komt vroeg of laat toch wel aan het licht. Ik moet mezelf maar op het ergste voorbereiden.'

Toen Evangeline haar gezicht zag en haar grimmig hoorde zeg-gen dat ze de directeur zeer dringend moest spreken, liet ze Savage uit een bespreking met een potentiële nieuwe cliënt halen. Zijn ontstemming verdween zodra hij Sarah zag.

'Wat is er in godsnaam met je gebeurd?' Hij stak onwillekeurig zijn hand uit en trok hem meteen weer terug, alsof hij dacht dat ze zelfs de lichtste aanraking niet zou kunnen verdragen.

'Kunnen we gaan zitten?' vroeg Sarah, die ineens een nieuwe aan-val van duizeligheid te verwerken kreeg. Savage aarzelde ditmaal niet en nam haar bij de arm. In zijn kantoor liet hij haar op de sofa plaatsnemen.

'Evangeline,' riep hij over zijn schouder, 'wil je een glas water brengen?'

Sarah nam een paar slokjes uit het glas dat Evangeline haar bracht en begon zich wat beter te voelen. Savage keek haar met een bezorgde blik aan.

'Wie heeft dit in 's hemelsnaam op zijn geweten?' fluisterde hij knarsetandend.

'Wacht even,' zei Sarah terwijl ze vermoeid een hand opstak. 'Het is een lang verhaal, ik kan maar beter bij het begin beginnen.'

Het duurde een uur en nog twee glazen water. Ze vertelde hoe ze had besloten een val op te zetten om de stalker te betrappen. Ze vertelde hoe ze Carla had ontmaskerd en na haar verhaal en het artikel over de serieverkrachter in *The Times* John Redford was gaan verdenken. Ten slotte vertelde ze hoe ze geholpen door Breden de aanrander in de val had gelokt.

'Maar als het Redford niet was, wie dan wel?' riep Savage uit nadat ze haar verhaal had gedaan.

'Het was Strone.'

'Godallemachtig,' zei Savage terwijl hij ging staan. 'En ik maar denken dat ik alles in de hand had terwijl die krankzinnige los rondliep.' Hij ging op hoge benen naar Sarah toe en boog zich over haar heen. 'Je had wel dood kunnen zijn. Wat heeft je in vredesnaam bezield? Eerst die stalker en daarna een verkrachter. Je wilt toch niet dood, hoop ik?'

Sarah beet op haar lip. Haar hart beefde toen ze probeerde uit te maken wat ze Savage wel en niet moest vertellen.

'Ik had mijn redenen.'

'Welke dan? Dit is toch niet te rechtvaardigen?'

'De stalker bedreigde niet alleen mij,' zei Sarah op matte toon. 'Ze bedreigde ook mijn oom en mijn kind.'

Savage zweeg. Hij keek Sarah ontsteld aan.

'Je kind?'

'Ik heb een zoontje van negen maanden. Voor hem heb ik deze opdracht aangenomen, voor hem heb ik zo hard met jou over geld onderhandeld, voor hem heb ik de stalker in de val gelokt. In een van haar dreigbrieven stond dat ze Georgie zou doodmaken.' Tranen sprongen in haar ogen toen ze de naam van haar zoontje uitsprak. Ze veegde ze weg en ging verder. 'Dat kon ik toch niet toestaan? Ik zorgde ervoor dat mijn oom en mijn kind vierentwintig uur per dag werden bewaakt en daarna ben ik naar Venetië gegaan.'

Savage zuchtte diep. 'Je gedrag was in veel opzichten ook zo merk-waardig. Ik snapte niet wat er met je aan de hand was, maar nu wordt alles me duidelijk. Vooral Venetië. Eerst wilde je niet, maar daarna kon je niet wachten om erheen te gaan.'

'In de tussentijd had ze Georgie en Jacob bedreigd.'

Savage knikte. 'Waarom heb je het niet eerder gezegd?'

'Ik weet het niet. Jij had andere dingen aan je hoofd en ik dacht dat ik het zelf wel kon oplossen.'

'Door voor God te spelen.'

'Als je het zo wilt noemen.'

'Ik heb altijd het gevoel gehad dat je iets achterhield. Verdomme, Sarah, ik weet amper wat ik ervan moet denken. Dit is te veel om in één keer te verwerken. Je hebt er dit keer wel een troep van gemaakt.'

'O ja?' vroeg Sarah met toenemende woede. 'Jij wilde dat ik in het privéleven van mensen ging graven om hun vuile was te vin-den en dat heb ik voor je gedaan. Ik heb het lek gevonden, ik heb ontdekt dat Redford werd bedreigd en door wie, en ik heb Stro-ne als serieverkrachter ontmaskerd. Nu is dat kostbare contract van je zo goed als rond. Als Strone wordt vervolgd zal er veel ne-gatieve publiciteit komen, maar waar het om gaat is dat Redford onschuldig is.'

'Vind jij dat ik de emissie nog moet doorzetten?' vroeg Savage ongelovig.

'Ja, waarom niet? Anders is alles wat ik heb gedaan, al het risi-co dat ik heb genomen voor niets geweest.'

Savage haalde een paar keer diep adem alsof hij zelf duizelig be-gon te worden.

'Je bent echt niet te geloven. Ik neem aan dat je Breden hebt om-gekocht om zijn hulp te krijgen?'

'Hij vond het moeilijk om te weigeren, maar ik kan je verzeke-ren dat hij liever niets achter jouw rug had gedaan.'

Savage lachte blaffend. 'Maak je geen zorgen, ik zal het Dick niet te moeilijk maken. Hij krijgt de wind van voren, maar ik veronderstel dat de arme knaap tegen jou geen schijn van kans had.'

'Wat bedoel je?' vroeg Sarah.

'Hij is smoor op je,' zei Savage. 'Ga me niet vertellen dat je het niet wist, met die befaamde intuïtie van je.'

'Nee, dat wist ik niet,' antwoordde Sarah boos. 'En ik weet zeker dat je je vergist.'

Savage ging aan zijn bureau zitten en haalde een chequeboek te voorschijn. Hij schreef een cheque uit, scheurde hem los en gaf hem aan Sarah.

'Alsjeblieft. Ik kan niet zeggen dat je het niet hebt verdiend, maar het zou me een lief ding waard zijn geweest als je niet zoveel risico had genomen.'

'Er was geen veilige manier om dit aan te pakken, James, dat weet je zelf ook wel. Je wilt gewoon niet te veel over onze methoden weten, alleen de resultaten zien.'

Savage pauzeerde even voordat hij de cheque losliet.

'Misschien heb je gelijk. Hoe dan ook, dit is een ton voor je onderzoek naar Redford en een premie van vijftigduizend pond omdat je het lek hebt gevonden. Daarmee ben je wel uit de kosten, denk je niet?'

Sarah borg de cheque op. 'Dank je, James, dat denk ik wel. Nog één vraagje. Kan ik nog opdrachten van je verwachten?'

Savage trok zijn wenkbrauwen omhoog. 'Dat moet je niet vragen nu ik nog in een shock verkeer.'

'Ik moet het weten.'

'Om je zoon te kunnen onderhouden?'

'Ja.'

Savage glimlachte verrassend vriendelijk. 'Zorg eerst dat je helemaal herstelt, breng wat tijd met je kind door. Maak je over de rest maar geen zorgen.'

'En de emissie?' Ze dacht aan Redford, die zo graag een punt achter zijn carrière wilde zetten. 'Gaat die nog door?'

Savage gaf niet onmiddellijk antwoord. 'Dat weet ik echt niet, ik zal erover na moeten denken. Het is een behoorlijk troep. De pers zal er bovenop springen en in eigen huis moet ik ook nog rekening houden met Zamaroh. Hoe moet ik haar in 's hemelsnaam uitleggen wat er is gebeurd? Of moet ik alles voor haar verzwijgen? Ze is net een wandelende vulkaan.'

'Doe het maar, James,' zei Sarah terwijl ze naar de deur ging. 'Je weet dat het moet. Alle ellende is nu verleden tijd.'

'Echt?' vroeg Savage langzaam. 'Dat vraag ik me af.'

71

Sarah hield een taxi aan in Liverpool Street en liet zich op de achterbank zakken. Ze dacht terug aan haar gesprek met Redford, die had onthuld dat Carla hem chanteerde, en aan de bekentenis die Strone volgens Breden had afgelegd. Ze had er helemaal naast gezeten. Waarom had ze zo snel geloofd dat Redford schuldig was? Persoonlijke en professionele motieven liepen door elkaar heen tot ze in de verwarde kluwen alleen nog haar eigen falen, haar eigen schuld kon zien. Ze had van John Redford gehouden ondanks het feit dat hij een rockster was. Waarom was ze zo bang voor haar eigen beweegredenen? Ze was niet op beroemdheid uit. Het geld was misschien belangrijk, maar ze zou nooit een publieke persoonlijkheid kiezen en al helemaal niet iemand die over de hele wereld bekend was. Ze hield van anonimiteit. Ze beminde de man en niet de rockster, maar de rockster joeg haar angst aan en daarom had ze hem uit haar gedachten willen verbannen en hun liefde willen doden.

Uitgeput kwam ze thuis, haar ogen rood van het huilen. Jacob keek haar verbaasd aan toen ze Georgie van hem overnam.

'Wat is er nu weer gebeurd?'

'Ik ben stom geweest,' zei ze hijgend terwijl ze haar tranen voor Georgie probeerde weg te slikken. 'Ik heb er een ongelofelijke bende van gemaakt. Ik – ' Ze zweeg toen er aan de deur werd gebeld. 'O, wie is dat nou weer?' Ze liep de gang door en trok met een zwaai de deur open. John Redford stond op de stoep. Sarah slaakte een gekwelde kreet. Ze draaide zich half om en probeerde, zonder succes, Georgie voor hem te verbergen.

'Wie ben jij?' vroeg Jacob bars terwijl hij naast Sarah ging staan. 'Zal ik hem de deur wijzen?' Jacob maakte zich breed.

Sarah keek naar Jacob voordat ze zich langzaam naar Redford

omdraaide. Zijn ogen gingen met een ongelovige blik van Georgie naar haar gezicht.

'Nee, dat is niet nodig.' Ze keek Redford aan. 'Kom maar binnen.'

Sarah ging op de sofa zitten en nam Georgie op schoot. Redford bleef tegenover haar staan. Jacob wachtte onzeker af in de deuropening.

'Hoe oud is hij?' vroeg Redford. Zijn doorgaans zo beheerste stem trilde.

'Iets meer dan negen maanden,' antwoordde Sarah. Ze zag Redford rekenen.

'Moet ik nog meer vragen?' zei hij langzaam.

Sarah had zich nog nooit zo breekbaar, zo volmaakt weerloos gevoeld. 'Nee,' zei ze fluisterend. 'Dat hoeft niet.'

Redford sloeg zijn handen voor zijn gezicht. 'Waarom heb je het niet gezegd?' vroeg hij gekweld. 'Hoe kon je me dit aandoen?'

'Wat bedoel je?' vroeg Sarah. Haar stem klonk ineens schril van afschuw. 'Dat ik geen abortus heb gepleegd?' vroeg ze schor.

'Nee, verdomme. Dat je het niet hebt verteld. Hoe kon je mijn zoon bij me weghouden? Hoe haal je het in je hoofd?'

Ze staarde hem aan en zag dezelfde felheid in zijn ogen die ze in Wyoming had gezien. Toen was het hartstocht geweest en nu woede, maar onder die woede herkende ze iets van zijn goede hart.

'Lieve God,' zei Jacob. 'Ben jij de vader van Georgie?'

Zowel hij als Redford keek naar Sarah om de waarheid van haar te horen, hoewel de blauwe ogen van de baby meer dan genoeg zeiden.

Sarah keek Redford strak aan voordat ze antwoord gaf.

'Ja. Jij bent de vader van Georgie.'

72

Een jaar later
Passages uit *The Word*.

3 juni
Het sensationele proces tegen de serieverkrachter Strone

Cawdor is vandaag geëindigd met een schuldigverklaring door de jury in de Old Bailey. Strone, de manager van rockzanger John Redford, werd schuldig bevonden aan ten minste vijftien verkrachtingen, gepleegd in een periode van anderhalf jaar tijdens de wereldtournee van Redford. Interpol, de FBI en politiekorpsen in meer dan twaalf landen hadden een klopjacht op de dader ingezet, maar hij kon uiteindelijk worden aangehouden door de inspanningen van de vrouwelijke beurshandelaar en privédetective Sarah Jensen, voormalig valutahandelaar bij de InterContinental Bank en tegenwoordig werkzaam als freelance consultant van Goldsteins International. Jensen kwam in de vroege uren van de vierde oktober vorig jaar uit De Gevallen Engel nabij Spitalfields Market toen Strone met een zwarte kap over zijn hoofd uit de schaduw opdook en haar aanviel. Dick Breden, die eveneens in De Gevallen Engel was geweest, hoorde Jensen schreeuwen en schoot haar te hulp. Breden wist Strone te overmeesteren en waarschuwde de politie. Voor Sarah Jensen, ooit een van de bekendste valutahandelaars in de City, was het niet de eerste keer dat ze met geweld werd geconfronteerd. Vier jaar geleden verliet ze ICB nadat de bank door enkele opzienbarende moorden in opspraak was gekomen. Destijds werd gesuggereerd...'

Sarah smeet de krant weg. 'Als Roddy Clark zo blijft graven zit hij straks in Australië.'

4 juni

Na de veroordeling, gisteren, van Strone Cawdor wegens het plegen van vijftien verkrachtingen is nu ook Jim O'Cleary, de voornaamste beveiligingsman van John Redford, tot een gevangenisstraf van acht jaar veroordeeld. O'Cleary werd schuldig bevonden aan poging tot bedreiging van belangrijke getuigen in het proces tegen Strone Cawdor. Hij werd verder beschouwd als medeplichtige aan verkrachting. De jury achte aangetoond dat hij van enkele door Cawdor gepleegde verkrachtingen op de hoogte was, maar dat hij die verzweeg vanuit een misplaatst gevoel van loyaliteit jegens Cawdor.

Sarah liet de krant vol walging zakken.

6 juni
Goldsteins International heeft de grootste 'Bowie-lening' tot nog toe naar de beurs gebracht met de uitgifte van obligaties op naam van de legendarische rockzanger John Redford. Goldsteins wist 110 miljoen dollar voor Redford op te brengen. De obligaties, die door Moody's met een single A zijn gewaardeerd, werden door tien institutionele beleggers aangekocht. Redford lijkt geen nadelige gevolgen te hebben ondervonden van het schandaal rond zijn vroegere manager Strone Cawdor, die de vorige week wegens een serie verkrachtingen tot een gevangenisstraf van tweeëntwintig jaar werd veroordeeld. De verkopen van zijn cd's lijken integendeel nog te zijn gestegen dankzij alle publiciteit rond het proces, waarbij de ster tot vier keer toe tegen zijn voormalige manager moest getuigen.
Zie verder de rubriek *Nieuws uit de City*.

6 juni
Nieuws uit de City, door Roddy Clark
James Savage, de machtige voorzitter van de raad van bestuur van Goldsteins, is na een huwelijk van achtentwintig jaar van zijn vrouw Fiona gescheiden. Fiona Savage woont inmiddels samen met Richard Deane, een aankomend talent bij Goldsteins concurrent Uriah's. Het laat zich raden waar hun intieme gesprekken over gaan...

De stomme koe, dacht Sarah.

10 juni
'Vrouwen in gevaar', een internationale liefdadige instelling die strijdt tegen vrouwenbesnijding en opvang biedt aan mishandelde vrouwen en hun kinderen, heeft opgetogen gereageerd nadat een anonieme weldoener een bedrag van vijf miljoen dollar had geschonken.
'Er kwam een knappe donkerharige vrouw binnen met een envelop in haar hand. Ze vroeg onze directeur Lydia Priors

te spreken, wachtte een halfuur in de gang en overhandigde de envelop met de woorden: "Maak er goed gebruik van." Daarna ging ze weg. De directeur legde de envelop ongeopend op haar bureau en pas na de lunch dacht ze er weer aan,' verklaarde Lindsay McManners, de secretaresse van de directeur. McManners zei dat ze een kreet hoorde en het kantoor van haar chef binnenrende, waar ze de directeur dansend van vreugde aantrof, zwaaiend met een cheque ter waarde van vijf miljoen.

Sarah sloeg met een glimlach de krant dicht. Ze boog zich over Georgie en kuste hem op zijn wang.
'Heb je zin om een luchtje te scheppen voordat we je in bad stoppen en je naar bed brengen?' vroeg ze.
Hij schudde heftig met zijn hoofd en liet een even volmaakt als beslist 'nee!' horen voordat hij verderging met zijn legpuzzel.
Sarah glimlachte. 'Goed, mijn engeltje. Ik ben over vijf minuten terug.' Ze keek de kamer door om er voor te zorgen dat haar baby niets kon overkomen, daarna sloot ze de deur af, ging naar de veranda en ademde de frisse lucht in. Het was plotseling zomer geworden in de bergen en dat had haar in een euforische stemming gebracht.
Nog maar twee weken geleden hadden de Tetons een dikke mantel van sneeuw gedragen, maar die begon elke dag meer en sneller te smelten. Nu lag er alleen in de diepste ravijnen nog sneeuw. De zon begon onder te gaan en kleurde de rotsen terracotta, een omgekeerd spiegelbeeld van de zonsopgang die elke dag op het meer glinsterde. Sarah liep het houten trapje van de veranda af naar het hoog opschietende gras. Ze wandelde de vijftig meter naar het meer en klom op een met mos begroeide rots. Daar keerde ze haar gezicht naar de zon om de laatste warmte van de dag op te vangen voordat het hemellichaam als een meteoor achter de hoog oprijzende stenen horizon daalde. Ze kon de kou nu al in de lucht ruiken. De verse geur van mos en van het schone water.
Vanaf het rotsblok kon ze door het dal naar de vlakte daarachter kijken, met links en rechts het gebergte. Ze zag een eland op zijn hoede voor de open plek tussen twee boomgroepen lopen.

351

Het dier bleef halverwege staan. Zijn oren gingen heen en weer voordat hij zijn kop haar kant op draaide. De eland was ongeveer dertig meter bij haar vandaan. Ze bleef roerloos zitten. Een eland kon gevaarlijk zijn, maar ze had het gevoel dat deze zich alleen maar met zijn eigen zaken wilde bemoeien. Plotseling draaide hij zijn kop de andere kant op en leek strak ergens naar te staren. Het duurde even voordat Sarah doorhad waar hij zo'n belangstelling voor had. Ze kreeg een bewegend vlekje in de gaten dat langzaam uitgroeide tot een paard, bereden door een lange man met een cowboyhoed. Het paard had dezelfde bruinrode kleur als de bergen in het licht van de ondergaande zon. Zelfs van vijf- of zeshonderd meter afstand zag ze hoe elegant en lichtvoetig het paard in rustige draf dichterbij kwam. De eland keek er met ernstige belangstelling naar voordat hij langzaam, en zijn poten hoog optillend, tussen de bomen verdween.

Sarah klom van het rotsblok en ging terug naar de hut. Georgie was nog vrolijk aan het spelen. Ze pakte hem op en nam hem mee naar buiten. Het paard vertraagde zijn gang tot in rustige pas. Op tien meter afstand liet de ruiter zich uit het zadel glijden, gooide zijn teugels over de zadelknop en liep met uitgestrekte armen op hen af. Georgie begon te friemelen tot zijn moeder hem neerzette. Hij hobbelde naar de glimlachende man toe en riep telkens weer dat ene woord.

'Pappa.'